GOLDMANN
KLASSIKER

D1026666

Frank Wedekind
in der Taschenbuchreihe
Goldmann Klassiker:

Erdgeist. Tragödie – Die Büchse der Pandora. Tragödie (7534)

Frühlings Erwachen. Eine Kindertragödie – Der Marquis von Keith. Schauspiel (7542)

Gedichte und Chansons (7585)

FRANK
WEDEKIND

FRÜHLINGS ERWACHEN

EINE KINDERTRAGÖDIE

DER MARQUIS VON KEITH

SCHAUSPIEL

Mit einem Nachwort,
Erläuterungen und bibliographischen Hinweisen
von Thomas Medicus und Burghard Dedner
sowie mit einer Zeittafel zu Wedekind
von Hartmut Vinçon

GOLDMANN VERLAG

Vollständige Texte von »Frühlings Erwachen«
und »Der Marquis von Keith«

Umschlagbild: Alix du Frênes und Kurt Meisel in einer Aufführung
des »Marquis von Keith« an den Münchner Kammerspielen
im Jahre 1957 (Ausschnitt aus einem Foto)

Made in Germany · 8. Auflage · 3/87

Umschlagentwurf: Design Team, München
Umschlagfoto: Hildegard Steinmetz, Gräfelfing
Satz und Druck: Presse-Druck Augsburg
Verlagsnummer: 7542
Lektorat: Martin Vosseler
Herstellung: Sebastian Strohmaier
ISBN 3-442-07542-4

Inhalt

Frühlings Erwachen

Eine Kindertragödie

(Geschrieben Herbst 1890 bis Ostern 1891)

Dem vermummten Herrn

DER VERFASSER

ERSTER AKT

Erste Szene

Wohnzimmer

WENDLA Warum hast du mir das Kleid so lang gemacht, Mutter?

FRAU BERGMANN Du wirst vierzehn Jahr heute!

WENDLA Hätt' ich gewußt, daß du mir das Kleid so lang machen werdest, ich wäre lieber nicht vierzehn geworden.

FRAU BERGMANN Das Kleid ist nicht zu lang, Wendla. Was willst du denn! Kann ich dafür, daß mein Kind mit jedem Frühling wieder zwei Zoll größer ist? Du darfst doch als ausgewachsenes Mädchen nicht in Prinzeßkleidchen einhergehen.

WENDLA Jedenfalls steht mir mein Prinzeßkleidchen besser als diese Nachtschlumpe. – Laß mich's noch einmal tragen, Mutter! Nur noch den Sommer lang. Ob ich nun vierzehn zähle oder fünfzehn, dies Bußgewand wird mir immer noch recht sein. – Heben wir's auf bis zu meinem nächsten Geburtstag; jetzt würd' ich doch nur die Litze heruntertreten.

FRAU BERGMANN Ich weiß nicht, was ich sagen soll. Ich würde dich ja gerne so behalten, Kind, wie du gerade bist. Andere Mädchen sind stakig und plump in deinem Alter. Du bist das Gegenteil. – Wer weiß, wie du sein wirst, wenn sich die andern entwickelt haben.

WENDLA Wer weiß – vielleicht werde ich nicht mehr sein.

FRAU BERGMANN Kind, Kind, wie kommst du auf die Gedanken!

WENDLA Nicht, liebe Mutter; nicht traurig sein!

FRAU BERGMANN *sie küssend* Mein einziges Herzblatt!

WENDLA Sie kommen mir so des Abends, wenn ich nicht einschlafe. Mir ist gar nicht traurig dabei, und ich weiß, daß ich dann um so besser schlafe. – Ist es sündhaft, Mutter, über derlei zu sinnen?

FRAU BERGMANN Geh denn und häng das Bußgewand in den Schrank! Zieh in Gottes Namen dein Prinzeßkleidchen wieder an! Ich werde dir gelegentlich eine Handbreit Volants unten ansetzen.

WENDLA *das Kleid in den Schrank hängend* Nein, da möcht' ich schon lieber gleich vollends zwanzig sein . . .!

FRAU BERGMANN Wenn du nur nicht zu kalt hast! – Das Kleidchen war dir ja seinerzeit reichlich lang; aber . . .

WENDLA Jetzt, wo der Sommer kommt? – O Mutter, in den Kniekehlen bekommt man auch als Kind keine Diphtheritis! Wer wird so kleinmütig sein. In meinen Jahren friert man noch nicht – am wenigsten an die Beine. Wär's etwa besser, wenn ich zu heiß hätte, Mutter? – Dank' es dem lieben Gott, wenn sich dein Herzblatt nicht eines Morgens die Ärmel wegstutzt und dir so zwischen Licht abends ohne Schuhe und Strümpfe entgegentritt! – Wenn ich mein Bußgewand trage, kleide ich mich darunter wie eine Elfenkönigin . . . Nicht schelten, Mütterchen! Es sieht's dann ja niemand mehr.

Zweite Szene

Sonntag abend

MELCHIOR Das ist mir zu langweilig. Ich mache nicht mehr mit.

OTTO Dann können wir andern nur auch aufhören! – Hast du die Arbeiten, Melchior?

MELCHIOR Spielt ihr nur weiter!

MORITZ Wohin gehst du?

MELCHIOR Spazieren.

GEORG Es wird ja dunkel!

ROBERT Hast du die Arbeiten schon?

MELCHIOR Warum soll ich denn nicht im Dunkeln spazierengehn?

ERNST Zentralamerika! – Ludwig der Fünfzehnte! Sechzig Verse Homer! – Sieben Gleichungen!

MELCHIOR Verdammte Arbeiten!

GEORG Wenn nur wenigstens der lateinische Aufsatz nicht auf morgen wäre!

MORITZ An nichts kann man denken, ohne daß einem Arbeiten dazwischenkommen!

OTTO Ich gehe nach Hause.

GEORG Ich auch, Arbeiten machen.

ERNST Ich auch, ich auch.

ROBERT Gute Nacht, Melchior.

MELCHIOR Schlaft wohl! *Alle entfernen sich bis auf Moritz und Melchior.*

MELCHIOR Möchte doch wissen, wozu wir eigentlich auf der Welt sind!

MORITZ Lieber wollt' ich ein Droschkengaul sein um der Schule willen! – Wozu gehen wir in die Schule? – Wir gehen in die Schule, damit man uns examinieren kann! – Und wozu examiniert man uns? – Damit wir durchfallen. – Sieben müssen ja durchfallen, schon weil das Klassenzimmer oben nur sechzig faßt. – Mir ist so eigentümlich seit Weihnachten ... hol mich der Teufel, wäre Papa nicht, heut noch schnürt' ich mein Bündel und ginge nach Altona!

MELCHIOR Reden wir von etwas anderem. – *Sie gehen spazieren.*

MORITZ Siehst du die schwarze Katze dort mit dem emporgereckten Schweif?

MELCHIOR Glaubst du an Vorbedeutungen?

MORITZ Ich weiß nicht recht. – – Sie kam von drüben her. Es hat nichts zu sagen.

MELCHIOR Ich glaube, das ist eine Charybdis, in die jeder stürzt, der sich aus der Skylla religiösen Irrwahns emporgerungen. – – Laß uns hier unter der Buche Platz nehmen. Der Tauwind fegt über die Berge. Jetzt möchte ich droben im Wald eine junge Dryade sein, die sich die ganze lange Nacht in den höchsten Wipfeln wiegen und schaukeln läßt.

MORITZ Knöpf dir die Weste auf, Melchior!

MELCHIOR Ha – wie das einem die Kleider bläht!

MORITZ Es wird weiß Gott so stockfinster, daß man die Hand nicht vor den Augen sieht. Wo bist du eigentlich? – – Glaubst du nicht auch, Melchior, daß das Schamgefühl im Menschen nur ein Produkt seiner Erziehung ist?

MELCHIOR Darüber habe ich erst vorgestern noch nachgedacht. Es scheint mir immerhin tief eingewurzelt in der menschlichen Natur. Denke dir, du sollst dich vollständig entkleiden vor deinem besten Freund. Du wirst es nicht tun, wenn er es nicht zugleich auch tut. – Es ist eben auch mehr oder weniger Modesache.

MORITZ Ich habe mir schon gedacht, wenn ich Kinder habe, Knaben und Mädchen, so lasse ich sie von früh auf im nämlichen Gemach, wenn möglich auf ein und demselben Lager, zusammenschlafen, lasse ich sie morgens und abends beim An- und Auskleiden einander behilflich sein und in der heißen Jahreszeit, die Knaben sowohl wie die Mädchen, tagsüber nichts als eine kurze, mit einem Lederriemen gegürtete Tunika aus weißem Wollstoff tragen. – Mir ist, sie müßten, wenn sie so heranwachsen, später ruhiger sein, als wir es in der Regel sind.

MELCHIOR Das glaube ich entschieden, Moritz! – Die Frage ist nur, wenn die Mädchen Kinder bekommen, was dann?

MORITZ Wieso Kinder bekommen?

MELCHIOR Ich glaube in dieser Hinsicht nämlich an einen gewissen Instinkt. Ich glaube, wenn man einen Kater zum Beispiel mit einer Katze von Jugend auf zusammensperrt und beide von jedem Verkehr mit der Außenwelt fernhält, d. h. sie ganz nur ihren eigenen Trieben überläßt – daß die Katze früher oder später doch einmal trächtig wird, obgleich sie sowohl wie der Kater niemand hatten, dessen Beispiel ihnen hätte die Augen öffnen können.

MORITZ Bei Tieren muß sich das ja schließlich von selbst ergeben.

MELCHIOR Bei Menschen glaube ich erst recht! Ich bitte dich, Moritz, wenn deine Knaben mit den Mädchen auf ein und demselben Lager schlafen und es kommen ihnen nun unversehens die ersten männlichen Regungen – ich möchte mit jedermann eine Wette eingehen ...

MORITZ Darin magst du recht haben. – Aber immerhin ...

MELCHIOR Und bei deinen Mädchen wäre es im entsprechenden Alter vollkommen das nämliche! Nicht, daß das Mädchen gerade ... man kann das ja freilich so genau nicht beurteilen ... jedenfalls wäre vorauszusetzen ... und die Neugierde würde das ihrige zu tun auch nicht verabsäumen!

MORITZ Eine Frage beiläufig –

MELCHIOR Nun?

MORITZ Aber du antwortest?

MELCHIOR Natürlich!

MORITZ Wahr?!

MELCHIOR Meine Hand darauf. – – Nun, Moritz?

MORITZ Hast du den Aufsatz schon??

MELCHIOR So sprich doch frisch von der Leber weg! – Hier hört und sieht uns ja niemand.

MORITZ Selbstverständlich müßten meine Kinder nämlich tagsüber arbeiten, in Hof und Garten, oder sich durch Spiele zerstreuen, die mit körperlicher Anstrengung verbunden sind. Sie müßten reiten, turnen, klettern und vor allen Dingen nachts nicht so weich schlafen wie wir. Wir sind schrecklich verweichlicht. – Ich glaube, man träumt gar nicht, wenn man hart schläft.

MELCHIOR Ich schlafe von jetzt bis nach der Weinlese überhaupt nur in meiner Hängematte. Ich habe mein Bett hinter den Ofen gestellt. Es ist zum Zusammenklappen. – Vergangenen Winter träumte mir einmal, ich hätte unsern Lolo so lange gepeitscht, bis er kein Glied mehr rührte. Das war das Grauenhafteste, was ich je geträumt habe. – Was siehst du mich so sonderbar an?

MORITZ Hast du sie schon empfunden?

MELCHIOR Was?

MORITZ Wie sagtest du?

MELCHIOR Männliche Regungen?

MORITZ M-hm.

MELCHIOR – Allerdings!

MORITZ Ich auch. –
– –

MELCHIOR Ich kenne das nämlich schon lange! – Schon bald ein Jahr.

MORITZ Ich war wie vom Blitz gerührt.

MELCHIOR Du hattest geträumt?

MORITZ Aber nur ganz kurz ... von Beinen im himmelblauen Trikot, die über das Katheder steigen – um aufrichtig zu sein, ich dachte, sie wollten hinüber. – Ich habe sie nur flüchtig gesehen.

MELCHIOR Georg Zirschnitz träumte von seiner *Mutter.*

MORITZ Hat er dir das erzählt?

MELCHIOR Draußen am Galgensteg!

MORITZ Wenn du wüßtest, was ich ausgestanden seit jener Nacht!

MELCHIOR Gewissensbisse?

MORITZ Gewissensbisse?? – – – *Todesangst!*

MELCHIOR Herrgott ...

MORITZ Ich hielt mich für unheilbar. Ich glaubte, ich litte an einem inneren Schaden. – Schließlich wurde ich nur dadurch wieder ruhiger, daß ich meine Lebenserinnerungen aufzuzeichnen begann. Ja, ja, lieber Melchior, die letzten drei Wochen waren ein Gethsemane für mich.

MELCHIOR Ich war seinerzeit mehr oder weniger darauf gefaßt gewesen. Ich schämte mich ein wenig. – Das war aber auch alles.

MORITZ Und dabei bist du noch fast um ein ganzes Jahr jünger als ich!

MELCHIOR Darüber, Moritz, würd' ich mir keine Gedanken machen. All meinen Erfahrungen nach besteht für das erste Auftauchen dieser Phantome keine bestimmte Altersstufe. Kennst du den großen Lämmermeier mit dem strohgelben Haar und der Adlernase? Drei Jahre ist der älter als ich. Hänschen Rilow sagt, der träume noch bis heute von nichts als Sandtorten und Aprikosengelee.

MORITZ Ich bitte dich, wie kann Hänschen Rilow darüber urteilen!

MELCHIOR Er hat ihn gefragt.

MORITZ Er hat ihn gefragt? – Ich hätte mich nicht getraut, jemanden zu fragen.

MELCHIOR Du hast mich doch auch gefragt.

MORITZ Weiß Gott ja! – Möglicherweise hatte Hänschen auch schon sein Testament gemacht. – Wahrlich ein sonderbares Spiel, das man mit uns treibt. Und dafür sollen wir uns dankbar erweisen! Ich erinnere mich nicht, je eine Sehnsucht nach dieser Art Aufregung verspürt zu haben. Warum hat man mich nicht ruhig schlafen lassen, bis alles wieder still gewesen wäre. Meine lieben Eltern hätten hundert bessere Kinder haben können. So bin ich nun hergekommen, ich weiß nicht, wie, und soll mich dafür verantworten, daß ich nicht weggeblieben bin. – Hast du nicht auch schon darüber nachgedacht, Melchior, auf welche Art und Weise wir eigentlich in diesen Strudel hineingeraten?

MELCHIOR Du weißt das also noch nicht, Moritz?

MORITZ Wie sollt' ich es wissen? – Ich sehe, wie die Hühner Eier legen, und höre, daß mich Mama unter dem Herzen getragen haben will. Aber genügt denn das? – Ich erinnere mich auch, als fünfjähriges Kind schon befangen worden zu sein, wenn einer die dekolletierte Cœurdame aufschlug. Dieses Gefühl hat sich verloren. Indessen kann ich heute kaum mehr mit irgendeinem Mädchen sprechen, ohne etwas Verabscheuungswürdiges dabei zu denken, und – ich schwöre dir, Melchior – ich weiß nicht *was.*

MELCHIOR Ich sage dir alles. – Ich habe es teils aus Büchern, teils aus Illustrationen, teils aus Beobachtungen in der Natur. Du wirst überrascht sein; ich wurde seinerzeit Atheist. Ich habe es auch Georg Zirschnitz gesagt! Georg Zirschnitz wollte es Hänschen Rilow sagen, aber Hänschen Rilow hatte als Kind schon alles von seiner Gouvernante erfahren.

MORITZ Ich habe den *Kleinen Meyer* von A bis Z durchgenommen. Worte – nichts als Worte und Worte! Nicht eine einzige schlichte Erklärung. O dieses Schamgefühl! – Was soll mir ein Konversationslexikon, das auf die nächstliegende Lebensfrage nicht antwortet.

MELCHIOR Hast du schon einmal zwei Hunde über die Straße laufen sehen?

MORITZ Nein! – – Sag mir lieber heute noch nichts, Melchior. Ich habe noch Mittelamerika und Ludwig den Fünfzehnten vor mir. Dazu die sechzig Verse Homer, die sieben Gleichungen, der lateinische Aufsatz – ich würde morgen wieder überall abblitzen. Um mit Erfolg büffeln zu können, muß ich stumpfsinnig wie ein Ochse sein.

MELCHIOR Komm doch mit auf mein Zimmer. In dreiviertel Stunden habe ich den Homer, die Gleichungen und *zwei* Aufsätze. Ich korrigiere dir einige harmlose Schnitzer hinein, so ist die Sache im Blei. Mama braut uns wieder eine Limonade, und wir plaudern gemütlich über die Fortpflanzung.

MORITZ Ich kann nicht. – Ich kann nicht gemütlich über die Fortpflanzung plaudern! Wenn du mir einen Gefallen tun willst, dann gib mir deine Unterweisungen schriftlich. Schreib mir auf, was du weißt. Schreib es möglichst kurz und klar und steck es mir morgen während der Turnstunde zwischen die Bücher. Ich werde es nach Hause tragen, ohne zu wissen, daß ich es habe. Ich werde es unverhofft einmal wiederfinden. Ich werde nicht umhinkönnen, es müden Auges zu durchfliegen . . . falls es unumgänglich notwendig ist, magst du ja auch einzelne Randzeichnungen anbringen.

MELCHIOR Du bist wie ein Mädchen. – Übrigens wie du willst! Es ist mir das eine ganz interessante Arbeit. – – Eine Frage, Moritz.

MORITZ Hm?

MELCHIOR Hast du schon einmal ein Mädchen gesehen?

MORITZ Ja!

MELCHIOR Aber ganz?!

MORITZ *Vollständig!*

MELCHIOR Ich nämlich auch! – Dann werden keine Illustrationen nötig sein.

MORITZ Während des Schützenfestes, in Leilichs anatomischem Museum! Wenn es aufgekommen wäre, hätte man mich aus der Schule gejagt. – Schön wie der lichte Tag, und – o so naturgetreu!

MELCHIOR Ich war letzten Sommer mit Mama in Frankfurt – – Du willst schon gehen, Moritz?

MORITZ Arbeiten machen. – Gute Nacht.

MELCHIOR Auf Wiedersehen.

Dritte Szene

Thea, Wendla und Martha kommen Arm in Arm die Straße herauf.

MARTHA Wie einem das Wasser ins Schuhwerk dringt!

WENDLA Wie einem der Wind um die Wangen saust!

THEA Wie einem das Herz hämmert!

WENDLA Gehn wir zur Brücke hinaus! Ilse sagte, der Fluß führe Sträucher und Bäume. Die Jungens haben ein Floß auf dem Wasser. Melchi Gabor soll gestern abend beinah ertrunken sein.

THEA O der kann schwimmen!

MARTHA Das will ich meinen, Kind!

WENDLA Wenn der nicht hätte schwimmen können wäre er wohl sicher ertrunken!

THEA Dein Zopf geht auf, Martha; dein Zopf geht auf!

MARTHA Puh – laß ihn aufgehn! Er ärgert mich so Tag und Nacht. Kurze Haare tragen wie du darf ich nicht, das Haar offen tragen wie Wendla darf ich nicht, Ponyhaare tragen darf ich nicht, und zu Hause muß ich mir gar die Frisur machen – alles der Tanten wegen!

WENDLA Ich bringe morgen eine Schere mit in die Religionsstunde. Während du »Wohl dem, der nicht wandelt« rezitierst, werd' ich ihn abschneiden.

MARTHA Um Gottes willen, Wendla! Papa schlägt mich krumm, und Mama sperrt mich drei Nächte ins Kohlenloch.

WENDLA Womit schlägt er dich, Martha?

MARTHA Manchmal ist es mir, es müßte ihnen doch etwas abgehen, wenn sie keinen so schlecht gearteten Balg hätten wie ich.

THEA Aber Mädchen!

MARTHA Hast du dir nicht auch ein himmelblaues Band durch die Hemdpasse ziehen dürfen?

THEA Rosa Atlas! Mama behauptet, Rosa stehe mir bei meinen pechschwarzen Augen.

MARTHA Mir stand Blau reizend! – Mama riß mich am Zopf zum Bett heraus. So – fiel ich mit den Händen vorauf auf die Diele. – Mama betet nämlich Abend für Abend mit uns . . .

WENDLA Ich an deiner Stelle wäre ihnen längst in die Welt hinausgelaufen.

MARTHA . . . Da habe man's, worauf ich ausgehe! – Da habe man's ja! – Aber sie wolle schon sehen – o sie wolle noch sehen! – Meiner Mutter wenigstens solle ich einmal keine Vorwürfe machen können . . .

THEA Hu – Hu –

MARTHA Kannst du dir denken, Thea, was Mama damit meinte?

THEA Ich nicht. – Du, Wendla?

WENDLA Ich hätte sie einfach gefragt.

MARTHA Ich lag auf der Erde und schrie und heulte. Da kommt Papa. Ritsch – das Hemd herunter. Ich zur Türe hinaus. Da habe man's. Ich wolle nun wohl so auf die Straße hinunter . . .

WENDLA Das ist doch gar nicht wahr, Martha.

MARTHA Ich fror. Ich schloß auf. Ich habe die ganze Nacht im Sack schlafen müssen.

THEA Ich könnte meiner Lebtag in keinem Sack schlafen!

WENDLA Ich möchte ganz gern mal für dich in deinem Sack schlafen.

MARTHA Wenn man nur nicht geschlagen wird.

THEA Aber man erstickt doch darin!

MARTHA Der Kopf bleibt frei. Unter dem Kinn wird zugebunden.

THEA Und dann schlagen sie dich?

MARTHA Nein. Nur wenn etwas Besonderes vorliegt.

WENDLA Womit schlägt man dich, Martha?

MARTHA Ach was – mit allerhand. – Hält es deine Mutter auch für unanständig, im Bett ein Stück Brot zu essen?

WENDLA Nein, nein.

MARTHA Ich glaube immer, sie haben doch ihre Freude – wenn sie auch nichts davon sagen. – Wenn ich einmal Kinder habe, ich lasse sie aufwachsen wie das Unkraut in unserem Blumengarten. Um das kümmert sich niemand, und es steht so hoch, so dicht – während die Rosen in den Beeten an ihren Stöcken mit jedem Sommer kümmerlicher blühn.

THEA Wenn ich Kinder habe, kleid' ich sie ganz in Rosa, Rosahüte, Rosakleidchen, Rosaschuhe. Nur die Strümpfe – die Strümpfe schwarz wie die Nacht! Wenn ich dann spazierengehe, laß ich sie vor mir hermarschieren. – Und du, Wendla?

WENDLA Wißt ihr denn, ob ihr welche bekommt?

THEA Warum sollten wir keine bekommen?

MARTHA Tante Euphemia hat allerdings auch keine.

THEA Gänschen! – weil sie nicht *verheiratet* ist.

WENDLA Tante Bauer war dreimal verheiratet und hat nicht ein einziges.

MARTHA Wenn du welche bekommst, Wendla, was möchtest du lieber, Knaben oder Mädchen?

WENDLA Jungens! Jungens!

THEA Ich auch Jungens!

MARTHA Ich auch. Lieber zwanzig Jungens als drei Mädchen.

THEA Mädchen sind langweilig!

MARTHA Wenn ich nicht schon ein Mädchen geworden wäre, ich würde es heute gewiß nicht mehr.

WENDLA Das ist, glaube ich, Geschmacksache, Martha! Ich freue mich jeden Tag, daß ich ein Mädchen bin. Glaub' mir, ich wollte mit keinem Königssohn tauschen. – Darum möchte ich aber doch nur Buben!

THEA Das ist doch Unsinn, lauter Unsinn, Wendla!

WENDLA Aber ich bitte dich, Kind, es muß doch tausendmal erhebender sein, von einem Manne geliebt zu werden, als von einem Mädchen!

THEA Du wirst doch nicht behaupten wollen, Forstreferendar Pfälle liebe Melitta mehr als sie ihn!

WENDLA Das will ich wohl, Thea! – Pfälle ist stolz. Pfälle ist stolz darauf, daß er Forstreferendar ist – denn Pfälle hat nichts. – Melitta ist *selig*, weil sie zehntausendmal mehr bekommt, als sie ist.

MARTHA Bist du nicht stolz auf dich, Wendla?

WENDLA Das wäre doch einfältig.

MARTHA Wie wollt' ich stolz sein an deiner Stelle!

THEA Sieh doch nur, wie sie die Füße setzt – wie sie geradeaus schaut – wie sie sich hält, Martha! – Wenn das nicht Stolz ist!

WENDLA Wozu nur? Ich bin so glücklich, ein Mädchen zu sein; wenn ich kein Mädchen wär', brächt' ich mich um, um das nächste Mal . . .

MELCHIOR *geht vorüber und grüßt.*

THEA Er hat einen wundervollen Kopf.

MARTHA So denke ich mir den jungen Alexander, als er zu Aristoteles in die Schule ging.

THEA Du lieber Gott, die griechische Geschichte! Ich weiß nur noch, wie Sokrates in der Tonne lag, als ihm Alexander den Eselsschatten verkaufte.

WENDLA Er soll der Drittbeste in seiner Klasse sein.

THEA Professor Knochenbruch sagt, wenn er wollte, könnte er Primus sein.

MARTHA Er hat eine schöne Stirn, aber sein Freund hat einen seelenvolleren Blick.

THEA Moritz Stiefel? – Ist das eine Schlafmütze!

MARTHA Ich habe mich immer ganz gut mit ihm unterhalten.

THEA Er blamiert einen, wo man ihn trifft. Auf dem Kinderball bei Rilows bot er mir Pralinés an. Denke dir, Wendla, die waren weich und warm. Ist das nicht . . .? – Er sagte, er habe sie zu lang in der Hosentasche gehabt.

WENDLA Denke dir, Melchi Gabor sagte mir damals, er glaube an nichts – nicht an Gott, nicht an ein Jenseits – an gar nichts mehr in dieser Welt.

Vierte Szene

Parkanlagen vor dem Gymnasium. – Melchior, Otto, Georg, Robert, Hänschen Rilow, Lämmermeier.

MELCHIOR Kann mir einer von euch sagen, wo Moritz Stiefel steckt?

GEORG Dem kann's schlecht gehn! O dem kann's schlecht gehn!

OTTO Der treibt's so lange, bis er noch mal ganz gehörig 'reinfliegt!

LÄMMERMEIER Weiß der Kuckuck, ich möchte in diesem Moment nicht in seiner Haut stecken!

ROBERT Eine Frechheit! – Eine Unverschämtheit!

MELCHIOR Wa – wa – was wißt ihr denn!

GEORG Was wir wissen? – Na, ich sage dir . . .!

LÄMMERMEIER Ich möchte nichts gesagt haben!

OTTO Ich auch nicht – weiß Gott nicht!

MELCHIOR Wenn ihr jetzt nicht sofort . . .

ROBERT Kurz und gut, Moritz Stiefel ist ins *Konferenzzimmer* gedrungen.

MELCHIOR Ins Konferenzzimmer . . .?

OTTO Ins Konferenzzimmer! – Gleich nach Schluß der Lateinstunde.

GEORG Er war der letzte; er blieb absichtlich zurück.

LÄMMERMEIER Als ich um die Korridorecke bog, sah ich ihn die Tür öffnen.

MELCHIOR Hol dich der . . .!

LÄMMERMEIER Wenn nur ihn nicht der Teufel holt!

GEORG Vermutlich hatte das Rektorat den Schlüssel nicht abgezogen.

ROBERT Oder Moritz Stiefel führt einen Dietrich.

OTTO Ihm wäre das zuzutrauen.

LÄMMERMEIER Wenn's gut geht, bekommt er einen Sonntagnachmittag.

ROBERT Nebst einer Bemerkung ins Zeugnis!

OTTO Wenn er bei dieser Zensur nicht ohnehin an die Luft fliegt.

HÄNSCHEN RILOW Da ist er!

MELCHIOR Blaß wie ein Handtuch.

Moritz kommt in äußerster Aufregung.

LÄMMERMEIER Moritz, Moritz, was du getan hast!

MORITZ – – Nichts – – nichts – –

ROBERT Du fieberst!

MORITZ Vor Glück – vor Seligkeit – vor Herzensjubel –

OTTO Du bist erwischt worden?!

MORITZ Ich bin promoviert! – Melchior, ich bin promoviert: – O jetzt kann die Welt untergehn! – Ich bin promoviert! – Wer hätte geglaubt, daß ich promoviert werde! – Ich fass' es noch nicht! – Zwanzigmal hab ich's gelesen! – Ich kann's nicht glauben – du großer Gott, es blieb! Es blieb! Ich bin promoviert! – *Lächelnd.* Ich weiß nicht – so sonderbar ist mir – der Boden dreht sich . . . Melchior, Melchior, wüßtest du, was ich durchgemacht!

HÄNSCHEN RILOW Ich gratuliere, Moritz. – Sei nur froh, daß du so weggekommen!

MORITZ Du weißt nicht, Hänschen, du ahnst nicht, was auf dem Spiel stand. Seit drei Wochen schleiche ich an der Tür vorbei wie am Höllenschlund. Da sehe ich heute, sie ist angelehnt. Ich glaube, wenn man mir eine Million geboten hätte – nichts, o nichts hätte mich zu halten vermocht! – Ich stehe mitten im Zimmer – ich schlage das Protokoll auf – blättere – finde – – und während all der Zeit... Mir schaudert –

MELCHIOR . . . während all der Zeit?

MORITZ Während all der Zeit steht die Tür hinter mir sperrangelweit offen. Wie ich heraus . . . wie ich die Treppe heruntergekommen, weiß ich nicht.

HÄNSCHEN RILOW – Wird Ernst Röbel auch promoviert?

MORITZ O gewiß, Hänschen, gewiß! – Ernst Röbel wird gleichfalls promoviert.

ROBERT Dann mußt du schon nicht richtig gelesen haben. Die Eselsbank abgerechnet zählen wir mit dir und Röbel zusammen einundsechzig, während oben das Klassenzimmer mehr als sechzig nicht fassen kann.

MORITZ Ich habe vollkommen richtig gelesen. Ernst Röbel wird so gut versetzt wie ich – beide allerdings vorläufig nur *provisorisch.*

Während des ersten Quartals soll es sich dann herausstellen, wer dem andern Platz zu machen hat. – Armer Röbel! – Weiß der Himmel, mir ist um mich nicht mehr bange. Dazu habe ich diesmal zu tief hinuntergeblickt.

OTTO Ich wette fünf Mark, daß du Platz machst.

MORITZ Du hast ja nichts. Ich will dich nicht ausrauben. – Herrgott, werd' ich büffeln von heute an! – Jetzt kann ich's ja sagen – mögt ihr daran glauben oder nicht – jetzt ist ja alles gleichgültig – ich – ich weiß, wie wahr es ist: Wenn ich nicht promoviert worden wäre, hätte ich mich erschossen.

ROBERT Prahlhans!

GEORG Der Hasenfuß!

OTTO Dich hätte ich schießen sehen mögen!

LÄMMERMEIER Eine Maulschelle drauf!

MELCHIOR *gibt ihm eine* – – Komm, Moritz. Gehn wir zum Försterhaus!

GEORG Glaubst du vielleicht an den Schnack?

MELCHIOR Schert dich das? – – Laß sie schwatzen, Moritz! Fort, nur fort, zur Stadt hinaus!

Die Professoren Hungergurt und Knochenbruch gehen vorüber.

KNOCHENBRUCH Mir unbegreiflich, verehrter Herr Kollega, wie sich der beste meiner Schüler gerade zum allerschlechtesten so hingezogen fühlen kann.

HUNGERGURT Mir auch, verehrter Herr Kollega.

Fünfte Szene

Sonniger Nachmittag. – Melchior und Wendla begegnen einander im Wald.

MELCHIOR Bist du's wirklich, Wendla? – Was tust denn du so allein hier oben? – Seit drei Stunden durchstreife ich den Wald die Kreuz und Quer, ohne daß mir eine Seele begegnet, und nun plötzlich trittst du mir aus dem dichtesten Dickicht entgegen!

WENDLA Ja, ich bin's.

MELCHIOR Wenn ich dich nicht als Wendla Bergmann kennte, ich hielte dich für eine Dryade, die aus den Zweigen gefallen.

WENDLA Nein, nein, ich bin Wendla Bergmann. – Wo kommst denn du her?

MELCHIOR Ich gehe meinen Gedanken nach.

WENDLA Ich suchte Waldmeister. Mama will Maitrank bereiten. Anfangs wollte sie selbst mitgehen, aber im letzten Augenblick kam Tante Bauer noch, und die steigt nicht gern. – So bin ich denn allein heraufgekommen.

MELCHIOR Hast du deinen Waldmeister schon?

WENDLA Den ganzen Korb voll. Drüben unter den Buchen steht er dicht wie Mattenklee. – Jetzt sehe ich mich nämlich nach einem Ausweg um. Ich scheine mich verirrt zu haben. Kannst du mir vielleicht sagen, wieviel Uhr es ist?

MELCHIOR Eben halb vier vorbei. – Wann erwartet man dich?

WENDLA Ich glaubte, es wäre später. Ich lag eine ganze Weile am Goldbach im Moose und habe geträumt. Die Zeit verging mir so rasch; ich fürchtete, es wolle schon Abend werden.

MELCHIOR Wenn man dich noch nicht erwartet, dann laß uns hier noch ein wenig lagern. Unter der Eiche dort ist mein Lieblingsplätzchen. Wenn man den Kopf an den Stamm zurücklehnt und durch die Äste in den Himmel starrt, wird man hypnotisiert. Der Boden ist noch warm von der Morgensonne. – Schon seit Wochen wollte ich dich etwas fragen, Wendla.

WENDLA Aber vor fünf muß ich zu Hause sein.

MELCHIOR Wir gehen dann zusammen. Ich nehme den Korb, und wir schlagen den Weg durch die Runse ein, so sind wir in zehn Minuten schon auf der Brücke! – Wenn man so daliegt, die Stirn in die Hand gestützt, kommen einem die sonderbarsten Gedanken ...

Beide lagern sich unter der Eiche.

WENDLA Was wolltest du mich fragen, Melchior?

MELCHIOR Ich habe gehört, Wendla, du gehest häufig zu armen Leuten. Du brächtest ihnen Essen, auch Kleider und Geld. Tust du das aus eigenem Antriebe, oder schickt deine Mutter dich?

WENDLA Meistens schickt mich die Mutter. Es sind arme Taglöhnerfamilien, die eine Unmenge Kinder haben. Oft findet der

Mann keine Arbeit, dann frieren und hungern sie. Bei uns liegt aus früherer Zeit noch so mancherlei in Schränken und Kommoden, das nicht mehr gebraucht wird. Aber wie kommst du darauf?

MELCHIOR Gehst du gern oder ungern, wenn deine Mutter dich so wohin schickt?

WENDLA O für mein Leben gern! Wie kannst du fragen!

MELCHIOR Aber die Kinder sind schmutzig, die Frauen sind krank, die Wohnungen strotzen von Unrat, die Männer hassen dich, weil du nicht arbeitest ...

WENDLA Das ist nicht wahr, Melchior. Und wenn es wahr wäre, ich würde erst recht gehen!

MELCHIOR Wieso erst recht, Wendla?

WENDLA Ich würde erst recht hingehen. – Es würde mir noch viel mehr Freude bereiten, ihnen helfen zu können.

MELCHIOR Du gehst also um deiner Freude willen zu den armen Leuten?

WENDLA Ich gehe zu ihnen, weil sie arm sind.

MELCHIOR Aber wenn es dir keine Freude wäre, würdest du nicht gehen?

WENDLA Kann ich denn dafür, daß es mir Freude macht?

MELCHIOR Und doch sollst du dafür in den Himmel kommen! – So ist es also richtig, was mir nun seit einem Monat keine Ruhe mehr läßt! – Kann der Geizige dafür, daß es ihm keine Freude macht, zu schmutzigen kranken Kindern zu gehen?

WENDLA O dir würde es sicher die größte Freude sein!

MELCHIOR Und doch soll er dafür des ewigen Todes sterben! – Ich werde eine Abhandlung schreiben und sie Herrn Pastor Kahlbauch einschicken. Er ist die Veranlassung. Was faselt er uns von *Opferfreudigkeit!* – Wenn er mir nicht antworten kann, gehe ich nicht mehr in die Kinderlehre und lasse mich nicht konfirmieren.

WENDLA Warum willst du deinen lieben Eltern den Kummer bereiten! Laß dich doch konfirmieren; den Kopf kostet's doch nicht. Wenn unsere schrecklichen weißen Kleider und eure Schlepphosen nicht wären, würde man sich vielleicht noch dafür begeistern können!

MELCHIOR Es gibt keine Aufopferung! Es gibt keine Selbstlosigkeit! – Ich sehe die Guten sich ihres Herzens freun, sehe die Schlechten beben und stöhnen – ich sehe dich, Wendla Bergmann, deine Locken schütteln und lachen, und mir wird so ernst dabei wie einem Geächteten. – – Was hast du vorhin geträumt, Wendla, als du am Goldbach im Grase lagst?

WENDLA – – Dummheiten – Narreteien –

MELCHIOR Mit offenen Augen?!

WENDLA Mir träumte, ich wäre ein armes, armes Bettelkind, ich würde früh fünf schon auf die Straße geschickt, ich müßte betteln den ganzen langen Tag in Sturm und Wetter, unter hartherzigen, rohen Menschen. Und käm' ich abends nach Hause, zitternd vor Hunger und Kälte, und hätte so viel Geld nicht, wie mein Vater verlangt, dann würd' ich geschlagen – geschlagen –

MELCHIOR Das kenne ich, Wendla. Das hast du den albernen Kindergeschichten zu danken. Glaub' mir, so brutale Menschen existieren nicht mehr.

WENDLA O doch, Melchior, du irrst. – Martha Bessel wird Abend für Abend geschlagen, daß man anderntags Striemen sieht. O was die leiden muß! Siedendheiß wird es einem, wenn sie erzählt. Ich bedaure sie so furchtbar, ich muß oft mitten in der Nacht in die Kissen weinen. Seit Monaten denke ich darüber nach, wie man ihr helfen kann. – Ich wollte mit Freuden einmal acht Tage an ihrer Stelle sein.

MELCHIOR Man sollte den Vater kurzweg verklagen. Dann würde ihm das Kind weggenommen.

WENDLA Ich, Melchior, bin in meinem Leben nie geschlagen worden – nicht ein einziges Mal. Ich kann mir kaum denken, wie das tut, geschlagen zu werden. Ich habe mich schon selber geschlagen, um zu erfahren, wie einem dabei ums Herz wird. – Es muß ein grauenvolles Gefühl sein.

MELCHIOR Ich glaube nicht, daß je ein Kind dadurch besser wird.

WENDLA Wodurch besser wird?

MELCHIOR Daß man es schlägt.

WENDLA – Mit dieser Gerte zum Beispiel! – Hu, ist die zäh und dünn!

MELCHIOR Die zieht Blut!

WENDLA Würdest du mich nicht einmal damit schlagen?

MELCHIOR Wen?
WENDLA Mich.
MELCHIOR Was fällt dir ein, Wendla!
WENDLA Was ist denn dabei?
MELCHIOR O sei ruhig! – Ich schlage dich nicht.
WENDLA Wenn ich dir's doch erlaube!
MELCHIOR Nie, Mädchen!
WENDLA Aber wenn ich dich darum bitte, Melchior!
MELCHIOR Bist du nicht bei Verstand?
WENDLA Ich bin in meinem Leben nie geschlagen worden!
MELCHIOR Wenn du um so etwas bitten kannst ...!
WENDLA – Bitte – bitte –
MELCHIOR Ich will dich bitten lehren! – *Er schlägt sie.*
WENDLA Ach Gott – ich spüre nicht das geringste!
MELCHIOR Das glaub ich dir – – durch all deine Röcke durch ...
WENDLA So schlag mich doch an die Beine!
MELCHIOR Wendla! *Er schlägt sie stärker.*
WENDLA Du streichelst mich ja! – Du streichelst mich!
MELCHIOR Wart, Hexe, ich will dir den Satan austreiben!

Er wirft den Stock beiseite und schlägt derart mit den Fäusten drein, daß sie in ein fürchterliches Geschrei ausbricht. Er kehrt sich nicht daran, sondern drischt wie wütend auf sie los, während ihm die dicken Tränen über die Wangen rinnen. Plötzlich springt er empor, faßt sich mit beiden Händen an die Schläfen und stürzt, aus tiefster Seele jammervoll aufschluchzend, in den Wald hinein.

ZWEITER AKT

Erste Szene

Abend auf Melchiors Studierzimmer. Das Fenster steht offen, die Lampe brennt auf dem Tisch. – Melchior und Moritz auf dem Kanapee.

MORITZ Jetzt bin ich wieder ganz munter, nur etwas aufgeregt. – Aber in der Griechischstunde habe ich doch geschlafen wie der besoffene Polyphem. Nimmt mich wunder, daß mich der alte Zungenschlag nicht in die Ohren gezwickt. – Heut früh wäre ich um ein Haar noch zu spät gekommen. – Mein erster Gedanke beim Erwachen waren die Verba auf μι. – Himmel-Herrgott-Teufel-Donnerwetter, während des Frühstücks und den Weg entlang habe ich konjugiert, daß mir grün vor den Augen wurde. – Kurz nach drei muß ich abgeschnappt sein. Die Feder hat mir noch einen Klecks ins Buch gemacht. Die Lampe qualmte, als Mathilde mich weckte, in den Fliederbüschen unter dem Fenster zwitscherten die Amseln so lebensfroh – mir ward gleich wieder unsagbar melancholisch zumute. Ich band mir den Kragen um und fuhr mit der Bürste durchs Haar. – – Aber man fühlt sich, wenn man seiner Natur etwas abgerungen!

MELCHIOR Darf ich dir eine Zigarette drehen?

MORITZ Danke, ich rauche nicht. – Wenn es nun nur so weitergeht! Ich will arbeiten und arbeiten, bis mir die Augen zum Kopf herausplatzen. – Ernst Röbel hat seit den Ferien schon sechsmal nichts gekonnt; dreimal im Griechischen, zweimal bei Knochenbruch; das letztemal in der Literaturgeschichte. Ich war erst fünfmal in der bedauernswerten Lage; und von heute ab kommt es überhaupt nicht mehr vor! – Röbel erschießt sich nicht. Röbel hat keine Eltern, die ihm ihr Alles opfern. Er kann, wann er will, Söldner, Cowboy oder Matrose werden. Wenn *ich* durchfalle, rührt meinen Vater der Schlag, und Mama kommt ins Irrenhaus. So was erlebt man nicht! – Vor dem Examen habe ich zu Gott gefleht, er möge mich schwindsüchtig werden lassen, auf daß der Kelch ungenossen vorübergehe. – Er ging vorüber – wenngleich mir auch heute noch seine Aureole aus der Ferne entgegenleuchtet, daß ich Tag und Nacht den Blick nicht zu heben wage. – Aber nun ich die Stange erfaßt, werde ich mich auch hinaufschwingen. Dafür bürgt mir die unabänderliche Konsequenz, daß ich nicht stürze, ohne das Genick zu brechen.

MELCHIOR Das Leben ist von einer ungeahnten Gemeinheit. Ich hätte nicht übel Lust, mich in die Zweige zu hängen. – Wo Mama mit dem Tee nur bleibt!

MORITZ Dein Tee wird mir guttun, Melchior! Ich zittre nämlich. Ich fühle mich so eigentümlich vergeistert. Betaste mich bitte mal. Ich sehe – ich höre – ich fühle viel deutlicher – und doch alles so traumhaft – oh, so stimmungsvoll. – Wie sich dort im Mondschein der Garten dehnt, so still, so tief, als ging' er ins Unendliche. – Unter den Büschen treten umflorte Gestalten hervor, huschen in atemloser Geschäftigkeit über die Lichtungen und verschwinden im Halbdunkel. Mir scheint, unter dem Kastanienbaum soll eine Ratsversammlung gehalten werden. – Wollen wir nicht hinunter, Melchior?

MELCHIOR Warten wir, bis wir Tee getrunken.

MORITZ – Die Blätter flüstern so emsig. – Es ist, als hörte ich Großmutter selig die Geschichte von der »Königin ohne Kopf« erzählen. – Das war eine wunderschöne Königin, schön wie die Sonne, schöner als alle Mädchen im Land. Nur war sie leider ohne Kopf auf die Welt gekommen. Sie konnte nicht essen, nicht trinken, konnte nicht sehen, nicht lachen und auch nicht küssen. Sie vermochte sich mit ihrem Hofstaat nur durch ihre kleine weiche Hand zu verständigen. Mit den zierlichen Füßen strampelte sie Kriegserklärungen und Todesurteile. Da wurde sie eines Tages von einem Könige besiegt, der zufällig zwei Köpfe hatte, die sich das ganze Jahr in den Haaren lagen und dabei so aufgeregt disputierten, daß keiner den andern zu Wort kommen ließ. Der Oberhofzauberer nahm nun den kleineren der beiden und setzte ihn der Königin auf. Und siehe, er stand ihr vortrefflich. Darauf heiratete der König die Königin, und die beiden lagen einander nun nicht mehr in den Haaren, sondern küßten einander auf Stirn, auf Wangen und Mund und lebten noch lange Jahre glücklich und in Freuden . . . Verwünschter Unsinn! Seit den Ferien kommt mir die kopflose Königin nicht aus dem Kopf. Wenn ich ein schönes Mädchen sehe, sehe ich es ohne Kopf – und erscheine mir dann plötzlich selber als kopflose Königin . . . Möglich, daß mir noch mal einer aufgesetzt wird.

Frau Gabor kommt mit dem dampfenden Tee, den sie vor Moritz und Melchior auf den Tisch setzt.

FRAU GABOR Hier, Kinder, laßt es euch munden. Guten Abend, Herr Stiefel; wie geht es Ihnen?

MORITZ Danke, Frau Gabor. – Ich belausche den Reigen dort unten.

FRAU GABOR Sie sehen aber gar nicht gut aus. – Fühlen Sie sich nicht wohl?

MORITZ Es hat nichts zu sagen. Ich bin die letzten Abende etwas spät zu Bett gekommen.

MELCHIOR Denke dir, er hat die ganze Nacht durchgearbeitet.

FRAU GABOR Sie sollten so etwas nicht tun, Herr Stiefel. Sie sollten sich schonen. Bedenken Sie Ihre Gesundheit. Die Schule ersetzt Ihnen die Gesundheit nicht. – Fleißig spazierengehn in der frischen Luft! Das ist in Ihren Jahren mehr wert als ein korrektes Mittelhochdeutsch.

MORITZ Ich werde fleißig spazierengehn. Sie haben recht. Man kann auch während des Spazierengehens fleißig sein. Daß ich noch selbst nicht auf den Gedanken gekommen! – Die schriftlichen Arbeiten müßte ich immerhin zu Hause machen.

MELCHIOR Das Schriftliche machst du bei mir; so wird es uns beiden leichter. – Du weißt ja, Mama, daß Max von Trenk am Nervenfieber darniederlag! – Heute mittag kommt Hänschen Rilow von Trenks Totenbett zu Rektor Sonnenstich, um anzuzeigen, daß Trenk soeben in seiner Gegenwart gestorben sei. – »So?« sagt Sonnenstich, »hast du von letzter Woche her nicht noch zwei Stunden nachzusitzen? – Hier ist der Zettel an den Pedell. Mach, daß die Sache endlich ins reine kommt! Die ganze Klasse soll an der Beerdigung teilnehmen.« – Hänschen war wie gelähmt.

FRAU GABOR Was hast du da für ein Buch, Melchior?

MELCHIOR »Faust«.

FRAU GABOR Hast du es schon gelesen?

MELCHIOR Noch nicht zu Ende.

MORITZ Wir sind gerade in der Walpurgisnacht.

FRAU GABOR Ich hätte an deiner Stelle noch ein, zwei Jahre damit gewartet.

MELCHIOR Ich kenne kein Buch, Mama, in dem ich so viel Schönes gefunden. Warum hätte ich es nicht lesen sollen?

FRAU GABOR – Weil du es nicht verstehst.

MELCHIOR Das kannst du nicht wissen, Mama. Ich fühle sehr wohl, daß ich das Werk in seiner ganzen Erhabenheit zu erfassen noch nicht imstande bin ...

MORITZ Wir lesen immer zu zweit; das erleichtert das Verständnis außerordentlich!

FRAU GABOR Du bist alt genug, Melchior, um wissen zu können, was dir zuträglich und was dir schädlich ist. Tu, was du vor dir verantworten kannst. Ich werde die erste sein, die es dankbar anerkennt, wenn du mir niemals Grund gibst, dir etwas vorenthalten zu müssen. – Ich wollte dich nur darauf aufmerksam machen, daß auch das Beste nachteilig wirken kann, wenn man noch die Reife nicht besitzt, um es richtig aufzunehmen. – Ich werde mein Vertrauen immer lieber in *dich* als in irgendbeliebige erzieherische Maßregeln setzen. – – Wenn ihr noch etwas braucht, Kinder, dann komm herüber, Melchior, und rufe mich. Ich bin auf meinem Schlafzimmer. *Ab*

MORITZ Deine Mama meinte die Geschichte mit Gretchen.

MELCHIOR Haben wir uns auch nur einen Moment dabei aufgehalten!

MORITZ Faust selber kann sich nicht kaltblütiger darüber hinweggesetzt haben!

MELCHIOR Das Kunstwerk gipfelt doch schließlich nicht in dieser Schändlichkeit! – Faust könnte dem Mädchen die Heirat versprochen, könnte es daraufhin verlassen haben, er wäre in meinen Augen um kein Haar weniger strafbar. Gretchen könnte ja meinethalben an gebrochenem Herzen sterben. – Sieht man, wie jeder *darauf* immer gleich krampfhaft die Blicke richtet, man möchte glauben, die ganze Welt drehe sich um P ... und V ...!

MORITZ Wenn ich aufrichtig sein soll, Melchior, so habe ich nämlich tatsächlich das Gefühl, seit ich deinen Aufsatz gelesen. –

In den ersten Feiertagen fiel er mir vor die Füße. Ich hatte den Plötz in der Hand. – Ich verriegelte die Tür und durchflog die flimmernden Zeilen, wie eine aufgeschreckte Eule einen brennenden Wald durchfliegt – ich glaube, ich habe das meiste mit geschlossenen Augen gelesen. Wie eine Reihe dunkler Erinnerungen klangen mir deine Auseinandersetzungen ins Ohr, wie ein Lied, das einer als Kind einst fröhlich vor sich hingesummt und das ihm, wie er eben im Sterben liegt, herzerschütternd aus dem Mund eines andern entgegentönt. – Am heftigsten zog mich in Mitleidenschaft, was du vom Mädchen schreibst. Ich werde die Eindrücke nicht mehr los. Glaub' mir, Melchior, Unrecht leiden zu müssen ist süßer denn Unrecht tun! Unverschuldet ein so süßes Unrecht über sich ergehen lassen zu müssen, scheint mir der Inbegriff aller irdischen Seligkeit.

MELCHIOR Ich will meine Seligkeit nicht als Almosen!

MORITZ Aber warum denn nicht?

MELCHIOR Ich *will* nichts, was ich mir nicht habe erkämpfen müssen!

MORITZ Ist dann das noch Genuß, Melchior? – Das Mädchen, Melchior, genießt wie die seligen Götter. Das Mädchen wehrt sich dank seiner Veranlagung. Es hält sich bis zum letzten Augenblick von jeder Bitternis frei, um mit einem Male alle Himmel über sich hereinbrechen zu sehen. Das Mädchen fürchtet die Hölle noch in dem Moment, da es ein erblühendes Paradies wahrnimmt. Sein Empfinden ist so frisch wie der Quell, der dem Fels entspringt. Das Mädchen ergreift einen Pokal, über den noch kein irdischer Hauch geweht, einen Nektarkelch, dessen Inhalt es, wie er flammt und flackert, hinunterschlingt . . . Die Befriedigung, die der Mann dabei findet, denke ich mir schal und abgestanden.

MELCHIOR Denke sie dir, wie du magst, aber behalte sie für dich. – Ich denke sie mir nicht gern . . .

Zweite Szene

Wohnzimmer

FRAU BERGMANN *den Hut auf, die Mantille um, einen Korb am Arm, mit strahlendem Gesicht durch die Mitteltür eintretend* Wendla! – Wendla!

WENDLA *erscheint in Unterröckchen und Korsett in der Seitentüre rechts* Was gibt's, Mutter?

FRAU BERGMANN Du bist schon auf, Kind? – Sieh, das ist schön von dir!

WENDLA Du warst schon ausgegangen?

FRAU BERGMANN Zieh dich nun nur flink an! – Du mußt gleich zu Ina hinunter, du mußt ihr den Korb da bringen!

WENDLA *sich während des Folgenden vollends ankleidend* Du warst bei Ina? – Wie geht es Ina? – Will's noch immer nicht bessern?

FRAU BERGMANN Denk dir, Wendla, diese Nacht war der Storch bei ihr und hat ihr einen kleinen Jungen gebracht.

WENDLA Einen Jungen? – Einen Jungen! – O das ist herrlich – – Deshalb die langwierige Influenza!

FRAU BERGMANN Einen prächtigen Jungen!

WENDLA Den muß ich sehen, Mutter! – So bin ich nun zum dritten Male Tante geworden – Tante von einem Mädchen und zwei Jungens!

FRAU BERGMANN Und was für Jungens! – So geht's eben, wenn man so dicht beim Kirchendach wohnt! – Morgen sind's erst zwei Jahr, daß sie in ihrem Mullkleid die Stufen hinanstieg.

WENDLA Warst du dabei, als er ihn brachte?

FRAU BERGMANN Er war eben wieder fortgeflogen. – Willst du dir nicht eine Rose vorstecken?

WENDLA Warum kamst du nicht etwas früher hin, Mutter?

FRAU BERGMANN Ich glaube aber beinahe, er hat dir auch etwas mitgebracht – eine Brosche oder was.

WENDLA Es ist wirklich schade!

FRAU BERGMANN Ich sage dir ja, daß er dir eine Brosche mitgebracht hat!

WENDLA Ich habe Broschen genug . . .

FRAU BERGMANN Dann sei auch zufrieden, Kind. Was willst du denn noch?

WENDLA Ich hätte so furchtbar gerne gewußt, ob er durchs Fenster oder durch den Schornstein geflogen kam.

FRAU BERGMANN Da mußt du Ina fragen. Ha, das mußt du Ina fragen, liebes Herz! Ina sagt dir das ganz genau. Ina hat ja eine ganze halbe Stunde mit ihm gesprochen.

WENDLA Ich werde Ina fragen, wenn ich hinunterkomme.

FRAU BERGMANN Aber ja nicht vergessen, du süßes Engelsgeschöpf! Es interessiert mich wirklich selbst, zu wissen, ob er durchs Fenster oder durch den Schornstein kam.

WENDLA Oder soll ich nicht lieber den Schornsteinfeger fragen? – Der Schornsteinfeger muß es doch am besten wissen, ob er durch den Schornstein fliegt oder nicht.

FRAU BERGMANN Nicht den Schornsteinfeger, Kind; nicht den Schornsteinfeger. Was weiß der Schornsteinfeger vom Storch! – Der schwatzt dir allerhand dummes Zeug vor, an das er selbst nicht glaubt . . . Wa–was glotzt du so auf die Straße hinunter??

WENDLA Ein Mann, Mutter – dreimal so groß wie ein Ochse! – mit Füßen wie Dampfschiffe . . .!

FRAU BERGMANN *ans Fenster stürzend* Nicht möglich! – Nicht möglich! –

WENDLA *zugleich* Eine Bettlade hält er unterm Kinn, fiedelt die Wacht am Rhein drauf – – eben biegt er um die Ecke . . .

FRAU BERGMANN Du bist und bleibst doch ein Kindskopf! – Deine alte einfältige Mutter so in Schrecken jagen! – Geh, nimm deinen Hut. Nimmt mich wunder, wann bei dir einmal der Verstand kommt. – Ich habe die Hoffnung aufgegeben.

WENDLA Ich auch, Mütterchen, ich auch. – Um meinen Verstand ist es ein traurig Ding. – Hab' ich nun eine Schwester, die seit zwei und einem halben Jahr verheiratet, und ich selber bin zum dritten Male Tante geworden, und habe gar keinen Begriff, wie das alles zugeht . . . Nicht böse werden, Mütterchen; nicht böse werden! Wen in der Welt soll ich denn fragen als dich! Bitte, liebe Mutter, sag es mir! Sag's mir, geliebtes Mütterchen! Ich schäme mich vor mir selber. Ich bitte dich, Mutter, sprich! Schilt mich nicht, daß ich so etwas frage. Gib mir Antwort – wie geht es zu? – wie kommt das alles? – Du kannst doch im Ernst nicht verlangen, daß ich bei meinen vierzehn Jahren noch an den Storch glaube.

FRAU BERGMANN Aber du großer Gott, Kind, wie bist du sonderbar! – Was du für Einfälle hast! – Das kann ich ja doch wahrhaftig nicht!

WENDLA Warum denn nicht, Mutter! – Warum denn nicht! – Es kann ja doch nichts Häßliches sein, wenn sich alles darüber freut!

FRAU BERGMANN O – o Gott behüte mich! – Ich verdiente ja ... Geh, zieh dich an, Mädchen; zieh dich an!

WENDLA Ich gehe ... Und wenn dein Kind nun hingeht und fragt den Schornsteinfeger?

FRAU BERGMANN Aber das ist ja zum Närrischwerden! – Komm, Kind, komm her, ich sage es dir! Ich sage dir alles ... O du grundgütige Allmacht! – nur heute nicht, Wendla! – Morgen, übermorgen, kommende Woche ... wann du nur immer willst, liebes Herz ...

WENDLA Sag es mir heute, Mutter; sag es mir jetzt! Jetzt gleich! – Nun ich dich so entsetzt gesehen, kann ich erst recht nicht eher wieder ruhig werden.

FRAU BERGMANN Ich kann nicht, Wendla.

WENDLA Oh, warum kannst du nicht, Mütterchen! – Hier knie ich zu deinen Füßen und lege dir meinen Kopf in den Schoß. Du deckst mir deine Schürze über den Kopf und erzählst und erzählst, als wärst du mutterseelenallein im Zimmer. Ich will nicht zucken; ich will nicht schreien; ich will geduldig ausharren, was immer kommen mag.

FRAU BERGMANN Der Himmel weiß, Wendla, daß ich nicht die Schuld trage! Der Himmel kennt mich! – Komm in Gottes Namen! – Ich will dir erzählen, Mädchen, wie du in diese Welt hineingekommen. – So hör mich an, Wendla ...

WENDLA *unter ihrer Schürze* Ich höre.

FRAU BERGMANN *ekstatisch* Aber es geht ja nicht, Kind! – Ich kann es ja nicht verantworten. – Ich verdiene ja, daß man mich ins Gefängnis setzt – daß man dich von mir nimmt ...

WENDLA *unter ihrer Schürze* Faß dir ein Herz, Mutter!

FRAU BERGMANN So höre denn ...!

WENDLA *unter ihrer Schürze, zitternd* O Gott, o Gott!

FRAU BERGMANN Um ein Kind zu bekommen – du verstehst mich, Wendla?

WENDLA Rasch, Mutter – ich halt's nicht mehr aus.

FRAU BERGMANN Um ein Kind zu bekommen – muß man den Mann – mit dem man verheiratet ist... *lieben* – *lieben* sag' ich dir – wie man nur einen Mann lieben kann! Man muß ihn so sehr *von ganzem Herzen* lieben, – wie sich's nicht sagen läßt! Man muß ihn *lieben,* Wendla, wie du in deinen Jahren noch gar nicht lieben kannst... Jetzt weißt du's.

WENDLA *sich erhebend* Großer – Gott – im Himmel!

FRAU BERGMANN Jetzt weißt du, welche Prüfungen dir bevorstehen!

WENDLA Und das ist alles?

FRAU BERGMANN So wahr mir Gott helfe! – – Nimm nun den Korb da und geh zu Ina hinunter. Du bekommst dort Schokolade und Kuchen dazu. – Komm, laß dich noch einmal betrachten – die Schnürstiefel, die seidenen Handschuhe, die Matrosentaille, die Rosen im Haar . . . dein Röckchen wird dir aber wahrhaftig nachgerade zu kurz, Wendla!

WENDLA Hast du für Mittag schon Fleisch gebracht, Mütterchen?

FRAU BERGMANN Der liebe Gott behüte dich und segne dich – Ich werde dir gelegentlich eine Handbreit Volants unten ansetzen.

Dritte Szene

HÄNSCHEN RILOW *ein Licht in der Hand, verriegelt die Tür hinter sich und öffnet den Deckel* Hast du zu Nacht gebetet, Desdemona? *Er zieht eine Reproduktion der Venus von Palma Vecchio aus dem Busen* – Du siehst mir nicht nach Vaterunser aus, Holde – kontemplativ des Kommenden gewärtig, wie in dem süßen Augenblick aufkeimender Glückseligkeit, als ich dich bei Jonathan Schlesinger im Schaufenster liegen sah – ebenso berückend noch diese geschmeidigen Glieder, diese sanfte Wölbung der Hüften, diese jugendlich straffen Brüste – o, wie berauscht von Glück muß der große Meister gewesen sein, als das vierzehnjährige Original vor seinen Blicken hingestreckt auf dem Diwan lag!

Wirst du mich auch bisweilen im Traum besuchen? – Mit ausgebreiteten Armen empfang' ich dich und will dich küssen, daß dir der Atem ausgeht. Du ziehst bei mir ein wie die angestammte Herrin in ihr verödetes Schloß. Tor und Türen öffnen sich von unsichtbarer Hand, während der Springquell unten im Parke fröhlich zu plätschern beginnt...

Die Sache will's – Die Sache will's! – Daß ich nicht aus frivoler Regung morde, sagt dir das fürchterliche Pochen in meiner Brust. Die Kehle schnürt sich mir zu im Gedanken an meine einsamen Nächte. Ich schwöre dir bei meiner Seele, Kind, daß nicht Überdruß mich beherrscht. Wer wollte sich rühmen, deiner überdrüssig geworden zu sein!

Aber du saugst mir das Mark aus den Knochen, du krümmst mir den Rücken, du raubst meinen jungen Augen den letzten Glanz. – Du bist mir zu anspruchsvoll in deiner unmenschlichen Bescheidenheit, zu aufreibend mit deinen unbeweglichen Gliedmaßen! – Du oder ich! – Und ich habe den Sieg davongetragen.

Wenn ich sie herzählen wollte – all die Entschlafenen, mit denen ich hier den nämlichen Kampf gekämpft! –: Psyche von Thumann – noch ein Vermächtnis der spindeldürren Mademoiselle Angelique, dieser Klapperschlange im Paradies meiner Kinderjahre; Io von Corregio; Galathea von Lossow; dann ein Amor von Bouguereau; Ada von J. van Beers – diese Ada, die ich Papa aus einem Geheimfach seines Sekretärs entführen mußte, um sie meinem Harem einzuverleiben; eine zitternde, zuckende Leda von Makart, die ich zufällig unter den Kollegienheften meines Bruders fand – *sieben*, du blühende Todeskandidatin, sind dir vorangeeilt auf diesem Pfad in den Tartarus! Laß dir das zum Troste gereichen und suche nicht durch diese flehentlichen Blicke noch meine Qualen ins Ungeheure zu steigern.

Du stirbst nicht um *deiner*, du stirbst um *meiner* Sünden willen! – Aus Notwehr gegen mich begehe ich blutenden Herzens den siebenten Gattenmord. Es liegt etwas Tragisches in der Rolle des Blaubart. Ich glaube, seine gemordeten Frauen insgesamt litten nicht so viel wie er beim Erwürgen jeder einzelnen.

Aber mein Gewissen wird ruhiger werden, mein Leib wird sich kräftigen, wenn du Teufelin nicht mehr in den rotseidenen Polstern meines Schmuckkästchens residierst. Statt deiner lasse ich dann die Lurlei von Bodenhausen oder die Verlassene von Linger oder die Loni von Defregger in das üppige Lustgemach einziehen – so werde ich mich um so rascher erholt haben! Noch ein Vierteljährchen vielleicht, und dein entschleiertes Josaphat, süße Seele, hätte an meinem armen Hirn zu zehren begonnen wie die Sonne am Butterkloß. Es war hohe Zeit, die Trennung von Tisch und Bett zu erwirken.

Brr, ich fühle einen Heliogabalus in mir! Moritura me salutat! – Mädchen, Mädchen, warum preßt du deine Knie zusammen? – warum auch jetzt noch? – – angesichts der unerforschlichen Ewigkeit?? – *Eine* Zuckung, und ich gebe dich frei; – *Eine* weibliche Regung, *ein* Zeichen von Lüsternheit, von Sympathie, Mädchen! – ich will dich in Gold rahmen lassen, dich über meinem Bett aufhängen! – Ahnst du denn nicht, daß nur deine *Keuschheit* meine Ausschweifungen gebiert? – Wehe, wehe über die Unmenschlichen!

. . . Man merkt eben immer, daß sie eine musterhafte Erziehung genossen hat. – *Mir geht es ja ebenso.*

Hast du zu Nacht gebetet, Desdemona?

Das Herz krampft sich mir zusammen – – Unsinn! – Auch die heilige Agnes starb um ihrer Zurückhaltung willen und war nicht halb so nackt wie du! – Einen Kuß noch auf deinen blühenden Leib, deine kindlich schwellende Brust – deine süßgerundeten – deine grausamen Knie . . .

Die Sache will's, die Sache will's, mein Herz!
Laßt sie mich euch nicht nennen, keusche Sterne!
Die Sache will's! –

Das Bild fällt in die Tiefe; er schließt den Deckel.

Vierte Szene

Ein Heuboden. – Melchior liegt auf dem Rücken im frischen Heu. Wendla kommt die Leiter herauf.

WENDLA *Hier* hast du dich verkrochen? – Alles sucht dich. Der Wagen ist wieder hinaus. Du mußt helfen. Es ist ein Gewitter im Anzug.

MELCHIOR Weg von mir! – Weg von mir!

WENDLA Was ist dir denn? – Was verbirgst du dein Gesicht?

MELCHIOR Fort, fort! – Ich werfe dich die Tenne hinunter.

WENDLA Nun geh' ich erst recht nicht. – *Kniet neben ihm nieder.* Warum kommst du nicht mit auf die Matte hinaus, Melchior? – Hier ist es schwül und düster. Werden wir auch naß bis auf die Haut, was macht *uns* das!

MELCHIOR Das Heu duftet so herrlich. – Der Himmel draußen muß schwarz wie ein Bahrtuch sein. – Ich sehe nur noch den leuchtenden Mohn an deiner Brust – und dein Herz hör' ich schlagen –

WENDLA – – Nicht küssen, Melchior! – Nicht küssen!

MELCHIOR – Dein Herz – hör' ich schlagen –

WENDLA – Man liebt sich – wenn man küßt – – – – – – – Nicht, nicht! – – –

MELCHIOR O glaub mir, es gibt keine *Liebe!* Alles Eigennutz, alles Egoismus! – Ich liebe dich so wenig, wie du mich liebst. –

WENDLA – Nicht! – – – Nicht, Melchior! – –

MELCHIOR – – – Wendla!

WENDLA O Melchior! – – – – – – – – – – nicht – – nicht – –

Fünfte Szene

FRAU GABOR *sitzt, schreibt*

Lieber Herr Stiefel!

Nachdem ich 24 Stunden über alles, was Sie mir schreiben, nachgedacht und wieder nachgedacht, ergreife ich schweren Herzens die Feder. Den Betrag zur Überfahrt nach Amerika kann ich Ihnen – ich gebe Ihnen meine heiligste Versicherung – *nicht* verschaffen.

Erstens habe ich so viel nicht zu meiner Verfügung, und zweitens, wenn ich es hätte, wäre es die denkbar größte Sünde, Ihnen die Mittel zur Ausführung einer so folgenschweren Unbedachtsamkeit an die Hand zu geben. Bitter Unrecht würden Sie mir tun, Herr Stiefel, in dieser Weigerung ein Zeichen mangelnder Liebe zu erblicken. Es wäre umgekehrt die gröbste Verletzung meiner Pflicht als mütterliche Freundin, wollte ich mich durch Ihre momentane Fassungslosigkeit dazu bestimmen lassen, nun auch meinerseits den Kopf zu verlieren und meinen ersten nächstliegenden Impulsen blindlings nachzugeben. Ich bin gern bereit – falls Sie es wünschen – an Ihre Eltern zu schreiben. Ich werde Ihre Eltern davon zu überzeugen suchen, daß Sie im Laufe dieses Quartals getan haben, was Sie tun konnten, daß Sie Ihre Kräfte erschöpft, derart, daß eine rigorose Beurteilung Ihres Geschickes nicht nur ungerechtfertigt wäre, sondern in erster Linie im höchsten Grade nachteilig auf Ihren geistigen und körperlichen Gesundheitszustand wirken könnte.

Daß Sie mir andeutungsweise drohen, im Fall Ihnen die Flucht nicht ermöglicht wird, sich das Leben nehmen zu wollen, hat mich, offen gesagt, Herr Stiefel, etwas befremdet. Sei ein Unglück noch so unverschuldet, man sollte sich nie und nimmer zur Wahl unlauterer Mittel hinreißen lassen. Die Art und Weise, wie Sie mich, die ich Ihnen stets nur Gutes erwiesen, für einen eventuellen entsetzlichen Frevel Ihrerseits verantwortlich machen wollen, hat etwas, das in den Augen eines schlechtdenkenden Menschen gar zu leicht zum Erpressungsversuch werden könnte. Ich muß gestehen, daß ich mir dieses Vorgehen von Ihnen, der Sie doch sonst so gut wissen, was man sich selber schuldet, zuallerletzt gewärtig gewesen wäre. Indessen hege ich die feste Überzeugung, daß Sie noch zu sehr unter dem Eindruck des ersten Schreckens standen, um sich Ihrer Handlungsweise vollkommen bewußt werden zu können.

Und so hoffe ich denn auch zuversichtlich, daß diese meine Worte sie bereits in gefaßterer Gemütsstimmung antreffen. Nehmen Sie die Sache, wie sie liegt. Es ist meiner Ansicht nach durchaus unzulässig, einen jungen Mann nach seinen Schulzeugnissen zu beurteilen. Wir haben zu viele Beispiele, daß sehr schlechte Schüler vorzügliche Menschen geworden und umgekehrt ausgezeichnete Schüler sich im Leben nicht sonderlich bewährt haben. Auf jeden Fall gebe ich Ihnen die Versicherung, daß Ihr Mißgeschick, soweit das von mir abhängt, in Ihrem Verkehr mit Melchior nichts ändern soll. Es wird mir stets zur Freude gereichen, meinen Sohn mit einem jungen Manne umgehn zu sehn, der sich, mag ihn nun die Welt beurteilen, wie sie will, auch meine vollste Sympathie zu gewinnen vermochte. Und somit Kopf hoch, Herr Stiefel! – Solche Krisen dieser oder jener Art treten an jeden von uns heran und wollen eben überstanden sein. Wollte da ein jeder gleich zu Dolch und Gift greifen, es möchte recht bald keine Menschen mehr auf der Welt geben. Lassen Sie bald wieder etwas von sich hören und seien Sie herzlich gegrüßt von Ihrer Ihnen unverändert zugetanen

mütterlichen Freundin Fanny G.

Sechste Szene

Bergmanns Garten im Morgensonnenglanz.

WENDLA Warum hast du dich aus der Stube geschlichen? – Veilchen suchen! – Weil mich Mutter lächeln sieht. – Warum bringst du auch die Lippen nicht mehr zusammen? – Ich weiß nicht. – Ich weiß es ja nicht, ich finde nicht Worte . . .

Der Weg ist wie ein Plüschteppich – kein Steinchen, kein Dorn. – Meine Füße berühren den Boden nicht . . . Oh, wie ich die Nacht geschlummert habe!

Hier standen sie. – Mir wird ernsthaft wie einer Nonne beim Abendmahl. – Süße Veilchen! – Ruhig, Mütterchen. Ich will mein Bußgewand anziehn. – Ach Gott, wenn jemand käme, dem ich um den Hals fallen und erzählen könnte!

Siebente Szene

Abenddämmerung. Der Himmel ist leicht bewölkt, der Weg schlängelt sich durch niedres Gebüsch und Riedgras. In einiger Entfernung hört man den Fluß rauschen.

MORITZ Besser ist besser. – Ich passe nicht hinein. Mögen sie einander auf die Köpfe steigen. – Ich ziehe die Tür hinter mir zu und trete ins Freie. – Ich gebe nicht so viel darum, mich herumdrücken zu lassen.

Ich habe mich nicht aufgedrängt. Was soll ich mich jetzt aufdrängen! – Ich habe keinen Vertrag mit dem lieben Gott. Mag man die Sache drehen, wie man sie drehen will. Man hat mich gepreßt. – Meine Eltern mache ich nicht verantwortlich. Immerhin mußten sie auf das Schlimmste gefaßt sein. Sie waren alt genug, um zu wissen, was sie taten. Ich war ein Säugling, als ich zur Welt kam – sonst wäre ich wohl auch noch so schlau gewesen, ein anderer zu werden. – Was soll ich dafür büßen, daß alle andern schon da waren!

Ich müßte ja auf den Kopf gefallen sein ... macht mir jemand einen tollen Hund zum Geschenk, dann gebe ich ihm seinen tollen Hund zurück. Und will er seinen tollen Hund nicht zurücknehmen, dann bin ich menschlich und ...

Ich müßte ja auf den Kopf gefallen sein!

Man wird ganz per Zufall geboren und sollte nicht nach reiflichster Überlegung --- es ist zum Totschießen! – Das Wetter zeigte sich wenigstens rücksichtsvoll. Den ganzen Tag sah es nach Regen aus, und nun hat es sich doch gehalten. – Es herrscht eine seltene Ruhe in der Natur. Nirgends etwas Grelles, Aufreizendes. Himmel und Erde sind wie durchsichtiges Spinnewebe. Und dabei scheint sich alles so wohl zu fühlen. Die Landschaft ist lieblich wie eine Schlummermelodie – »schlafe, mein Prinzchen, schlaf ein«, wie Fräulein Snandulia sang. Schade, daß sie die Ellbogen ungraziös hält! – Am Cäcilienfest habe ich zum letzten Male getanzt. Snandulia tanzt nur mit Partien. Ihre Seidenrobe war hinten und vorn ausgeschnitten. Hinten bis auf den Taillengürtel und vorne bis zur

Bewußtlosigkeit. – Ein Hemd kann sie nicht angehabt haben ...

– –

– Das wäre etwas, was mich noch fesseln könnte. – Mehr der Kuriosität halber. – Es muß ein sonderbares Empfinden sein – – ein Gefühl, als würde man über Stromschnellen gerissen – – – Ich werde es niemandem sagen, daß ich unverrichteter Sache wiederkehre. Ich werde so tun, als hätte ich alles das mitgemacht ... Es hat etwas Beschämendes, Mensch gewesen zu sein, ohne das Menschlichste kennengelernt zu haben. – Sie kommen aus *Ägypten*, verehrter Herr, und haben die *Pyramiden* nicht gesehen?!

Ich will heute nicht wieder weinen. Ich will nicht wieder an mein Begräbnis denken – – Melchior wird mir einen Kranz auf den Sarg legen. Pastor Kahlbauch wird meine Eltern trösten. Rektor Sonnenstich wird Beispiele aus der Geschichte zitieren. – Einen Grabstein werd' ich wahrscheinlich nicht bekommen. Ich hätte mir eine schneeweiße Marmorurne auf schwarzem Syenitsockel gewünscht – ich werde sie ja gottlob nicht vermissen. Die Denkmäler sind für die Lebenden, nicht für die Toten.

Ich brauchte wohl ein Jahr, um in Gedanken von allen Abschied zu nehmen. Ich will nicht wieder weinen. Ich bin froh, ohne Bitterkeit zurückblicken zu dürfen. Wie manchen schönen Abend ich mit Melchior verlebt habe! – unter den Uferweiden; beim Forsthaus; am Heerweg draußen, wo die fünf Linden stehen; auf dem Schloßberg, zwischen den lauschigen Trümmern der Runenburg. – – – Wenn die Stunde gekommen, will ich aus Leibeskräften an Schlagsahne denken. Schlagsahne hält nicht auf. Sie stopft und hinterläßt dabei doch einen angenehmen Nachgeschmack ... Auch die Menschen hatte ich mir unendlich schlimmer gedacht. Ich habe keinen gefunden, der nicht sein Bestes gewollt hätte. Ich habe manchen bemitleidet um meinetwillen.

Ich wandle zum Altar wie der Jüngling im alten Etrurien, dessen letztes Röcheln der Brüder Wohlergehen für das kommende Jahr erkauft. – Ich durchkoste Zug für Zug die geheimnisvollen Schauer der Loslösung. Ich schluchze vor Wehmut über mein Los. – Das Leben hat mir die kalte Schulter gezeigt. Von drüben her sehe ich ernste freundliche Blicke winken: die kopflose Königin, die kopflose Königin – Mitgefühl, mich mit weichen Armen erwartend ... Eure Gebote gelten für Unmündige; ich trage mein Freibillett in mir. Sinkt die Schale, dann flattert der Falter davon; das Trugbild geniert nicht mehr. – Ihr solltet kein tolles Spiel mit dem Schwindel treiben! Der Nebel zerrinnt; das Leben ist Geschmackssache.

ILSE *in abgerissenen Kleidern, ein buntes Tuch um den Kopf, faßt ihn von rückwärts an der Schulter* Was hast du verloren?

MORITZ Ilse?!

ILSE Was suchst du hier?

MORITZ Was erschreckst du mich so?

ILSE Was suchst du? – Was hast du verloren?

MORITZ Was erschreckst du mich denn so entsetzlich?

ILSE Ich komme aus der Stadt. Ich gehe nach Hause.

MORITZ Ich weiß nicht, was ich verloren habe.

ILSE Dann hilft auch dein Suchen nichts.

MORITZ Sakerment, Sakerment!!

ILSE Seit vier Tagen bin ich nicht zu Hause gewesen.

MORITZ Lautlos wie ein Katze!

ILSE Weil ich meine Ballschuhe anhabe. – Mutter wird Augen machen – Komm bis an unser Haus mit!

MORITZ Wo hast du wieder herumgestrolcht?

ISLE In der Priapia!

MORITZ Priapia!

ILSE Bei Nohl, bei Fehrendorf, bei Padinsky, bei Lenz, Rank, Spühler – bei allen möglichen! – Kling, kling – die wird springen!

MORITZ Malen sie dich?

ILSE Fehrendorf malt mich als Säulenheilige. Ich stehe auf einem korinthischen Kapitäl. Fehrendorf, sag' ich dir, ist eine verhauene Nudel. Das letzte Mal zertrat ich ihm eine Tube. Er wischt mir die Pinsel ins Haar. Ich versetze ihm eine Ohrfeige. Er wirft mir die Palette an den Kopf. Ich werfe die Staffelei um. Er mit dem Malstock hinter mir drein über Diwan, Tische, Stühle, ringsum durchs Atelier. Hinterm Ofen lag eine Skizze: Brav sein, oder ich zerreiße sie! – Er schwor Amnestie und hat mich dann schließlich noch schrecklich – schrecklich, sag' ich dir – abgeküßt.

MORITZ Wo übernachtest du, wenn du in der Stadt bleibst?

ILSE Gestern waren wir bei Nohl – vorgestern bei Bojokewitsch – Sonntag bei Oikonomopulos. Bei Padinsky gab's Sekt. Valabregez hatte seinen Pestkranken verkauft. Adolar trank aus dem Aschenbecher. Lenz sang die Kindesmörderin, und Adolar schlug die Gitarre krumm. Ich war so betrunken, daß sie mich zu Bett bringen mußten. – – Du gehst immer noch zur Schule, Moritz?

MORITZ Nein, nein ... dieses Quartal nehme ich meine Entlassung.

ILSE Du hast recht. Ach, wie die Zeit vergeht, wenn man Geld verdient! – Weißt du noch, wie wir Räuber spielten? – Wendla Bergmann und du und ich und die andern, wenn ihr abends herauskamt und kuhwarme Ziegenmilch bei uns trankt? – Was macht Wendla? Ich sah sie noch bei der Überschwemmung. – Was macht Melchi Gabor? – Schaut er noch so tiefsinnig drein? – In der Singstunde standen wir einander gegenüber.

MORITZ Er philosophiert.

ILSE Wendla war derweil bei uns und hat der Mutter Eingemachtes gebracht. Ich saß den Tag bei Isidor Landauer. Er braucht mich zur heiligen Maria, Mutter Gottes, mit dem Christuskind. Er ist ein Tropf und widerlich. Hu, wie ein Wetterhahn! – Hast du Katzenjammer?

MORITZ Von gestern abend! – Wir haben wie Nilpferde gezecht. Um fünf Uhr wankt' ich nach Hause.

ILSE Man braucht dich nur anzusehen. – Waren auch Mädchen dabei?

MORITZ Arabella, die Biernymphe, Andalusierin! – Der Wirt ließ uns alle die ganze Nacht durch mit ihr allein ...

ILSE Man braucht dich nur anzusehen, Moritz! – Ich kenne keinen Katzenjammer. Vergangenen Karneval kam ich drei Tage und drei Nächte in kein Bett und nicht aus den Kleidern. Von der Redoute ins Café, mittags in Bellavista, abends Tingl-Tangl, nachts zur Redoute. Lena war dabei und die dicke Viola. – In der dritten Nacht fand mich Heinrich.

MORITZ Hatte er dich denn gesucht?

ILSE Er war über meinen Arm gestolpert. Ich lag bewußtlos im Straßenschnee. – Darauf kam ich zu ihm. Vierzehn Tage verließ ich seine Behausung nicht – ein greuliche Zeit! – Morgens mußte ich seinen persischen Schlafrock überwerfen und abends in schwarzem Pagenkostüm durchs Zimmer gehn; an Hals, an Knien und Ärmeln weiße Spitzenaufschläge. Täglich fotografierte er mich in anderem Arrangement – einmal auf der Sofalehne als Ariadne, einmal als Leda, einmal als Ganymed, einmal auf allen vieren als weiblichen Nebuchod-Nosor. Dabei schwärmte er von Umbringen, von Erschießen, Selbstmord und Kohlendampf. Frühmorgens nahm er eine Pistole ins Bett, lud sie voll Spitzkugeln und setzte sie mir auf die Brust: Ein Zwinkern, so drück' ich! – Oh, er hätte gedrückt, Moritz, er hätte gedrückt! – Dann nahm er das Dings in den Mund wie ein Pustrohr. Das wecke den Selbsterhaltungstrieb. Und dann – brrr – die Kugel wäre mir durchs Rückgrat gegangen.

MORITZ Lebt Heinrich noch?

ILSE Was weiß ich! – Über dem Bett war ein Deckenspiegel im Plafond eingelassen. Das Kabinett schien turmhoch und hell wie ein Opernhaus. Man sah sich leibhaftig vom Himmel herunterhängen. Grauenvoll habe ich die Nächte geträumt. – Gott, o Gott, wenn es erst wieder Tag würde! – Gute Nacht, Ilse. Wenn du schläfst, bist du zum Morden schön!

MORITZ Lebt dieser Heinrich noch?

ILSE So Gott will, nicht! – Wie er eines Tages Absinth holt, werfe ich den Mantel um und schleiche mich auf die Straße. Der Fasching war aus; die Polizei fängt mich ab; was ich in Mannskleidern wolle? – Sie brachten mich zur Hauptwache. Da kamen Nohl, Fehrendorf, Padinsky, Spühler, Oikonomopulos, die ganze Priapia, und bürgten für mich. Im Fiaker transportierten sie mich auf Adolars Atelier. Seither bin ich der Horde treu. Fehrendorf ist ein Affe, Nohl ist ein Schwein. Bojokewitsch ein Uhu, Loison eine Hyäne, Oikonomopulos ein Kamel – darum lieb' ich sie doch, einen wie den andern und möchte mich an sonst niemand hängen, und wenn die Welt voll Erzengel und Millionäre wär!

MORITZ Ich muß zurück, Ilse.

ILSE Komm bis an unser Haus mit!

MORITZ – Wozu? – Wozu –

ILSE Kuhwarme Ziegenmilch trinken! – Ich will dir Locken brennen und dir ein Glöcklein um den Hals hängen. – Wir haben auch noch ein Hü-Pferdchen, mit dem du spielen kannst.

MORITZ Ich muß zurück. – Ich habe noch die Sassaniden, die

Bergpredigt und das Parallelepipedon auf dem Gewissen – Gute Nacht, Ilse!

ILSE Schlummre süß! ... Geht ihr wohl noch zum Wigwam hinunter, wo Melchi Gabor meinen Tomahawk begrub? – Brrr! Bis es an euch kommt, lieg' ich im Kehricht. *Eilt davon.*

MORITZ *allein* – – – Ein Wort hätte es gekostet. – *Er ruft* – Ilse! – Ilse! – – Gottlob, sie hört nicht mehr.
– Ich bin in der Stimmung nicht. – Dazu bedarf es eines freien Kopfes und eines fröhlichen Herzens. – Schade, schade um die Gelegenheit!

... ich werde sagen, ich hätte mächtige Kristallspiegel über meinen Betten gehabt – hätte mir ein unbändiges Füllen gezogen – hätte es in langen schwarzseidenen Strümpfen und schwarzen Lackstiefeln und schwarzen, langen Glacéhandschuhen, schwarzen Samt um den Hals, über den Teppich an mir vorbeistolzieren lassen – hätte es in einem Wahnsinnsanfall in meinem Kissen erwürgt ... ich werde lächeln, wenn von Wollust die Rede ist ... ich werde – Aufschreien! – Aufschreien! – Du sein, Ilse! – Priapia! – Besinnungslosigkeit! – Das nimmt die Kraft mir! – Dieses Glückskind, dieses Sonnenkind – dieses Freudenmädchen auf meinem Jammerweg! – – O! – O!

– –

Im Ufergebüsch.

Hab' ich sie doch unwillkürlich wiedergefunden – die Rasenbank. Die Königskerzen scheinen gewachsen seit gestern. Der Ausblick zwischen den Weiden durch ist derselbe noch. – Der Fluß zieht schwer wie geschmolzenes Blei. – Daß ich nicht vergesse ... *er zieht Frau Gabors Brief aus der Tasche und verbrennt ihn.* – Wie die Funken irren – hin und her, kreuz und quer – Seelen! – Sternschnuppen! –

Eh ich angezündet, sah man die Gräser noch und einen Streifen am Horizont. – Jetzt ist es dunkel geworden. Jetzt gehe ich nicht mehr nach Hause.

DRITTER AKT

Erste Szene

Konferenzzimmer. – An den Wänden die Bildnisse von Pestalozzi und J. J. Rousseau. Um einen grünen Tisch, über dem mehrere Gasflammen brennen, sitzen die Professoren Affenschmalz, Knüppeldick, Hungergurt, Knochenbruch, Zungenschlag und Fliegentod. Am oberen Ende auf erhöhtem Sessel Rektor Sonnenstich. Pedell Habebald kauert neben der Tür.

SONNENSTICH ... Sollte einer der Herren noch etwas zu bemerken haben? – – Meine Herren! – Wenn wir nicht umhinkönnen, bei einem hohen Kultusministerium die Relegation unseres schuldbeladenen Schülers zu beantragen, so können wir das aus den schwerwiegendsten Gründen nicht. Wir können es nicht, um das bereits hereingebrochene Unglück zu sühnen, wir können es ebensowenig, um unsere Anstalt für die Zukunft vor ähnlichen Schlägen sicherzustellen. Wir können es nicht, um unsern schuldbeladenen Schüler für den demoralisierenden Einfluß, den er auf seinen Klassengenossen ausgeübt, zu züchtigen; wir können es zuallerletzt, um ihn zu verhindern, den nämlichen Einfluß auf seine übrigen Klassengenossen auszuüben. Wir können es – und der, meine Herren, möchte der schwerwiegendste sein – aus dem jeden Einwand niederschlagenden Grunde nicht, weil wir unsere Anstalt vor den Verheerungen einer Selbstmordepidemie zu schützen haben, wie sie bereits an verschiedenen Gymnasien zum Ausbruch gelangt und bis heute allen Mitteln, den Gymnasiasten an seine durch seine Heranbildung zum Gebildeten gebildeten Existenzbedingungen zu fesseln, gespottet hat. – – Sollte einer der Herren noch etwas zu bemerken haben?

KNÜPPELDICK Ich kann mich nicht länger der Überzeugung verschließen, daß es endlich an der Zeit wäre, irgendwo ein Fenster zu öffnen.

ZUNGENSCHLAG Es he-herrscht hier ein A-A-Atmosphäre wie in unterirdischen Kata-Katakomben, wie in den A-Aktensälen des weiland Wetzlarer Ka-Ka-Ka-Ka-Kammergerichtes.

SONNENSTICH Habebald!

HABEBALD Befehlen, Herr Rektor!

SONNENSTICH Öffnen Sie ein Fenster! Wir haben Gott sei Dank Atmosphäre genug draußen. – Sollte einer der Herren noch etwas zu bemerken haben?

FLIEGENTOD Wenn meine Herren Kollegen ein Fenster öffnen lassen wollen, so habe ich meinerseits nichts dagegen einzuwenden. Nur möchte ich bitten, das Fenster nicht gerade hinter meinem Rücken öffnen lassen zu wollen!

SONNENSTICH Habebald!

HABEBALD Befehlen, Herr Rektor!

SONNENSTICH Öffnen Sie das andere Fenster! – – Sollte einer der Herren noch etwas zu bemerken haben?

HUNGERGURT Ohne die Kontroverse meinerseits belasten zu wollen, möchte ich an die Tatsache erinnern, daß das andere Fenster seit den Herbstferien zugemauert ist.

SONNENSTICH Habebald!

HABEBALD Befehlen, Herr Rektor!

SONNENSTICH Lassen Sie das andere Fenster geschlossen! – Ich sehe mich genötigt, meine Herren, den Antrag zur Abstimmung zu bringen. Ich ersuche diejenigen Herren Kollegen, die dafür sind, daß das einzig in Frage kommen könnende Fenster geöffnet werde, sich von ihren Sitzen zu erheben. *Er zählt.* – Eins, zwei, drei. – Eins, zwei, drei. – Habebald!

HABEBALD Befehlen, Herr Rektor!

SONNENSTICH Lassen Sie das eine Fenster gleichfalls geschlossen! – Ich meinerseits hege die Überzeugung, daß die Atmosphäre nichts zu wünschen übrigläßt! – – Sollte einer der Herren noch etwas zu bemerken haben? – – Meine Herren! – Setzen wir den Fall, daß wir die Relegation unseres schuldbeladenen Schülers bei einem hohen Kultusministerium zu beantragen unterlassen, so wird *uns* ein hohes Kultusministerium für das hereingebrochene Unglück verantwortlich machen. Von den verschiedenen von der Selbstmord-Epidemie heimgesuchten Gymnasien sind diejenigen, in denen fünfundzwanzig Prozent den Verheerungen zum Opfer gefallen, von einem hohen Kultusministerium suspendiert worden. Vor diesem erschütterndsten Schlage unsere Anstalt zu bewahren, ist unsere

Pflicht als Hüter und Bewahrer unserer Anstalt. Es schmerzt uns tief, meine Herren Kollegen, daß wir die sonstige Qualifikation unseres schuldbeladenen Schülers als mildernden Umstand gelten zu lassen nicht in der Lage sind. Ein nachsichtiges Verfahren, das sich unserem schuldbeladenen Schüler gegenüber rechtfertigen ließe, ließe sich der zur Zeit in denkbar bedenklichster Weise gefährdeten Existenz unserer Anstalt gegenüber *nicht* rechtfertigen. Wir sehen uns in die Notwendigkeit versetzt, den Schuldbeladenen zu richten, um nicht als die Schuldlosen gerichtet zu werden. – Habebald!

HABEBALD Befehlen, Herr Rektor!

SONNENSTICH Führen Sie ihn herauf!

Habebald ab.

ZUNGENSCHLAG Wenn die he-herrschende A-A-A-Atmosphäre maßgebenderseits wenig oder nichts zu wünschen übrigläßt, so möchte ich den Antrag stellen, während der So-Sommerferien auch noch das andere Fenster zu-zu-zu-zu-zu-zu-zu-zu-zuzumauern!

FLIEGENTOD Wenn unserem lieben Kollega Zungenschlag unser Lokal nicht genügend ventiliert erscheint, so möchte ich den Antrag stellen, unserm lieben Herrn Kollega Zungenschlag einen Ventilator in die Stirnhöhle applizieren zu lassen.

ZUNGENSCHLAG Da-Da-das brauche ich mir nicht gefallen zu lassen! – Gro-Grobheiten brauche ich mir nicht gefallen zu lassen! – Ich bin meiner fü-fü-fü-fü-fünf Sinne mächtig . . .!

SONNENSTICH Ich muß unsere Herren Kollegen Fliegentod und Zungenschlag um einigen Anstand ersuchen. Unser schuldbeladener Schüler scheint mir bereits auf der Treppe zu sein.

Habebald öffnet die Türe, worauf Melchior, bleich, aber gefaßt, vor die Versammlung tritt.

SONNENSTICH Treten Sie näher an den Tisch heran! – Nachdem Herr Rentier Stiefel von dem ruchlosen Frevel seines Sohnes Kenntnis erhalten, durchsuchte der fassungslose Vater, in der Hoffnung, auf diesem Wege möglicherweise dem Anlaß der verabscheuungswürdigen Untat auf die Spur zu kommen, die hinterlassenen Effekten seines Sohnes Moritz und stieß dabei an einem nicht zur Sache gehörigen Orte auf ein Schriftstück, welches uns, ohne noch die verabscheuungswürdige Untat an sich verständlich zu machen, für die dabei maßgebend gewesene moralische Zerrüttung des Untäters eine leider nur allzu ausreichende Erklärung liefert. Es handelt sich um eine in Gesprächsform abgefaßte, »Der Beischlaf« betitelte, mit lebensgroßen Abbildungen versehene, von den schamlosesten Unflätereien strotzende, zwanzig Seiten lange Abhandlung, die den geschraubtesten Anforderungen, die ein verworfener Lüstling an eine unzüchtige Lektüre zu stellen vermöchte, entsprechen dürfte. –

MELCHIOR Ich habe ...

SONNENSTICH Sie haben sich ruhig zu verhalten! – Nachdem Herr Rentier Stiefel uns fragliches Schriftstück ausgehändigt und wir dem fassungslosen Vater das Versprechen erteilt, um jeden Preis den Autor zu ermitteln, wurde die uns vorliegende Handschrift mit den Handschriften sämtlicher Mitschüler des weiland Ruchlosen verglichen und ergab nach dem einstimmigen Urteil der gesamten Lehrerschaft sowie in vollkommenem Einklang mit dem Spezial-Gutachten unseres geschätzten Herrn Kollegen für Kalligraphie die denkbar bedenklichste Ähnlichkeit mit der *Ihrigen.* –

MELCHIOR Ich habe ...

SONNENSTICH Sie haben sich ruhig zu verhalten! – Ungeachtet der erdrückenden Tatsache der von seiten unantastbarer Autoritäten anerkannten Ähnlichkeit glauben wir uns vorderhand noch jeder weiteren Maßnahmen enthalten zu dürfen, um in erster Linie den Schuldigen über das ihm demgemäß zur Last fallende Vergehen wider die Sittlichkeit in Verbindung mit daraus resultierender Veranlassung zur Selbstentleibung ausführlich zu vernehmen. –

MELCHIOR Ich habe ...

SONNENSTICH Sie haben die genau präzisierten Fragen, die ich Ihnen der Reihe nach vorlege, eine um die andere, mit einem schlichten und bescheidenen »Ja« oder »Nein« zu beantworten. – Habebald!

HABEBALD Befehlen, Herr Rektor!

SONNENSTICH Die Akten! – – Ich ersuche unseren Schriftführer, Herrn Kollega Fliegentod, von nun an möglichst wortgetreu zu protokollieren. – *Zu Melchior* Kennen Sie dieses Schriftstück?

MELCHIOR Ja.

SONNENSTICH Wissen Sie, was dieses Schriftstück enthält?

MELCHIOR Ja.

SONNENSTICH Ist die Schrift dieses Schriftstücks die Ihrige?

MELCHIOR Ja.

SONNENSTICH Verdankt dieses unflätige Schriftstück Ihnen seine Abfassung?

MELCHIOR Ja. – Ich ersuche Sie, Herr Rektor, mir *eine* Unflätigkeit darin nachzuweisen.

SONNENSTICH Sie haben die genau präzisierten Fragen, die ich Ihnen vorlege, mit einem schlichten und bescheidenen »Ja« oder »Nein« zu beantworten!

MELCHIOR Ich habe nicht mehr und nicht weniger geschrieben, als was eine Ihnen sehr wohlbekannte Tatsache ist!

SONNENSTICH Dieser Schandbube!!

MELCHIOR Ich ersuche Sie, mir einen Verstoß gegen die Sittlichkeit in der Schrift zu zeigen!

SONNENSTICH Bilden Sie sich ein, ich hätte Lust, zu Ihrem Hanswurst an Ihnen zu werden?! – Habebald ...!

MELCHIOR Ich habe ...

SONNENSTICH Sie haben so wenig Ehrerbietung vor der Würde Ihrer versammelten Lehrerschaft, wie Sie Anstandsgefühl für das dem Menschen eingewurzelte Empfinden für die Diskretion der Verschämtheit einer sittlichen Weltordnung haben! – Habebald!!

HABEBALD Befehlen, Herr Rektor!

SONNENSTICH Es ist ja der Langenscheidt zur dreistündigen Erlernung des agglutinierenden Volapük!

MELCHIOR Ich habe ...

SONNENSTICH Ich ersuche unseren Schriftführer, Herrn Kollega Fliegentod, das Protokoll zu schließen!

MELCHIOR Ich habe ...

SONNENSTICH Sie haben sich ruhig zu verhalten!! – Habebald!

HABEBALD Befehlen, Herr Rektor!

SONNENSTICH Führen Sie ihn hinunter!

Zweite Szene

Friedhof in strömendem Regen. – Vor einem offenen Grabe steht Pastor Kahlbauch, den aufgespannten Schirm in der Hand. Zu seiner Rechten Rentier Stiefel, dessen Freund Ziegenmelker und Onkel Probst. Zur Linken Rektor Sonnenstich mit Professor Knochenbruch. Gymnasiasten schließen den Kreis. In einiger Entfernung vor einem halbverfallenen Grabmonument Martha und Ilse.

PASTOR KAHLBAUCH ... Denn wer die Gnade, mit der der ewige Vater den in Sünden Geborenen gesegnet, von sich wies, er wird des *geistigen* Todes sterben! – Wer aber in eigenwilliger fleischlicher Verleugnung der Gott gebührenden Ehre dem Bösen gelebt und gedient, er wird des *leiblichen* Todes sterben! – Wer jedoch das Kreuz, das der Allerbarmer ihm um der Sünde willen auferlegt, freventlich von sich geworfen, wahrlich, wahrlich, ich sage euch, der wird des *ewigen* Todes sterben! – *Er wirft eine Schaufel voll Erde in die Gruft.* – Uns aber, die wir fort und fort wallen den Dornenpfad, lasset den Herrn, den allgütigen, preisen und ihm danken für seine unerforschliche Gnadenwahl. Denn so wahr *dieser* eines *dreifachen* Todes starb, so wahr wird Gott der Herr den Gerechten einführen zur Seligkeit und zum ewigen Leben. – Amen.

RENTIER STIEFEL *mit tränenerstickter Stimme, wirft eine Schaufel voll Erde in die Gruft* Der Junge war nicht von mir! Der Junge war nicht von mir! Der Junge hat mir von kleinauf nicht gefallen!

REKTOR SONNENSTICH *wirft eine Schaufel voll Erde in die Gruft* Der Selbstmord als der denkbar bedenklichste Verstoß gegen die sittliche Weltordnung ist der denkbar bedenklichste Beweis *für* die sittliche Weltordnung, indem der Selbstmörder der sittlichen Weltordnung den Urteilsspruch zu sprechen erspart und ihr Bestehen bestätigt.

PROFESSOR KNOCHENBRUCH *wirft eine Schaufel voll Erde in die Gruft* Verbummelt – versumpft – verhurt – verlumpt – und verludert!

ONKEL PROBST *wirft eine Schaufel voll Erde in die Gruft* Meiner eigenen Mutter hätte ich's nicht geglaubt, daß ein Kind so niederträchtig an seinen Eltern zu handeln vermöchte!

FREUND ZIEGENMELKER *wirft eine Schaufel voll Erde in die Gruft* An einem Vater zu handeln vermöchte, der nun seit zwanzig Jahren von früh bis spät keinen Gedanken mehr hegt als das Wohl seines Kindes!

PASTOR KAHLBAUCH *Rentier Stiefel die Hand drückend* Wir wissen, daß denen, die Gott lieben, alle Dinge zum Besten dienen. I. Korinth. 12, 15. – Denken Sie der trostlosen Mutter, und suchen Sie ihr das Verlorene durch verdoppelte Liebe zu ersetzen!

REKTOR SONNENSTICH *Rentier Stiefel die Hand drückend* Wir hätten ihn ja wahrscheinlich doch nicht promovieren können!

PROFESSOR KNOCHENBRUCH *Rentier Stiefel die Hand drückend* Und wenn wir ihn promoviert hätten, im nächsten Frühling wäre er des allerbestimmtesten sitzengeblieben!

ONKEL PROBST *Rentier Stiefel die Hand drückend* Jetzt hast du vor allem die Pflicht, an dich zu denken. Du bist Familienvater . . .!

FREUND ZIEGENMELKER *Rentier Stiefel die Hand drückend* Vertraue dich meiner Führung! – Ein Hundewetter, daß einem die Därme schlottern! – Wer da nicht unverzüglich mit einem Grog eingreift, hat seine Herzklappenaffektion weg!

RENTIER STIEFEL *sich die Nase schneuzend* Der Junge war nicht von mir . . . der Junge war nicht von mir . . .

Rentier Stiefel, geleitet von Pastor Kahlbauch, Rektor Sonnenstich, Professor Knochenbruch, Onkel Probst und Freund Ziegenmelker, ab. Der Regen läßt nach.

HÄNSCHEN RILOW *wirft eine Schaufel voll Erde in die Gruft* Ruhe in Frieden, du ehrliche Haut! – Grüße mir meine ewigen Bräute hingeopferten Angedenkens, und empfiehl mich ganz ergebenst zu Gnaden dem lieben Gott – armer Tolpatsch du! – Sie werden dir um deiner Engelseinfalt willen noch eine Vogelscheuche aufs Grab setzen . . .

GEORG Hat sich die Pistole gefunden?

ROBERT Man braucht keine Pistole zu suchen!

ERNST Hast du ihn gesehen, Robert?

ROBERT Verfluchter, verdammter Schwindel! – Wer hat ihn gesehen? – Wer denn?!

OTTO Da steckt's nämlich! – Man hatte ihm ein Tuch übergeworfen.

GEORG Hing die Zunge heraus?

ROBERT Die Augen! – Deshalb hatte man das Tuch drübergeworfen.

OTTO Grauenhaft!

HÄNSCHEN RILOW Weißt du bestimmt, daß er sich erhängt hat?

ERNST Man sagt, er habe gar keinen Kopf mehr.

OTTO Unsinn! – Gewäsch!

ROBERT Ich habe ja den Strick in Händen gehabt! – Ich habe noch keinen Erhängten gesehen, den man nicht zugedeckt hätte.

GEORG Auf gemeinere Art hätte er sich nicht empfehlen können!

HÄNSCHEN Was Teufel, das Erhängen soll ganz hübsch sein!

OTTO Mir ist er nämlich noch fünf Mark schuldig. Wir hatten gewettet. Er schwor, er werde sich halten.

HÄNSCHEN RILOW Du bist schuld, daß er daliegt. Du hast ihn Prahlhans genannt.

OTTO Papperlapapp, ich muß auch büffeln die Nächte durch. Hätte er die griechische Literaturgeschichte gelernt, er hätte sich nicht zu erhängen brauchen!

ERNST Hast du den Aufsatz, Otto?

OTTO Erst die Einleitung.

ERNST Ich weiß gar nicht, was schreiben.

GEORG Warst du denn nicht da, als uns Affenschmalz die Disposition gab?

HÄNSCHEN RILOW Ich stopsle mir was aus dem Demokrit zusammen.

ERNST Ich will sehen, ob sich im Kleinen Meyer was finden läßt.

OTTO Hast du den Vergil schon auf morgen? – – –

Die Gymnasiasten ab. – Martha und Ilse kommen ans Grab.

ILSE Rasch, rasch! – Dort hinten kommen die Totengräber.

MARTHA Wollen wir nicht lieber warten, Ilse?

ILSE Wozu? – Wir bringen neue. Immer neue und neue! – Es wachsen genug.

MARTHA Du hast recht, Ilse! – *Sie wirft einen Efeukranz in die Gruft. Ilse öffnet ihre Schürze und läßt eine Fülle frischer Anemonen auf den Sarg regnen.*

MARTHA Ich grabe unsere Rosen aus. Schläge bekomme ich ja doch! – Hier werden sie gedeihen.

ILSE Ich will sie begießen, sooft ich vorbeikomme. Ich hole Vergißmeinnicht vom Goldbach herüber, und Schwertlilien bringe ich von Hause mit.

MARTHA Es soll eine Pracht werden! Eine Pracht!

ILSE Ich war schon über der Brücke drüben, da hört' ich den Knall.

MARTHA Armes Herz!

ILSE Und ich weiß auch den Grund, Martha.

MARTHA Hat er dir was gesagt?

ILSE Parallelepipedon! Aber sag es niemandem.

MARTHA Meine Hand darauf.

ILSE – Hier ist die Pistole.

MARTHA Deshalb hat man sie nicht gefunden!

ILSE Ich nahm sie ihm gleich aus der Hand, als ich am Morgen vorbeikam.

MARTHA Schenk sie mir, Ilse! – Bitte, schenk sie mir!

ILSE Nein, die behalt' ich zum Andenken.

MARTHA Ist's wahr, Ilse, daß er ohne Kopf drinliegt?

ILSE Er muß sie mit Wasser geladen haben! – Die Königskerzen waren über und über mit Blut besprengt. Sein Hirn hing in den Weiden umher.

Dritte Szene

Herr und Frau Gabor.

FRAU GABOR ... Man hatte einen Sündenbock nötig. Man durfte die überall lautwerdenden Anschuldigungen nicht auf sich beruhen lassen. Und nun mein Kind das Unglück gehabt, den Zöpfen im richtigen Moment in den Schuß zu laufen, nun soll ich, die eigene Mutter, das Werk seiner Henker vollenden helfen? – Bewahre mich Gott davor!

HERR GABOR – Ich habe deine geistvolle Erziehungsmethode vierzehn Jahre schweigend mit angesehen. Sie widersprach meinen Begriffen. Ich hatte von jeher der Überzeugung gelebt, ein Kind sei kein Spielzeug; ein Kind habe Anspruch auf unsern heiligen Ernst. Aber ich sagte mir, wenn der Geist und die Grazie des einen die ernsten Grundsätze eines andern zu ersetzen imstande sind, so mögen sie den ernsten Grundsätzen vorzuziehen sein. – – Ich mache dir keinen Vorwurf, Fanny. Aber vertritt mir den Weg nicht, wenn ich dein und mein Unrecht an dem Jungen gutzumachen suche!

FRAU GABOR Ich vertrete dir den Weg, solange ein Tropfen warmen Blutes in mir wallt! In der Korrektionsanstalt ist mein Kind verloren. Eine Verbrechernatur mag sich in solchen Instituten bessern lassen. Ich weiß es nicht. Ein gutgearteter Mensch wird so gewiß zum Verbrecher darin, wie die Pflanze verkommt, der du Luft und Sonne entziehst. Ich bin mir keines Unrechtes bewußt. Ich danke heute wie immer dem Himmel, daß er mir den Weg gezeigt, in meinem Kinde einen rechtlichen Charakter und eine edle Denkungsweise zu wecken. Was hat er denn so Schreckliches getan? Es soll mir nicht einfallen, ihn entschuldigen zu wollen – daran, daß man ihn aus der Schule gejagt, trägt er keine Schuld. Und wäre es sein Verschulden, so hat er es ja gebüßt. Du magst das alles besser wissen. Du magst theoretisch vollkommen im Rechte sein. Aber ich kann mir mein einziges Kind nicht gewaltsam in den Tod jagen lassen!

HERR GABOR Das hängt nicht von uns ab, Fanny. – Das ist ein Risiko, das wir mit unserm Glück auf uns genommen. Wer zu schwach für den Marsch ist, bleibt am Wege. Und es ist schließlich das Schlimmste nicht, wenn das Unausbleibliche zeitig kommt. Möge uns der Himmel davor behüten! Unsere Pflicht ist es, den Wankenden zu festigen, solange die Vernunft Mittel weiß. – Daß man ihn aus der Schule gejagt, ist nicht seine Schuld. Wenn man ihn *nicht* aus der Schule gejagt hätte, es wäre auch seine Schuld nicht! – Du bist zu leichtherzig. Du erblickst vorwitzige Tändelei, wo es sich um Grundschäden des Charakters handelt. Ihr Frauen seid nicht berufen, über solche Dinge zu urteilen. Wer *das* schreiben kann, was Melchior schreibt, der muß im innersten Kern seines Wesens angefault sein. Das Mark ist ergriffen. Eine halbwegs gesunde Natur läßt sich zu so etwas nicht herbei. Wir sind alle keine Heiligen; jeder von uns irrt vom schnurgeraden Pfad ab. Seine Schrift hingegen vertritt das *Prinzip.* Seine Schrift entspricht keinem zufälligen gelegentlichen Fehltritt; sie dokumentiert mit schaudererregender Deutlichkeit den aufrichtig gehegten *Vorsatz,* jene natürliche Veranlagung, jenen Hang zum *Unmoralischen,* weil es das Unmoralische ist. Seine Schrift manifestiert jene exzeptionelle geistige Korruption, die wir Juristen mit dem Ausdruck »moralischer Irrsinn« bezeichnen. – Ob sich gegen seinen Zustand etwas ausrichten läßt, vermag ich nicht zu sagen. *Wenn* wir uns einen Hoffnungsschimmer bewahren wollen, und in erster Linie unser fleckenloses Gewissen als die Eltern des Betreffenden, so ist es Zeit für uns, mit Entschiedenheit und mit allem Ernste ans Werk zu gehen. – Laß uns nicht länger streiten, Fanny! Ich fühle, wie schwer es dir wird. Ich weiß, daß du ihn vergötterst, weil er so ganz deinem genialischen Naturell entspricht. Sei stärker als du! Zeig dich deinem Sohne gegenüber endlich einmal selbstlos!

FRAU GABOR Hilf mir Gott, wie läßt sich dagegen aufkommen! – Man muß ein *Mann* sein, um so sprechen zu können! Man muß ein *Mann* sein, um sich so vom toten Buchstaben verblenden lassen zu können! Man muß ein *Mann* sein, um so blind das in die Augen Springende nicht zu sehn! – Ich habe gewissenhaft und besonnen an Melchior gehandelt vom ersten Tag an, da ich ihn für die Eindrücke seiner Umgebung empfänglich fand. Sind wir denn für den *Zufall* verantwortlich? Dir kann morgen ein Dachziegel auf den Kopf fallen, und dann kommt dein Freund – dein Vater, und statt deine Wunde zu pflegen, setzt er den Fuß auf dich! – Ich lasse mein Kind nicht vor meinen Augen hinmorden. Dafür bin ich seine Mutter. – Es ist unfaßbar! Es ist gar nicht zu glauben. Was schreibt er denn in aller Welt! Ist's denn nicht der eklatanteste Beweis für seine Harmlosigkeit, für seine Dummheit, für seine kindliche Unberührtheit, daß er so etwas schreiben kann! – Man muß keine Ahnung von Menschenkenntnis besitzen – man muß ein vollständig entseelter Bürokrat oder ganz nur Beschränktheit sein, um hier moralische Korruption zu wittern! – – Sag, was du willst. Wenn du Melchior in die Korrektionsanstalt bringst, dann sind wir geschieden! Und dann laß mich sehen, ob ich nicht irgendwo in der Welt

Hilfe und Mittel finde, mein Kind seinem Untergang zu entreißen.

HERR GABOR Du wirst dich drein schicken müssen – wenn nicht heute, dann morgen. Leicht wird es keinem, mit dem Unglück zu diskontieren. Ich werde dir zur Seite stehen und, wenn dein Mut zu erliegen droht, keine Mühe und kein Opfer scheuen, dir das Herz zu entlasten. Ich sehe die Zukunft so grau, so wolkig – es fehlte nur noch, daß auch du mir noch verlorengingst.

FRAU GABOR Ich sehe ihn nicht wieder; ich sehe ihn nicht wieder. Er erträgt das Gemeine nicht. Er findet sich nicht ab mit dem Schmutz. Er zerbricht den Zwang; das entsetzlichste Beispiel schwebt ihm vor Augen! – Und sehe ich ihn wieder – Gott, Gott, dieses frühlingsfrohe Herz – sein helles Lachen – alles, alles – seine kindliche Entschlossenheit, mutig zu kämpfen für Gut und Recht – o dieser Morgenhimmel, wie ich ihn licht und rein in seiner Seele gehegt als mein höchstes Gut . . . Halte dich an *mich*, wenn das Unrecht um Sühne schreit! Halte dich an mich! Verfahre mit mir, wie du willst! *Ich* trage die Schuld. – Aber laß deine fürchterliche Hand von dem Kind weg.

HERR GABOR *Er* hat sich vergangen!

FRAU GABOR *Er hat sich nicht vergangen!*

HERR GABOR *Er hat* sich vergangen! – – – Ich hätte alles darum gegeben, es deiner grenzenlosen Liebe ersparen zu dürfen. – – Heute morgen kommt eine Frau zu mir, vergeistert, kaum ihrer Sprache mächtig, mit *diesem* Brief in der Hand – einem Brief an ihre fünfzehnjährige Tochter. Aus dummer Neugierde habe sie ihn erbrochen; das Mädchen war nicht zu Haus. – In dem Brief erklärte Melchior dem fünfzehnjährigen Kind, daß ihm seine Handlungsweise keine Ruhe lasse, er habe sich an ihr versündigt usw. usw., werde indessen natürlich für alles einstehen. Sie möge sich nicht grämen, auch wenn sie Folgen spüre. Er sei bereits auf dem Wege, Hilfe zu schaffen; seine Relegation erleichtere ihm das. Der ehemalige Fehltritt könne noch zu ihrem Glücke führen – und was des unsinnigen Gewäsches mehr ist.

FRAU GABOR Unmöglich!!

HERR GABOR Der Brief ist gefälscht. Es liegt Betrug vor. Man sucht eine stadtbekannte Relegation nutzbar zu machen. Ich habe mit dem Jungen noch nicht gesprochen – aber sieh bitte die Hand! Sieh die Schreibweise!

FRAU GABOR Ein unerhörtes, schamloses Bubenstück!

HERR GABOR Das fürchte ich!

FRAU GABOR Nein, nein – nie und nimmer!

HERR GABOR Um so besser wird es für uns sein. – Die Frau fragt mich händeringend, was sie tun solle. Ich sagte ihr, sie solle ihre fünfzehnjährige Tochter nicht auf Heuböden herumklettern lassen. Den Brief hat sie mir glücklicherweise dagelassen. – Schicken wir Melchior nun auf ein anderes Gymnasium, wo er nicht einmal unter elterlicher Aufsicht steht, so haben wir in drei Wochen den nämlichen Fall – neue Relegation – sein frühlingsfreudiges Herz gewöhnt sich nachgerade daran. – Sag mir, Fanny, wo soll ich hin mit dem Jungen?!

FRAU GABOR – In die Korrektionsanstalt –

HERR GABOR In die ...?

FRAU GABOR ... Korrektionsanstalt!

HERR GABOR Er findet dort in erster Linie, was ihm zu Hause ungerechterweise vorenthalten wurde: eherne Disziplin, Grundsätze und einen moralischen Zwang, dem er sich unter allen Umständen zu fügen hat. – Im übrigen ist die Korrektionsanstalt nicht der Ort des Schreckens, den du dir darunter denkst. Das Hauptgewicht legt man in der Anstalt auf Entwicklung einer christlichen Denk- und Empfindungsweise. Der Junge lernt dort endlich das *Gute* wollen statt des *Interessanten* und bei seinen Handlungen nicht sein Naturell, sondern das *Gesetz* in Frage ziehen. – Vor einer halben Stunde erhalte ich ein Telegramm von meinem Bruder, das mir die Aussagen der Frau bestätigt. Melchior hat sich ihm anvertraut und ihn um 200 Mark zur Flucht nach England gebeten ...

FRAU GABOR *bedeckt ihr Gesicht* Barmherziger Himmel!

Vierte Szene

Korrektionsanstalt. – Ein Korridor. – Diethelm, Reinhold, Ruprecht, Helmuth, Gaston und Melchior.

DIETHELM Hier ist ein Zwanzigpfennigstück!

REINHOLD Was soll's damit?

DIETHELM Ich lege es auf den Boden. Ihr stellt euch drum herum. Wer es trifft, der hat's.

RUPRECHT Machst du nicht mit, Melchior?

MELCHIOR Nein, ich danke.

HELMUTH Der Joseph!

GASTON Er kann nicht mehr. Er ist zur Rekreation hier.

MELCHIOR *für sich* Es ist nicht klug, daß ich mich separiere. Alles hält mich im Auge. Ich muß mitmachen – oder die Kreatur geht zum Teufel. – – Die Gefangenschaft macht sie zu Selbstmördern. – – Brech' ich den Hals, ist es gut! Komme ich davon, ist es auch gut! Ich kann nur gewinnen. – Ruprecht wird mein Freund, er besitzt hier Kenntnisse. – Ich werde ihm die Kapitel von Judas Schnur Thamar, von Moab, von Loth und seiner Sippe, von der Königin Vasti und der Abisag von Sunem zum besten geben. – Er hat die verunglückteste Physiognomie auf der Abteilung.

RUPRECHT Ich hab's!

HELMUTH Ich komme noch!

GASTON Übermorgen vielleicht!

HELMUTH Gleich! – Jetzt! – O Gott, o Gott . . .

ALLE Summa – summa cum laude!!

RUPRECHT *das Stück nehmend* Danke schön!

HELMUTH Her, du Hund!

RUPRECHT Du Schweinetier?

HELMUTH Galgenvogel!!

RUPRECHT *schlägt ihn ins Gesicht* Da! *Rennt davon.*

HELMUTH *ihm nachrennend* Den schlag' ich tot!

DIE ÜBRIGEN *rennen hinterdrein* Hetz, Packan! Hetz! Hetz! Hetz!

MELCHIOR *allein, gegen das Fenster gewandt* – Da geht der Blitzableiter hinunter. – Man muß ein Taschentuch drumwickeln. –

Wenn ich an sie denke, schießt mir immer das Blut in den Kopf. Und Moritz liegt mir wie Blei in den Füßen. – – – Ich gehe zur Redaktion. Bezahlen Sie mich per Hundert; ich kolportiere! – sammle Tagesneuigkeiten – schreibe – lokal – – ethisch – – psychophysisch ... man verhungert nicht mehr so leicht. Volksküche, Café Temperence. – Das Haus ist sechzig Fuß hoch, und der Verputz bröckelt ab ... Sie haßt mich – sie haßt mich, weil ich sie der Freiheit beraubt. Handle ich, wie ich will, es bleibt Vergewaltigung. – Ich darf einzig hoffen, im Laufe der Jahre allmählich ... Über acht Tage ist Neumond. Morgen schmiere ich die Angeln. Bis Sonnabend muß ich unter allen Umständen wissen, wer den Schlüssel hat. – Sonntag abend in der Andacht kataleptischer Anfall – will's Gott, wird sonst niemand krank! – Alles liegt so klar, als wär' es geschehen, vor mir. Über das Fenstersims gelang' ich mit Leichtigkeit – ein Schwung – ein Griff – aber man muß ein Taschentuch drumwickeln. – – Da kommt der Großinquisitor. *Ab nach links.*

Dr. Prokrustes mit einem Schlossermeister von rechts.

DR. PROKRUSTES ... Die Fenster liegen zwar im dritten Stock, und unten sind Brennesseln gepflanzt. Aber was kümmert sich die Entartung um Brennesseln. – Vergangenen Winter stieg uns einer zur Dachluke hinaus, und wir hatten die ganze Schererei mit dem Abholen, Hinbringen und Beisetzen ...

DER SCHLOSSERMEISTER Wünschen Sie die Gitter aus Schmiedeeisen?

DR. PROKRUSTES Aus Schmiedeeisen – und, da man sie nicht einlassen kann, vernietet.

Fünfte Szene

Ein Schlafgemach. – Frau Bergmann, Ina Müller und Medizinalrat Dr. v. Brausepulver. – Wendla im Bett.

DR. VON BRAUSEPULVER Wie alt sind Sie denn eigentlich?

WENDLA Vierzehneinhalb.

DR. VON BRAUSEPULVER Ich verordne die Blaudschen Pillen seit fünfzehn Jahren und habe in einer großen Anzahl von Fällen die eklatantesten Erfolge beobachtet. Ich ziehe sie dem Lebertran und den Stahlweinen vor. Beginnen Sie mit drei bis vier Pillen pro Tag, und steigern Sie, so rasch Sie es eben vertragen. Dem Fräulein Elfriede Baronesse von Witzleben hatte ich verordnet, jeden dritten Tag um eine Pille zu steigern. Die Baronesse hatte mich mißverstanden und steigerte jeden Tag um drei Pillen. Nach kaum drei Wochen schon konnte sich die Baronesse mit ihrer Frau Mama zur Nachkur nach Pyrmont begeben. – Von ermüdenden Spaziergängen und Extramahlzeiten dispensiere ich Sie. Dafür versprechen Sie mir, liebes Kind, sich um so fleißiger Bewegung machen zu wollen und ungeniert Nahrung zu fordern, sobald sich die Lust dazu wieder einstellt. Dann werden diese Herzbeklemmungen bald nachlassen – und der Kopfschmerz, das Frösteln, der Schwindel – und unsere schrecklichen Verdauungsstörungen. Fräulein Elfriede Baronesse von Witzleben genoß schon acht Tage nach begonnener Kur ein ganzes Brathühnchen mit jungen Pellkartoffeln zum Frühstück.

FRAU BERGMANN Darf ich Ihnen ein Glas Wein anbieten, Herr Medizinalrat?

DR. VON BRAUSEPULVER Ich danke Ihnen, liebe Frau Bergmann. Mein Wagen wartet. Lassen Sie sich's nicht so zu Herzen gehen. In wenigen Wochen ist unsere liebe kleine Patientin wieder frisch und munter wie eine Gazelle. Seien Sie getrost. – Guten Tag, Frau Bergmann. Guten Tag, liebes Kind. Guten Tag, meine Damen. Guten Tag. *Frau Bergmann geleitet ihn vor die Tür.*

INA *am Fenster* – Nun färbt sich eure Platane schon wieder bunt. – Siehst du's vom Bett aus? – Eine kurze Pracht, kaum recht der Freude wert, wie man sie so kommen und gehen sieht. – Ich muß nun auch bald gehen. Müller erwartet mich vor der Post, und ich muß zuvor noch zur Schneiderin. Mucki bekommt seine ersten Höschen, und Karl soll einen neuen Trikotanzug auf den Winter haben.

WENDLA Manchmal wird mir so selig – alles Freude und Sonnenglanz. Hätt' ich geahnt, daß es einem so wohl ums Herz werden kann! Ich möchte hinaus, im Abendschein über die Wiesen gehn, Himmelsschlüssel suchen den Fluß entlang und mich ans Ufer setzen und träumen . . . Und dann kommt das *Zahnweh*, und ich meine, daß ich morgen am Tag sterben muß; mir wird heiß und kalt, vor den Augen verdunkelt sich's, und dann flattert das Untier herein – – – Sooft ich aufwache, seh' ich Mutter weinen. O, das tut mir so weh – ich kann's dir nicht sagen, Ina!

INA Soll ich dir nicht das Kopfkissen höher legen?

FRAU BERGMANN *kommt zurück* Er meint, das Erbrechen werde sich auch geben; und du sollst dann nur ruhig wieder aufstehen ... Ich glaube auch, es ist besser, wenn du bald wieder aufstehst, Wendla.

INA Bis ich das nächste Mal vorspreche, springst du vielleicht schon wieder im Haus herum. – Leb wohl, Mutter. Ich muß durchaus noch zur Schneiderin. Behüt' dich Gott, liebe Wendla. *Küßt sie.* Recht, recht baldige Besserung!

WENDLA Leb wohl, Ina. – Bring mir Himmelsschlüssel mit, wenn du wiederkommst. Adieu! Grüße deine Jungens von mir.

Ina ab.

WENDLA Was hat er noch gesagt, Mutter, als er draußen war?

FRAU BERGMANN Er hat nichts gesagt. – Er sagte, Fräulein von Witzleben habe auch zu Ohnmachten geneigt. Es sei das fast immer so bei der Bleichsucht.

WENDLA Hat er gesagt, Mutter, daß ich die Bleichsucht habe?

FRAU BERGMANN Du sollest Milch trinken und Fleisch und Gemüse essen, wenn der Appetit zurückgekehrt sei.

WENDLA O Mutter, Mutter, ich glaube, ich habe nicht die Bleichsucht ...

FRAU BERGMANN Du hast die Bleichsucht, Kind. Sei ruhig, Wendla, sei ruhig; du hast die Bleichsucht.

WENDLA Nein, Mutter, nein! Ich weiß es. Ich fühl' es. Ich habe nicht die Bleichsucht. Ich habe die Wassersucht ...

FRAU BERGMANN Du hast die Bleichsucht. Er hat es ja gesagt, daß du die Bleichsucht hast. Beruhige dich, Mädchen. Es wird besser werden.

WENDLA Es wird nicht besser werden. Ich habe die Wassersucht. Ich muß sterben, Mutter. – O Mutter, ich muß sterben!

FRAU BERGMANN Du mußt nicht sterben, Kind! Du mußt nicht sterben ... Barmherziger Himmel, du mußt nicht sterben!

WENDLA Aber warum weinst du dann so jammervoll?

FRAU BERGMANN Du mußt nicht sterben – Kind! Du hast nicht die Wassersucht. Du hast ein *Kind*, Mädchen! Du hast ein Kind! – Oh, warum hast du mir das getan!

WENDLA Ich habe dir nichts getan –

FRAU BERGMANN O leugne nicht noch, Wendla! – Ich weiß alles. Sieh, ich hätt' es nicht vermocht, dir ein Wort zu sagen. – Wendla, meine Wendla ...!

WENDLA Aber das ist ja nicht möglich, Mutter. Ich bin ja doch nicht verheiratet ...!

FRAU BERGMANN Großer, gewaltiger Gott –, das ist's ja, daß du nicht verheiratet bist! Das ist ja das Fürchterliche! – Wendla, Wendla, Wendla, was hast du getan!!

WENDLA Ich weiß es, weiß Gott, nicht mehr! Wir lagen im Heu ... Ich habe keinen Menschen auf dieser Welt geliebt als nur dich, dich, Mutter.

FRAU BERGMANN Mein Herzblatt –

WENDLA O Mutter, warum hast du mir nicht alles gesagt!

FRAU BERGMANN Kind, Kind, laß uns einander das Herz nicht noch schwerer machen! Fasse dich! Verzweifle mir nicht, mein Kind! Einem vierzehnjährigen Mädchen das sagen! Sieh, ich wäre eher darauf gefaßt gewesen, daß die Sonne erlischt. Ich habe an dir nicht anders getan, als meine liebe gute Mutter an mir getan hat. – O laß uns auf den lieben Gott vertrauen, Wendla; laß uns auf Barmherzigkeit hoffen und das Unsrige tun! Sieh, noch ist ja nichts geschehen, Kind. Und wenn nur wir jetzt nicht kleinmütig werden, dann wird uns auch der liebe Gott nicht verlassen. – Sei *mutig*, Wendla, sei *mutig!* – – So sitzt man einmal am Fenster und legt die Hände in den Schoß, weil sich doch noch alles zum Guten gewandt, und da bricht's dann herein, daß einem gleich das Herz bersten möchte ... Wa – was zitterst du?

WENDLA Es hat jemand geklopft.

FRAU BERGMANN Ich habe nichts gehört, liebes Herz. – *Geht an die Tür und öffnet.*

WENDLA Ach, ich hörte es ganz deutlich. – – Wer ist draußen?

FRAU BERGMANN Niemand – – Schmidts Mutter aus der Gartenstraße. – – – Sie kommen eben recht, Mutter Schmidtin.

Sechste Szene

Winzer und Winzerinnen im Weinberg. – Im Westen sinkt die Sonne hinter die Berggipfel. – Helles Glockengeläute vom Tal herauf. – Hänschen Rilow und Ernst Röbel im höchstgelegenen Rebstück sich unter den überhängenden Felsen im welkenden Grase wälzend.

ERNST Ich habe mich überarbeitet.

HÄNSCHEN Laß uns nicht traurig sein! – Schade um die Minuten.

ERNST Man sieht sie hängen und kann nicht mehr – und morgen sind sie gekeltert.

HÄNSCHEN Ermüdung ist mir so unerträglich, wie mir's der Hunger ist.

ERNST Ach, ich kann nicht mehr.

HÄNSCHEN Diese leuchtende Muskateller noch!

ERNST Ich bringe die Elastizität nicht mehr auf.

HÄNSCHEN Wenn ich die Ranke beuge, baumelt sie uns von Mund zu Mund. Keiner braucht sich zu rühren. Wir beißen die Beeren ab und lassen den Kamm zum Stock zurückschnellen.

ERNST Kaum entschließt man sich, und siehe, so dämmert auch schon die dahingeschwundene Kraft wieder auf.

HÄNSCHEN Dazu das flammende Firmament – und die Abendglocken – Ich verspreche mir wenig mehr von der Zukunft.

ERNST Ich sehe mich manchmal schon als hochwürdigen Pfarrer – ein gemütvolles Hausmütterchen, eine reichhaltige Bibliothek und Ämter und Würden in allen Kreisen. Sechs Tage hat man, um nachzudenken, und am siebenten tut man den Mund auf. Beim Spazierengehen reichen einem Schüler und Schülerinnen die Hand, und wenn man nach Hause kommt, dampft der Kaffee, der Topfkuchen wird aufgetragen, und durch die Gartentür bringen die Mädchen Äpfel herein. – Kannst du dir etwas Schöneres denken?

HÄNSCHEN Ich denke mir halbgeschlossene Wimpern, halbgeöffnete Lippen und türkische Draperien. – Ich glaube nicht an das Pathos. Sieh, unsere Alten zeigen uns lange Gesichter, um ihre Dummheiten zu bemänteln. Untereinander nennen sie sich Schafsköpfe wie wir. Ich kenne das. – Wenn ich Millionär bin, werde ich dem lieben Gott ein Denkmal setzen. – Denke dir die Zukunft als

Milchsette mit Zucker und Zimt. Der eine wirft sie um und heult, der andere rührt alles durcheinander und schwitzt. Warum nicht abschöpfen? – Oder glaubst du nicht, daß es sich lernen ließe?

ERNST Schöpfen wir ab!

HÄNSCHEN Was bleibt, fressen die Hühner. – Ich habe meinen Kopf nun schon aus so mancher Schlinge gezogen ...

ERNST Schöpfen wir ab, Hänschen! – Warum lachst du?

HÄNSCHEN Fängst du schon wieder an?

ERNST Einer muß ja doch anfangen.

HÄNSCHEN Wenn wir in dreißig Jahren an einen Abend wie heute zurückdenken, erscheint er uns vielleicht unsagbar schön!

ERNST Und wie macht sich jetzt alles so ganz von selbst!

HÄNSCHEN Warum also nicht!

ERNST Ist man zufällig allein – dann weint man vielleicht gar.

HÄNSCHEN Laß uns nicht traurig sein! – *Er küßt ihn auf den Mund.*

ERNST *küßt ihn* Ich ging von Hause fort mit dem Gedanken, dich nur eben zu sprechen und wieder umzukehren.

HÄNSCHEN Ich erwartete dich. – Die Tugend kleidet nicht schlecht, aber es gehören imposante Figuren hinein.

ERNST Uns schlottert sie noch um die Glieder. – Ich wäre nicht ruhig geworden, wenn ich dich nicht getroffen hätte. – Ich liebe dich, Hänschen, wie ich nie eine Seele geliebt habe ...

HÄNSCHEN Laß uns nicht traurig sein! – Wenn wir in dreißig Jahren zurückdenken, spotten wir ja vielleicht! – Und jetzt ist alles so schön! Die Berge glühen; die Trauben hängen uns in den Mund, und der Abendwind streicht an den Felsen hin wie ein spielendes Schmeichelkätzchen ...

Siebente Szene

Helle Novembernacht. – An Busch und Bäumen raschelt das dürre Laub. – Zerrissene Wolken jagen unter dem Mond hin. – Melchior klettert über die Kirchhofsmauer.

MELCHIOR *auf der Innenseite herabspringend* Hierher folgt mir die Meute nicht. – Derweil sie Bordelle absuchen, kann ich aufatmen und mir sagen, wie weit ich bin ... Der Rock in Fetzen, die Taschen leer – vor dem Harmlosesten bin ich nicht sicher. – Tagsüber muß ich im Wald weiterzukommen suchen ...

Ein Kreuz habe ich niedergestampft. – Die Blümchen wären heut noch erfroren! – Ringsum ist die Erde kahl ... Im Totenreich! –

Aus der Dachluke zu klettern, war so schwer nicht wie dieser Weg! – Darauf nur war ich nicht gefaßt gewesen ...

Ich hänge über dem Abgrund – alles versunken, verschwunden – O wär' ich dort geblieben!

Warum sie um meinetwillen! – Warum nicht der Verschuldete! – Unfaßbare Vorsehung! – Ich hätte Steine geklopft und gehungert ...! Was hält mich noch aufrecht? – Verbrechen folgt auf Verbrechen. Ich bin dem Morast überantwortet. Nicht so viel Kraft mehr, um abzuschließen ... – Ich war nicht schlecht! – Ich war nicht schlecht! – Ich war nicht schlecht ...

– So neiderfüllt ist noch kein Sterblicher über Gräber gewandelt. – Pah – ich brächte ja den Mut nicht auf! – O, wenn mich Wahnsinn umfinge – in dieser Nacht noch!

Ich muß drüben unter den letzten suchen! – Der Wind pfeift auf jedem Stein aus einer anderen Tonart – eine beklemmende Symphonie! – Die morschen Kränze reißen entzwei und baumeln an ihren langen Fäden stückweise um die Marmorkreuze – ein Wald von Vogelscheuchen! – Vogelscheuchen auf allen Gräbern, eine greulicher als die andere – haushohe, vor denen die Teufel Reißaus nehmen. – Die goldenen Lettern blinken so kalt ... Die Trauerweide ächzt auf und fährt mit Riesenfingern über die Inschrift ...

Ein betendes Engelskind – Eine Tafel –

Eine Wolke wirft ihren Schatten herab. – Wie das hastet und heult!

– Wie ein Heereszug jagt es im Osten empor. – Kein Stern am Himmel –

Immergrün um das Gärtlein? – Immergrün? – – Mädchen ...

Hier ruht in Gott
WENDLA BERGMANN
geboren am 5. Mai 1878
gestorben an der Bleichsucht
den 27. Oktober 1892.
Selig sind, die reinen Herzens sind ...

Und ich bin ihr Mörder. – Ich bin ihr Mörder! – Mir bleibt die Verzweiflung. – Ich darf hier nicht weinen. – Fort von hier! – Fort –

MORITZ STIEFEL *seinen Kopf unter dem Arm, stapft über die Gräber her* Einen Augenblick, Melchior! Die Gelegenheit wiederholt sich so bald nicht. Du ahnst nicht, was mit Ort und Stunde zusammenhängt ...

MELCHIOR Wo kommst du her?!

MORITZ Von drüben – von der Mauer her. Du hast mein Kreuz umgeworfen. Ich liege an der Mauer. – Gib mir die Hand, Melchior ...

MELCHIOR Du bist *nicht* Moritz Stiefel!

MORITZ Gib mir die Hand. Ich bin überzeugt, du wirst mir Dank wissen. So leicht wird's dir nicht mehr! Es ist ein seltsam glückliches Zusammentreffen. – Ich bin extra heraufgekommen ...

MELCHIOR Schläfst du denn nicht?

MORITZ Nicht, was ihr Schlafen nennt. – Wir sitzen auf Kirchtürmen, auf hohen Dachgiebeln – wo immer wir wollen ...

MELCHIOR Ruhelos?

MORITZ Vergnügungshalber. – Wir streifen um Maibäume, um einsame Waldkapellen. Über Volksversammlungen schweben wir hin, über Unglücksstätten, Gärten, Festplätze. – In den Wohnhäusern kauern wir im Kamin und hinter den Bettvorhängen. – Gib mir die Hand. – Wir verkehren nicht untereinander, aber wir sehen und hören alles, was in der Welt vor sich geht. Wir wissen, daß alles Dummheit ist, was die Menschen tun und erstreben, und lachen darüber.

MELCHIOR Was hilft das?

MORITZ Was braucht es zu helfen? – Wir sind für nichts mehr erreichbar, nicht für Gutes noch Schlechtes. Wir stehen hoch, hoch über dem Irdischen – jeder für sich allein. Wir verkehren nicht miteinander, weil uns das zu langweilig ist. Keiner von uns hegt noch etwas, das ihm abhanden kommen könnte. Über Jammer oder Jubel sind wir gleich unermeßlich erhaben. Wir sind mit uns zufrieden, und das ist alles! – Die Lebenden verachten wir unsagbar, kaum daß wir sie bemitleiden. Sie erheitern uns mit ihrem Getue, weil sie als Lebende tatsächlich nicht zu bemitleiden sind. Wir lächeln bei ihren Tragödien – jeder für sich – und stellen unsere Betrachtungen an. – Gib mir die Hand! Wenn du mir die Hand gibst, fällst du um vor Lachen über dem Empfinden, mit dem du mir die Hand gibst ...

MELCHIOR Ekelt dich das nicht an?

MORITZ Dazu stehen wir zu hoch. Wir lächeln! – An meinem Begräbnis war ich unter den Leidtragenden. Ich habe mich recht gut unterhalten. Das ist Erhabenheit, Melchior! Ich habe geheult wie keiner, und schlich zur Mauer, um mir vor Lachen den Bauch zu halten. Unsere unnahbare Erhabenheit ist tatsächlich der einzige Gesichtspunkt, unter dem der Quark sich verdauen läßt ... Auch über mich will man gelacht haben, eh ich mich aufschwang!

MELCHIOR Mich lüstet's nicht, über mich zu lachen.

MORITZ ... Die Lebenden sind als solche wahrhaftig nicht zu bemitleiden! – Ich gestehe, ich hätte es auch nie gedacht. Und jetzt ist es mir unfaßbar, wie man so naiv sein kann. Jetzt durchschaue ich den Trug so klar, daß auch nicht ein Wölkchen bleibt. – Wie magst du nur zaudern, Melchior! Gib mir die Hand! Im Halsumdrehen stehst du himmelhoch über dir. – Dein Leben ist Unterlassungssünde ...

MELCHIOR – Könnt ihr vergessen?

MORITZ Wir können alles. Gib mir die Hand! Wir können die Jugend bedauern, wie sie ihre Bangigkeit für Idealismus hält, und das Alter, wie ihm vor stoischer Überlegenheit das Herz brechen will. Wir sehen den Kaiser vor Gassenhauern und den Lazzaroni vor der jüngsten Posaune beben. Wir ignorieren die Maske des Komödianten und sehen den Dichter im Dunkeln die Maske vornehmen. Wir erblicken den Zufriedenen in seiner Bettelhaftigkeit, im Mühseligen und Beladenen den Kapitalisten. Wir beobachten Verliebte und sehen sie voreinander erröten, ahnend, daß sie betrogene Betrüger sind. Eltern sehen wir Kinder in die Welt setzen, um ihnen zurufen zu können: Wie glücklich ihr seid, solche Eltern zu haben! – und sehen die Kinder hingehn und desgleichen tun. Wir können die Unschuld in ihren einsamen Liebesnöten, die Fünfgroschendirne über der Lektüre Schillers belauschen ... Gott und den Teufel sehen wir sich voreinander blamieren und hegen in uns das durch nichts zu erschütternde Bewußtsein, daß beide betrunken sind ... Eine Ruhe, eine Zufriedenheit, Melchior –! Du brauchst mir nur den kleinen Finger zu reichen. – Schneeweiß kannst du werden, eh sich dir der Augenblick wieder so günstig zeigt!

MELCHIOR Wenn ich einschlage, Moritz, so geschieht es aus Selbstverachtung. – Ich sehe mich geächtet. Was mir Mut verlieh, liegt im Grabe. Edler Regungen vermag ich mich nicht mehr für würdig zu halten – und erblicke nichts, nichts, das sich mir auf meinem Niedergang noch entgegenstellen sollte. – Ich bin mir die verabscheuungswürdigste Kreatur des Weltalls ...

MORITZ Was zauderst du ...?

Ein vermummter Herr tritt auf.

DER VERMUMMTE HERR *zu Melchior* Du bebst ja vor Hunger. Du bist gar nicht befähigt, zu urteilen. – *Zu Moritz* Gehen Sie.

MELCHIOR Wer sind Sie?

DER VERMUMMTE HERR Das wird sich weisen. – *Zu Moritz* Verschwinden Sie! – Was haben Sie hier zu tun! – Warum haben Sie denn den Kopf nicht auf?

MORITZ Ich habe mich erschossen.

DER VERMUMMTE HERR Dann bleiben Sie doch, wo Sie hingehören. Dann sind Sie ja vorbei. Belästigen Sie uns hier nicht mit Ihrem Grabgestank. Unbegreiflich – sehen Sie doch nur Ihre Finger an. Pfui Teufel noch mal! Das zerbröckelt schon.

MORITZ Schicken Sie mich bitte nicht fort ...

MELCHIOR Wer sind Sie, mein Herr??

MORITZ Schicken Sie mich nicht fort! Ich bitte Sie. Lassen Sie mich hier noch ein Weilchen teilnehmen; ich will Ihnen in nichts entgegensein. – – Es ist unten so schaurig.

DER VERMUMMTE HERR Warum prahlen Sie denn dann mit *Er-*

habenheit?! – Sie wissen doch, daß das Humbug ist – saure Trauben! Warum *lügen* Sie geflissentlich, Sie – Hirngespinst! – – Wenn Ihnen eine so schätzenswerte Wohltat damit geschieht, so bleiben Sie meinetwegen. Aber hüten Sie sich vor Windbeuteleien, lieber Freund – und lassen Sie mir bitte Ihre Leichenhand aus dem Spiel.

MELCHIOR Sagen Sie mir endlich, wer Sie sind, oder nicht?!

DER VERMUMMTE HERR Nein. – Ich mache dir den Vorschlag, dich mir anzuvertrauen. Ich würde fürs erste für dein Fortkommen sorgen.

MELCHIOR Sie sind – mein Vater?!

DER VERMUMMTE HERR Würdest du deinen Herrn Vater nicht an der Stimme erkennen?

MELCHIOR Nein.

DER VERMUMMTE HERR – Dein Herr Vater sucht Trost zur Stunde in den kräftigen Armen deiner Mutter. – Ich erschließe dir die Welt. Deine momentane Fassungslosigkeit entspringt deiner miserablen Lage. Mit einem warmen Abendessen im Leib spottest du ihrer.

MELCHIOR *für sich* Es kann nur einer der Teufel sein! – *laut* Nach dem, was ich verschuldet, kann mir ein warmes Abendessen meine Ruhe nicht wiedergeben!

DER VERMUMMTE HERR Es kommt auf das Abendessen an! – Soviel kann ich dir sagen, daß die Kleine vorzüglich geboren hätte. Sie war musterhaft gebaut. Sie ist lediglich den Abortivmitteln der Mutter Schmidtin erlegen. – – Ich führe dich unter Menschen. Ich gebe dir Gelegenheit, deinen Horizont in der fabelhaftesten Weise zu erweitern. Ich mache dich ausnahmslos mit allem bekannt, was die Welt Interessantes bietet.

MELCHIOR Wer sind Sie? Wer sind Sie? – Ich kann mich einem Menschen nicht anvertrauen, den ich nicht kenne.

DER VERMUMMTE HERR Du lernst mich nicht kennen, ohne dich mir anzuvertrauen.

MELCHIOR Glauben Sie?

DER VERMUMMTE HERR Tatsache! – Übrigens bleibt dir ja keine Wahl.

MELCHIOR Ich kann jeden Moment meinem Freunde hier die Hand reichen.

DER VERMUMMTE HERR Dein Freund ist ein Scharlatan. Es lächelt keiner, der noch einen Pfennig in bar besitzt. Der erhabene Humorist ist das erbärmlichste, bedauernswerteste Geschöpf der Schöpfung!

MELCHIOR Sei der Humorist, was er sei; Sie sagen mir, wer Sie sind, oder ich reiche dem Humoristen die Hand!

DER VERMUMMTE HERR – Nun?!

MORITZ Er hat recht, Melchior. Ich habe bramarbasiert. Laß dich von ihm traktieren und nütz ihn aus. Mag er noch so vermummt sein – er ist es wenigstens!

MELCHIOR Glauben Sie an Gott?

DER VERMUMMTE HERR Je nach Umständen.

MELCHIOR Wollen Sie mir sagen, wer das Pulver erfunden hat?

DER VERMUMMTE HERR Berthold Schwarz – alias Konstantin Anklitzen – um 1330 Franziskanermönch zu Freiburg im Breisgau.

MORITZ Was gäbe ich darum, wenn er es hätte bleiben lassen!

DER VERMUMMTE HERR Sie würden sich eben erhängt haben!

MELCHIOR Wie denken Sie über Moral?

DER VERMUMMTE HERR Kerl – bin ich dein Schulknabe?!

MELCHIOR Weiß ich, was Sie sind!!

MORITZ Streitet nicht! – Bitte, streitet nicht. Was kommt dabei heraus! – Wozu sitzen wir, zwei Lebendige und ein Toter, nachts um zwei Uhr hier auf dem Kirchhof beisammen, wenn wir streiten wollen wie Saufbrüder! – Es soll mir ein Vergnügen sein, der Verhandlung mit beiwohnen zu dürfen. – Wenn ihr streiten wollt, nehme ich meinen Kopf unter den Arm und gehe.

MELCHIOR Du bist immer noch derselbe Angstmeier!

DER VERMUMMTE HERR Das Gespenst hat nicht unrecht. Man soll seine Würde nicht außer acht lassen. – Unter Moral verstehe ich das reelle Produkt zweier imaginärer Größen. Die imaginären Größen sind *Sollen* und *Wollen*. Das Produkt heißt Moral und läßt sich in seiner Realität nicht leugnen.

MORITZ Hätten Sie mir das doch vorher gesagt! – Meine Moral hat mich in den Tod gejagt. Um meiner lieben Eltern willen griff ich zum Mordgewehr. »Ehre Vater und Mutter, auf daß du lange lebest.« An mir hat sich die Schrift phänomenal blamiert.

DER VERMUMMTE HERR Geben Sie sich keinen Illusionen hin,

lieber Freund! Ihre lieben Eltern wären sowenig daran gestorben wie Sie. Rigoros beurteilt würden sie ja lediglich aus gesundheitlichem Bedürfnis getobt und gewettert haben.

MELCHIOR Das mag soweit ganz richtig sein. – Ich kann Ihnen aber mit Bestimmtheit sagen, mein Herr, daß, wenn ich Moritz vorhin ohne weiteres die Hand gereicht hätte, einzig und allein meine Moral die Schuld trüge.

DER VERMUMMTE HERR Dafür bist du eben *nicht* Moritz!

MORITZ Ich glaube doch nicht, daß der Unterschied so wesentlich ist – zum mindesten nicht so zwingend, daß Sie nicht auch *mir* zufällig hätten begegnen dürfen, verehrter Unbekannter, als ich damals, das Pistol in der Tasche, durch die Erlenpflanzungen trabte.

DER VERMUMMTE HERR Erinnern Sie sich meiner denn nicht? Sie standen doch wahrlich auch im letzten Augenblick noch zwischen *Tod* und *Leben*. – Übrigens ist hier meines Erachtens doch wohl nicht ganz der Ort, eine so tiefgreifende Debatte in die Länge zu ziehen.

MORITZ Gewiß, es wird kühl, meine Herren! – Man hat mir zwar meinen Sonntagsanzug angezogen, aber ich trage weder Hemd noch Unterhosen.

MELCHIOR Leb wohl, lieber Moritz. Wo dieser Mensch mich hinführt, weiß ich nicht. Aber er ist ein Mensch ...

MORITZ Laß mich's nicht entgelten, Melchior, daß ich dich umzubringen suchte! Es war alte Anhänglichkeit. – Zeitlebens wollte ich nur klagen und jammern dürfen, wenn ich dich nun noch einmal hinausbegleiten könnte!

DER VERMUMMTE HERR Schließlich hat jeder sein Teil – *Sie* das beruhigende Bewußtsein, *nichts* zu haben – *du* den enervierenden Zweifel an *allem*. – Leben Sie wohl.

MELCHIOR Leb wohl, Moritz! Nimm meinen herzlichen Dank dafür, daß du mir noch erschienen. Wie manchen frohen ungetrübten Tag wir nicht miteinander verlebt haben in den vierzehn Jahren! Ich verspreche dir, Moritz, mag nun werden, was will, mag ich in den kommenden Jahren zehnmal ein anderer werden, mag es aufwärts oder abwärts mit mir gehn, *dich* werde ich nie vergessen...

MORITZ Dank, dank, Geliebter.

MELCHIOR ... und wenn ich einmal ein alter Mann in grauen

Haaren bin, dann stehst gerade du mir vielleicht wieder näher als alle Mitlebenden.

MORITZ Ich danke dir. – Glück auf den Weg, meine Herren! – Lassen Sie sich nicht länger aufhalten.

DER VERMUMMTE HERR Komm, Kind! – *Er legt seinen Arm in denjenigen Melchiors und entfernt sich mit ihm über die Gräber hin.*

MORITZ *allein* – Da sitze ich nun mit meinem Kopf im Arm. – – Der Mond verhüllt sein Gesicht, entschleiert sich wieder und sieht um kein Haar gescheiter aus. – – So kehr' ich denn zu meinem Plätzchen zurück, richte mein Kreuz auf, das mir der Tollkopf so rücksichtslos niedergestampft, und wenn alles in Ordnung, leg' ich mich wieder auf den Rücken, wärme mich an der Verwesung und lächle ...

Der Marquis von Keith

Schauspiel in fünf Aufzügen

Personen

Konsul Casimir, Großkaufmann
Hermann Casimir, sein Sohn (15 Jahre alt, von einem Mädchen gespielt)
Der Marquis von Keith
Ernst Scholz
Molly Griesinger
Anna, verwitwete Gfäfin Werdenfels
Saranieff, Kunstmaler
Zamrjaki, Komponist
Sommersberg, Literat
Raspe, Kriminalkommissär
Ostermeier, Bierbrauereibesitzer
Krenzl, Baumeister
Grandauer, Restaurateur
Frau Ostermeier
Frau Krenzl

Freifrau von Rosenkron Freifrau von Totleben	} geschiedene Frauen

Sascha (von einem Mädchen gespielt)
Simba
Ein Metzgerknecht
Ein Bäckerweib
Ein Packträger

Hofbräuhausgäste

Das Stück spielt in München im Spätsommer 1899.

ERSTER AUFZUG

Ein Arbeitszimmer, dessen Wände mit Bildern behängt sind. In der Hinterwand befindet sich rechts die Tür zum Vorplatz und links die Tür zu einem Wartezimmer. In der rechten Seitenwand vorn führt eine Tür ins Wohnzimmer. An der linken Seitenwand vorn steht der Schreibtisch, auf dem aufgerollte Pläne liegen; neben dem Schreibtisch an der Wand ein Telephon. Rechts vorn ein Diwan, davor ein kleinerer Tisch; in der Mitte, etwas nach hinten, ein größerer Tisch. Büchergestelle mit Büchern; Musikinstrumente, Aktenbündel und Noten.*

Der Marquis von Keith sitzt am Schreibtisch, in einen der Pläne vertieft. Er ist ein Mann von ca. 27 Jahren: mittelgroß, schlank und knochig, hätte er eine musterhafte Figur, wenn er nicht auf dem linken Beine hinkte. Seine markigen Gesichtszüge sind nervös und haben zugleich etwas Hartes; stechende graue Augen, kleiner blonder Schnurrbart, das widerborstige, kurze, strohblonde Haar sorgfältig in der Mitte gescheitelt. Er ist in ausgesuchte gesellschaftliche Eleganz gekleidet, aber nicht geckenhaft. Er hat die groben roten Hände eines Clown.

Molly Griesinger kommt aus dem Wohnzimmer und setzt ein gedecktes Tablett auf das Tischchen vor dem Diwan. Sie ist ein unscheinbares brünettes Wesen, etwas scheu und verhetzt, in unscheinbarer häuslicher Kleidung, hat aber große, schwarze, seelenvolle Augen.

MOLLY So, mein Schatz, hier hast du Tee und Kaviar und kalten Aufschnitt. Du bist ja heute schon um neun Uhr aufgestanden.

V. KEITH *ohne sich zu rühren* Ich danke dir, mein liebes Kind.

MOLLY Du mußt gewaltig hungrig sein. Hast du denn jetzt Nachricht darüber, ob der Feenpalast auch zustande kommt?

V. KEITH Du siehst, ich bin mitten in der Arbeit.

MOLLY Das bist du ja immer, wenn ich komme. Dann muß ich alles, was dich und deine Unternehmungen betrifft, von deinen Freundinnen erfahren.

* Rechts und links immer vom Schauspieler aus.

v. KEITH *sich im Sessel umwendend* Ich kannte eine Frau, die sich beide Ohren zuhielt, wenn ich von Plänen sprach. Sie sagte: Komm und erzähl mir, wenn du etwas getan hast!

MOLLY Das ist ja mein Elend, daß du schon alle Arten von Frauen gekannt hast. *Da es klingelt* Du barmherziger Gott, wer das wieder sein mag! *Sie geht auf den Vorplatz hinaus, um zu öffnen.*

v. KEITH *für sich* Das Unglückswurm!

MOLLY *kommt mit einer Karte zurück* Ein junger Herr, der dich sprechen möchte. Ich sagte, du seist mitten in der Arbeit.

v. KEITH *nachdem er die Karte gelesen* Der kommt mir wie gerufen!

MOLLY *läßt Hermann Casimir eintreten und geht ins Wohnzimmer ab.*

HERMANN CASIMIR *ein fünfzehnjähriger Gymnasiast in sehr elegantem Radfahrkostüm* Guten Morgen, Herr Baron.

v. KEITH Was bringen Sie mir?

HERMANN Es ist wohl am besten, wenn ich mit der Tür ins Haus falle. Ich war gestern abend mit Saranieff und Zamrjaki im Café Luitpold zusammen. Ich erzählte, daß ich durchaus hundert Mark nötig hätte. Darauf meinte Saranieff, ich möchte mich an Sie wenden.

v. KEITH Ganz München hält mich für einen amerikanischen Eisenbahnkönig!

HERMANN Zamrjaki sagte, Sie hätten immer Geld.

v. KEITH Zamrjaki unterstützte ich, weil er das größte musikalische Genie ist, das seit Richard Wagner lebt. Aber diese Straßenräuber sind doch wohl kein schicklicher Umgang für Sie!

HERMANN Ich finde diese Straßenräuber interessant. Ich kenne die Herren von einer Versammlung der Anarchisten her.

v. KEITH Ihrem Vater muß es eine erfreuliche Überraschung sein, daß Sie Ihren Lebensweg damit beginnen, sich in revolutionären Versammlungen herumzutreiben.

HERMANN Warum läßt mich mein Vater nicht von München fort!

v. KEITH Weil Sie für die große Welt noch zu jung sind!

HERMANN Ich finde aber, daß man in meinem Alter unendlich mehr lernen kann, wenn man wirklich etwas erlebt, als wenn man bis zur Großjährigkeit auf der Schulbank herumrutscht.

v. KEITH Durch das wirkliche Erleben verlieren Sie nur die

Fähigkeiten, die Sie in Ihrem Fleisch und Blut mit auf die Welt gebracht haben. Das gilt ganz speziell von Ihnen, dem Sohn und einstigen Erben unseres größten deutschen Finanzgenies. – Was sagt denn Ihr Vater über mich?

HERMANN Mein Vater spricht überhaupt nicht mit mir.

v. KEITH Aber mit andern spricht er.

HERMANN Möglich! Ich bin die wenigste Zeit zu Hause.

v. KEITH Daran tun Sie unrecht. Ich habe die finanziellen Operationen Ihres Vaters von Amerika aus verfolgt. Ihr Vater hält es nur für gänzlich ausgeschlossen, daß irgend jemand anders auch noch so klug ist wie er. Deshalb weigert er sich auch bis jetzt noch so starrköpfig, meinem Unternehmen beizutreten.

HERMANN Ich kann es mir mit dem besten Willen nicht denken, wie ich einmal an einem Leben, wie es mein Vater führt, Gefallen finden könnte.

v. KEITH Ihrem Vater fehlt einfach die Fähigkeit, Sie für seinen Beruf zu interessieren.

HERMANN Es handelt sich in dieser Welt aber doch nicht darum, daß man lebt, sondern es handelt sich doch wohl darum, daß man das Leben und die Welt kennenlernt.

v. KEITH Der Vorsatz, die Welt kennenzulernen, führt Sie dazu, hinterm Zaun zu verenden. Prägen Sie sich vor allen Dingen die allergrößte Hochschätzung für die Verhältnisse ein, in denen Sie geboren sind! Das schützt Sie davor, sich so leichten Herzens zu erniedrigen.

HERMANN Durch meinen Pumpversuch, meinen Sie? Es gibt doch wohl aber höhere Güter als Reichtum!

v. KEITH Das ist Schulweisheit. Diese Güter heißen nur deshalb höhere, weil sie aus dem Besitz hervorwachsen und nur durch den Besitz ermöglicht werden. Ihnen steht es ja frei, nachdem Ihr Vater ein Vermögen gemacht hat, sich einer künstlerischen oder wissenschaftlichen Lebensaufgabe zu widmen. Wenn Sie sich dabei aber über das erste Weltprinzip hinwegsetzen, dann jagen Sie Ihr Erbe Hochstaplern in den Rachen.

HERMANN Wenn Jesus Christus nach diesem Weltprinzip hätte handeln wollen . . .!

v. KEITH Vergessen Sie bitte nicht, daß das Christentum zwei

Drittel der Menschheit aus der Sklaverei befreit hat! Es gibt keine Ideen, seien sie sozialer, wissenschaftlicher oder künstlerischer Art, die irgend etwas anderes als Hab und Gut zum Gegenstand hätten. Die Anarchisten sind deshalb ihre geschworenen Feinde. Und glauben Sie ja nicht, daß sich die Welt hierin jemals ändert. Der Mensch wird abgerichtet, oder er wird hingerichtet. *Hat sich an den Schreibtisch gesetzt* Ich will Ihnen die hundert Mark geben. Zeigen Sie sich doch auch mal bei mir, wenn Sie gerade kein Geld nötig haben. Wie lange ist es jetzt her, daß Ihre Mutter starb?

HERMANN Drei Jahre werden es im Frühling.

V. KEITH *gibt ihm ein verschlossenes Billet* Sie müssen damit zur Gräfin Werdenfels gehen, Brienner Straße Nr. 23. Sagen Sie einen schönen Gruß von mir. Ich habe heute zufällig nichts in der Tasche.

HERMANN Ich danke Ihnen, Herr Baron.

V. KEITH *geleitet ihn hinaus; indem er die Tür hinter ihm schließt* Bitte, war mir sehr angenehm. – *Darauf kehrt er zum Schreibtisch zurück; in den Plänen kramend* Sein Alter traktiert mich wie ein Hundefänger. – – Ich muß möglichst bald ein Konzert veranstalten. – Dann zwingt ihn die öffentliche Meinung, sich meinem Unternehmen anzuschließen. Im schlimmsten Fall muß es auch ohne ihn gehen. – – *Da es klopft* Herein!

ANNA *verwitwete Gräfin Werdenfels tritt ein. Sie ist eine üppige Schönheit von 30 Jahren. Weiße Haut, Stumpfnase, helle Augen, kastanienbraunes, üppiges Haar.*

V. KEITH *geht ihr entgegen* Da bist du, meine Königin! – Ich schickte eben den jungen Casimir mit einem kleinen Anliegen zu dir.

ANNA Das war der junge Herr Casimir?

V. KEITH *nachdem er ihr flüchtig die dargereichten Lippen geküßt* Er kommt schon wieder, wenn er dich nicht zu Hause trifft.

ANNA Der sieht seinem Vater aber gar nicht ähnlich.

V. KEITH Lassen wir den Vater Vater sein. Ich habe mich jetzt an Leute gewandt, von deren gesellschaftlichem Ehrgeiz ich mir eine flammende Begeisterung für mein Unternehmen verspreche.

ANNA Aber vom alten Casimir heißt es allgemein, daß er junge Schauspielerinnen und Sängerinnen unterstützt.

V. KEITH *Anna mit den Blicken verschlingend* Anna, sobald ich dich vor mir sehe, bin ich ein anderer Mensch, als wärst du meines Glückes lebendiges Unterpfand. – Aber willst du nicht frühstücken? Hier ist Tee und Kaviar und kalter Aufschnitt.

ANNA *nimmt auf dem Diwan Platz und frühstückt* Ich habe um elf Uhr Stunde. Ich komme nur auf einen Moment. – Die Bianchi sagt mir, ich könne in einem Jahr die erste Wagnersängerin Deutschlands sein.

v. KEITH *zündet sich eine Zigarette an* Vielleicht bist du auch in einem Jahr schon soweit, daß sich die ersten Wagnersängerinnen um deine Protektion bemühen.

ANNA Mir soll's recht sein. Mit meinem beschränkten weiblichen Verstande sehe ich allerdings nicht ein, auf welche Weise es mit mir gleich so hoch hinaus soll.

v. KEITH Das kann ich dir im voraus auch nicht erklären. Ich lasse mich einfach willenlos treiben, bis ich an ein Gestade gelange, auf dem ich mich heimisch genug fühle, um mir zu sagen: Hier laßt uns Hütten bauen!

ANNA Dabei hast du in mir jedenfalls den treuesten Spießgesellen. Ich habe seit einiger Zeit vor lauter Lebenslust manchmal Selbstmordgedanken.

v. KEITH Der eine raubt es sich, und der andere bekommt es geschenkt. Als ich in die Welt hinauskam, war mein kühnstes Hoffen, irgendwo in Oberschlesien als Dorfschulmeister zu sterben.

ANNA Du hättest dir damals wohl schwerlich träumen lassen, daß dir München einmal zu Füßen liegen werde.

v. KEITH München war mir aus der Geographiestunde bekannt. Wenn ich mich deshalb heute auch nicht gerade eines makellosen Rufes erfreue, so darf man nicht vergessen, aus welchen Tiefen ich heraufkomme.

ANNA Ich bete jeden Abend inbrünstig zu Gott, daß er etwas von deiner bewundernswürdigen Energie auf mich übertragen möge.

v. KEITH Unsinn, ich habe gar keine Energie.

ANNA Dir ist es aber doch einfach Lebensbedürfnis, mit dem Kopf durch die Wände zu rennen.

v. KEITH Meine Begabung beschränkt sich auf die leidige Tatsache, daß ich in bürgerlicher Atmosphäre nicht atmen kann. Mag ich deshalb auch erreichen, was ich will, ich werde mir nie das

Geringste darauf einbilden. Andere Menschen werden in ein bestimmtes Niveau hineingepflanzt, auf dem sie ihr Leben lang fortvegetieren, ohne mit der Welt in Konflikt zu geraten.

ANNA Du bist dagegen als abgeschlossene Persönlichkeit vom Himmel gefallen.

V. KEITH Ich bin Bastard. Mein Vater war ein geistig sehr hochstehender Mensch, besonders was Mathematik und so exakte Dinge betrifft, und meine Mutter war Zigeunerin.

ANNA Wenn ich nur wenigstens deine Geschicklichkeit hätte, den Menschen ihre Geheimnisse vom Gesicht abzulesen! Dann wollte ich ihnen mit der Fußspitze die Nase in die Erde drücken.

V. KEITH Solche Fertigkeiten erwecken mehr Mißtrauen, als sie einem nützen. Deshalb hegt auch die bürgerliche Gesellschaft, seit ich auf dieser Welt bin, ein geheimes Grauen vor mir. Aber diese bürgerliche Gesellschaft macht, ohne es zu wollen, mein Glück durch ihre Zurückhaltung. Je höher ich gelange, desto vertrauensvoller kommt man mir entgegen. Ich warte auch tatsächlich nur noch auf diejenige Region, in der die Kreuzung von Philosoph und Pferdedieb ihrem vollen Wert entsprechend gewürdigt wird.

ANNA Man hört wirklich in der ganzen Stadt von nichts mehr sprechen als von deinem Feenpalast.

V. KEITH Der Feenpalast dient mir nur als Sammelplatz meiner Kräfte. Dazu kenne ich mich viel zu gut, um etwa von mir vorauszusetzen, daß ich nun zeit meines Lebens Kassenrapporte revidieren werde.

ANNA Was soll denn dann aber aus mir werden? Glaubst du vielleicht, ich habe Lust, bis in alle Ewigkeit Gesangsunterricht zu nehmen? Du sagtest gestern noch, daß der Feenpalast speziell für mich gebaut werde.

V. KEITH Aber doch gewiß nicht, damit du bis an dein Lebensende auf den Hinterpfoten tanzt und dich von Preßbengeln kuranzen läßt. Du hast nur etwas mehr Lichtpunkte in deiner Vergangenheit nötig.

ANNA Einen Stammbaum kann ich allerdings nicht aufweisen, wie die Frauen von Rosenkron und von Totleben.

V. KEITH Deshalb brauchst du noch auf keine von beiden eifersüchtig zu sein.

ANNA Das hoffe ich sehr! Welcher weiblichen Vorzüge wegen sollte ich denn auf irgendeine Frau eifersüchtig sein?

v. KEITH Ich mußte die beiden Damen als Vermächtnis meines Vorgängers mit der Konzertagentur übernehmen. Sobald ich meine Stellung befestigt habe, mögen sie mit Rettichen hausieren oder Novellen schreiben, wenn sie leben wollen.

ANNA Ich bin um die Schnürstiefel, in denen ich spazierengehe, besorgter als um deine Liebe zu mir. Weißt du auch, warum? Weil du der rücksichtsloseste Mensch bist und weil du nach nichts anderem in dieser Welt als nur nach deinem sinnlichen Vergnügen fragst! Deshalb würde ich auch, wenn du mich verläßt, wirklich nichts anderes als Mitleid mit dir empfinden können. Aber sieh dich vor, daß du nicht vorher selber verlassen wirst!

v. KEITH *Anna liebkosend* Ich habe ein wechselvolles Leben hinter mir, aber jetzt denke ich doch ernstlich daran, mir ein Haus zu bauen; ein Haus mit möglichst hohen Gemächern, mit Park und Freitreppe. Die Bettler dürfen auch nicht fehlen, die die Auffahrt garnieren. Mit der Vergangenheit habe ich abgeschlossen und sehne mich nicht zurück. Dazu ging es zu oft um Leben und Tod. Ich möchte keinem Freunde raten, sich meine Laufbahn zum Muster zu nehmen.

ANNA Du bist allerdings nicht umzubringen.

v. KEITH Dieser Eigenschaft verdanke ich in der Tat auch so ziemlich alles, was ich bis jetzt erreicht habe. – Ich glaube, Anna, wenn wir beide in zwei verschiedenen Welten geboren wären, wir hätten uns dennoch finden müssen.

ANNA Ich bin allerdings auch nicht umzubringen.

v. KEITH Wenn uns die Vorsehung auch nicht durch unsere märchenhaften Geschmacksverwandtschaften füreinander bestimmt hätte, das eine haben wir doch jedenfalls miteinander gemein ...

ANNA Eine unverwüstliche Gesundheit.

v. KEITH *setzt sich neben sie und liebkost sie* Soweit es Frauen betrifft, sind mir nämlich Klugheit, Gesundheit, Sinnlichkeit und Schönheit unzertrennliche Begriffe, aus deren jedem sich die anderen drei von selbst ergeben. Wenn dieses Erbteil sich in unsern Kindern potenziert ...

SASCHA *ein dreizehnjähriger Laufbursche in galoniertem Jackett und Kniehosen, tritt vom Vorplatz ein und legt einen Armvoll Zeitungen auf den Mitteltisch.*

v. KEITH Was sagt der Kommerzienrat Ostermeier?

SASCHA Der Herr Kommerzienrat gaben mir einen Brief mit. Er liegt bei den Zeitungen. *Geht in das Wartezimmer ab.*

v. KEITH *hat den Brief geöffnet* Das danke ich dem Zufall, daß du bei mir bist! *Liest* »... Ich habe mir von Ihrem Plane schon mehrfach erzählen lassen und bringe ihm ein lebhaftes Interesse entgegen. Sie treffen mich heute mittag gegen zwölf Uhr im Café Maximilian ...« Das gibt mir die Welt in die Hände! Jetzt kann der alte Casimir meine Rückseite besehen, wenn er noch mitkommen will. Mit diesen Biedermännern im Bunde bleibt mir auch meine Alleinherrschaft unangetastet.

ANNA *hat sich erhoben* Kannst du mir tausend Mark geben?

v. KEITH Bist du denn schon wieder auf dem trocknen?

ANNA Die Miete ist fällig.

v. KEITH Das hat bis morgen Zeit. Mache dir deswegen nicht die geringste Sorge darum.

ANNA Wie du meinst. Graf Werdenfels prophezeite mir auf seinem Sterbebette, ich werde das Leben noch einmal von der allerernstesten Seite kennenlernen.

v. KEITH Hätte er dich etwas richtiger eingeschätzt, dann wäre er vielleicht sogar selbst noch am Leben.

ANNA Bis jetzt hat sich seine Prophezeiung noch nicht bewahrheitet.

v. KEITH Ich schicke dir das Geld morgen mittag.

ANNA *während v. Keith sie hinausgeleitet* Nein, bitte nicht; ich komme selber und hole es.

Die Szene bleibt einen Augenblick leer. Dann kommt Molly Griesinger aus dem Wohnzimmer und räumt das Teegeschirr zusammen. v. Keith kommt vom Vorplatz zurück.

v. KEITH *ruft* Sascha! – *Nimmt eines der Bilder von der Wand* Das muß mir über die nächsten vierzehn Tage hinweghelfen!

MOLLY Du hoffst also immer noch, daß die Wirtschaft so fortgehen kann?

SASCHA *kommt aus dem Wartezimmer* Herr Baron?

v. KEITH *gibt ihm das Bild* Geh hinüber zu Tannhäuser. Er soll den Saranieff ins Fenster stellen. Ich gebe ihn für dreitausend Mark.

SASCHA Sehr wohl, Herr Baron.

v. KEITH In fünf Minuten komme ich selber. Warte! *Er nimmt vom Schreibtisch eine Karte, auf der »3000 M.« steht, und befestigt sie unter dem Rahmen des Bildes* Dreitausend Mark! – *Geht zum Schreibtisch* Ich muß nur vorher rasch noch einen Zeitungsartikel darüber schreiben.

SASCHA *mit dem Bilde ab.*

MOLLY Wenn sich bei der Großtuerei nur auch einmal eine Spur von reellem Erfolg sehen ließe!

v. KEITH *schreibend* »Das Schönheitsideal der modernen Landschaft.«

MOLLY Wenn dieser Saranieff malen könnte, dann brauchte man nicht erst Zeitungsartikel über ihn zu schreiben.

v. KEITH *sich umwendend* Wie beliebt?

MOLLY Ich weiß, du bist wieder mitten in der Arbeit.

v. KEITH Wovon wolltest du reden?

MOLLY Ich habe einen Brief aus Bückeburg.

v. KEITH Von deiner Mama?

MOLLY *sucht den Brief aus der Tasche und liest* »Ihr seid uns jeden Tag willkommen. Ihr könnt die beiden Vorderzimmer im dritten Stock beziehen. Ihr könnt dann in Ruhe abwarten, bis eure Verhandlungen in München zum Abschluß gelangen.«

v. KEITH Siehst du denn aber nicht ein, mein liebes Kind, daß du durch solche Schreibereien meinen Kredit untergräbst?

MOLLY Wir haben morgen kein Brot auf dem Tisch.

v. KEITH Dann speisen wir im Hotel Continental.

MOLLY Da bringe ich nicht einen Happen hinunter vor Angst, daß uns der Gerichtsvollzieher derweil unsere Betten versiegelt.

v. KEITH Der überlegt sich das noch. Warum lebt in deinem Köpfchen kein anderer Gedanke als Essen und Trinken! Du könntest dich deines Daseins so unendlich mehr erfreuen, wenn du etwas mehr Würdigung für seine Lichtseiten hättest. Du hegst eine unbezähmbare Liebhaberei für das Unglück.

MOLLY Ich finde, du hegst diese Liebhaberei für das Unglück!

Anderen Menschen fällt ihr Lebensberuf zu leicht, sie brauchen mit keinem Gedanken daran zu denken. Dafür existieren sie eins fürs andere in ihrem behaglichen Heim, wo ihrem Glück nichts in die Quere kommt. Und du, bei all deinen Geistesgaben, wirtschaftest wie ein Rasender auf deine Gesundheit ein, und dabei ist tagelang nicht ein Pfennig im Haus.

v. KEITH Aber du hast doch noch jeden Tag satt zu essen gehabt! Daß du nichts für Toiletten ausgibst, ist wahrhaftig nicht meine Schuld. Sobald dieser Zeitungsartikel geschrieben ist, habe ich dreitausend Mark in der Hand. Dann nimm eine Droschke und kauf alles zusammen, worauf du dich im Augenblick besinnen kannst.

MOLLY Der bezahlt dir für das Bild so gewiß dreitausend Mark, wie ich mir deinetwegen seidene Strümpfe anziehe.

v. KEITH *erhebt sich unwillig* Du bist ein Juwel!

MOLLY *fliegt ihm an den Hals* Habe ich dir weh getan, mein Herz? Verzeih mir, bitte! Was ich dir eben sagte, das ist meine heiligste Überzeugung.

v. KEITH Wenn das Geld auch nur bis morgen abend reicht, dann werde ich das Opfer schon nicht zu bedauern haben!

MOLLY *heulend* Ich wußte, wie häßlich es von mir war. Schlag mich doch nur!

v. KEITH Der Feenpalast ist nämlich so gut wie gesichert.

MOLLY Dann laß mich wenigstens deine Hand küssen. Ich beschwöre dich, laß mich deine Hand küssen.

v. KEITH Wenn ich nur noch einige Tage meine Haltung bewahren kann.

MOLLY Auch das nicht! Wie kannst du so unmenschlich sein!

v. KEITH *zieht die Hand aus der Tasche* Es wäre doch vielleicht nachgerade Zeit, daß du mit dir zu Rate gehst, sonst kommt die Erleuchtung plötzlich von selbst.

MOLLY *seine Hand mit Küssen bedeckend* Warum willst du mich denn nicht schlagen? Ich habe es mir doch so redlich verdient!

v. KEITH Du betrügst dich um dein Lebensglück mit allen Mitteln, die eine Frau zu ihrer Verfügung hat.

MOLLY *springt empört auf* Bilde dir doch nicht ein, daß ich mich durch deine Courmachereien in Schrecken jagen lasse! Uns beide umschlingt ein zu festes Band. Wenn das einmal reißt, dann halte ich dich nicht mehr; aber solange du im Elend bist, gehörst du mir.

v. KEITH Das wird dir zum Verhängnis, Molly, daß du mein Glück mehr fürchtest als den Tod. Wenn ich morgen die Arme frei habe, dann hältst du es nicht eine Minute mehr bei mir aus.

MOLLY Dann ist ja alles gut, wenn du das weißt.

v. KEITH Ich bin aber in keinem Elend!

MOLLY Erlaube mir nur so lange, bis du die Arme frei hast, noch für dich zu arbeiten.

v. KEITH *setzt sich wieder an den Schreibtisch* Tue, was du nicht lassen kannst! Du weißt, daß mir an einer Frau nichts unsympathischer ist, als wenn sie arbeitet.

MOLLY Um deinetwillen mache ich noch keinen Affen und keinen Papagei aus mir. Wenn ich mich an den Waschtrog stelle, statt halbnackt mit dir auf Redouten zu fahren, so werde ich dich damit wohl nicht zugrunde richten.

v. KEITH Dein Starrsinn hat etwas Überirdisches.

MOLLY Das glaube ich, daß das deine Kapazität übersteigt!

v. KEITH Wenn ich dich auch begriffe, damit wäre dir leider noch nicht geholfen.

MOLLY *triumphierend* Ich brauche es dir auch nicht auf die Nase zu binden, aber ich gebe es dir schwarz auf weiß, wenn du willst! Ich verdiente ja mein Lebensglück nicht, wenn ich mir dir gegenüber den geringsten Zwang antäte und mich besser geben wollte, als ich von Gott geschaffen worden bin – *weil du mich liebst!*

v. KEITH Das ist doch selbstverständlich.

MOLLY *triumphierend* Weil du ohne meine Liebe nicht leben kannst! Hab darum auch nur die Arme frei, soviel du willst! Ob ich bei dir bleibe, das hängt davon ab, ob ich dir von deiner Liebe für andere Weiber etwas übriglasse! Die Weiber sollen sich aufdonnern und dich vergöttern, soviel es ihnen Vergnügen macht; das spart mir die Komödien. Du hängtest dich lieber heute als morgen an deine Ideale; das weiß ich recht gut. Käme es je dazu – aber das hat noch gute Wege! –, dann will ich mich lebendig begraben lassen.

v. KEITH Wenn du dich nur wenigstens des Glückes erfreuen wolltest, das sich dir bietet!

MOLLY *zärtlich* Aber was bietet sich mir denn, mein süßer Schatz? Das war doch in Amerika auch immer dieser Schrecken ohne Ende. Alles scheiterte immer an den letzten drei Tagen. In Sankt Jago wurdest du nicht zum Präsidenten gewählt und wärst um ein Haar erschossen worden, weil wir an dem entscheidenden Abend keinen Brandy auf dem Tische hatten. Weißt du noch, wie du riefst: »Einen Dollar, einen Dollar, eine Republik für einen Dollar!«

v. KEITH *springt wütend auf und geht zum Diwan* Ich bin als Krüppel zur Welt gekommen. Sowenig wie ich mich deshalb zum Sklaven verdammt fühle, sowenig wird mich der Zufall, daß ich als Bettler geboren bin, je daran hindern, den allerergiebigsten Lebensgenuß als mein rechtmäßiges Erbe zu betrachten.

MOLLY Betrachten dürfen wirst du den Lebensgenuß, solange du lebst.

v. KEITH An dem, was ich dir hier sage, ändert nur mein Tod etwas. Und der Tod traut sich aus Furcht, er könnte sich blamieren, nicht an mich heran. Wenn ich sterbe, ohne gelebt zu haben, dann werde ich als Geist umgehen.

MOLLY Du leidest eben einfach an Größenwahn.

v. KEITH Ich kenne aber noch meine Verantwortung! Du bist als fünfzehnjähriges unzurechnungsfähiges Kind, von der Schulbank weg, mit mir nach Amerika durchgebrannt. Wenn wir uns heute trennen und du bleibst dir selbst überlassen, dann nimmt es das denkbar schlimmste Ende mit dir.

MOLLY *fällt ihm um den Hals* Dann komm doch nach Bückeburg! Meine Eltern haben ihre Molly seit drei Jahren nicht gesehen. In ihrer Freude werfen sie dir ihr halbes Vermögen an den Kopf. Und wie könnten wir zwei zusammen leben!

v. KEITH In Bückeburg?

MOLLY Alle Not hätte ein Ende!

v. KEITH *sich losmachend* Lieber suche ich Zigarrenstummel in den Cafés zusammen.

SASCHA *kommt mit dem Bild zurück* Der Herr Tannhäuser sagt, er kann das Bild nicht ins Fenster stellen. Der Herr Tannhäuser haben selbst noch ein Dutzend Bilder von dem Herrn Saranieff.

MOLLY Das wußte ich ja im voraus!

v. KEITH Dafür bist du ja bei mir! – *Geht zum Schreibtisch und zerreißt das Schreibpapier* Dann brauche ich doch wenigstens den Zeitungsartikel nicht mehr darüber zu schreiben!

SASCHA *geht, nachdem er das Bild auf den Tisch gelegt, ins Wartezimmer.*

MOLLY Diese Saranieffs, siehst du, und diese Zamrjakis, das sind Menschen von einem ganz anderen Schlag als wir. Die wissen, wie man den Leuten die Taschen umkehrt. Wir beide sind eben nun einmal zu einfältig für die große Welt!

v. KEITH Dein Reich ist noch nicht gekommen. Laß mich allein. – Bückeburg muß sich noch gedulden.

MOLLY *da es auf dem Korridor läutet, klatscht schadenfroh in die Hände* Der Herr Gerichtsvollzieher!

Sie eilt, um zu öffnen.

v. KEITH *sieht nach der Uhr* – – Was läßt sich dem Glück noch opfern ...?

MOLLY *geleitet Ernst Scholz herein* Der Herr will mir seinen Namen nicht nennen.

ERNST SCHOLZ *ist eine schmächtige, äußerst aristokratische Erscheinung von etwa siebenundzwanzig Jahren; schwarzes Lockenhaar, spitzgeschnittener Vollbart, unter starken langgezogenen Brauen große wasserblaue Augen, in denen der Ausdruck der Hilflosigkeit liegt.*

v. KEITH Gaston! – Wo kommst du her?

SCHOLZ Dein Willkomm ist mir eine gute Vorbedeutung. Ich bin so verändert, daß ich voraussetzte, du werdest mich überhaupt kaum wiedererkennen.

MOLLY *will das Frühstücksgeschirr mit hinausnehmen, fürchtet aber, nach einem Blick auf Scholz, dadurch zu stören und geht ohne das Geschirr ins Wohnzimmer ab.*

v. KEITH Du siehst etwas verlebt aus; aber das Dasein ist wirklich auch keine Spielerei!

SCHOLZ Für mich am allerwenigsten; deshalb bin ich nämlich hier. Und ich komme nur deinetwegen nach München.

v. KEITH Dafür danke ich dir; was die Geschäfte von mir übriglassen, gehört dir.

SCHOLZ Ich weiß, daß du schwer mit dem Leben zu kämpfen

hast. Nun ist es mir aber ganz speziell um deinen persönlichen Verkehr zu tun. Ich möchte mich gern auf einige Zeit deiner geistigen Führung überlassen, aber nur unter der einen Bedingung, daß du mir dafür erlaubst, dir mit meinen Geldmitteln zu Hilfe zu kommen, soweit du es brauchen kannst.

v. KEITH Aber wozu denn das? Ich bin eben im Begriff, Direktor eines ungeheuren Aktienunternehmens zu werden. Und dir geht es also auch ganz gut? Wir haben uns, wenn mir recht ist, vor vier Jahren zum letztenmal gesehen.

SCHOLZ Auf dem Juristenkongreß in Brüssel.

v. KEITH Du hattest kurz vorher dein Staatsexamen absolviert.

SCHOLZ Du schriebst damals schon für alle erdenklichen Tagesblätter. Erinnerst du dich vielleicht zufällig noch der Vorwürfe, die ich dir deines Zynismus wegen auf dem Balle im Justizpalais in Brüssel machte?

v. KEITH Du hattest dich in die Tochter des dänischen Gesandten verliebt und gerietst in Wut über meine Behauptung, daß die Frauen von Natur aus viel materieller veranlagt sind, als wir Männer es durch den reichlichsten Genuß jemals werden können.

SCHOLZ Du bist mir auch heute noch, wie während unserer ganzen Jugendzeit, geradezu ein Ungeheuer an Gewissenlosigkeit; aber – du hattest vollkommen recht.

v. KEITH Ein schmeichelhafteres Kompliment hat man mir in diesem Leben noch nicht gemacht.

SCHOLZ Ich bin mürbe. Obschon ich deine ganze Lebensauffassung aus tiefster Seele verabscheue, vertraue ich dir heute das für mich unlösbare Rätsel meines Daseins an.

v. KEITH Gott sei gelobt, daß du dich aus deinem Trübsinn endlich der Sonne zuwendest!

SCHOLZ Ich schließe damit nicht etwa eine feige Kapitulation. Das letzte Mittel, das einem selbst zur Lösung des Rätsels freisteht, habe ich umsonst versucht.

v. KEITH Um so besser für dich, wenn du das hinter dir hast. Ich sollte während der Kubanischen Revolution mit zwölf Verschwörern erschossen werden. Ich falle natürlich auf den ersten Schuß und bleibe tot, bis man mich beerdigen will. Seit jenem Tage fühle ich mich erst wirklich als den Herrn meines Lebens. *Aufsprin-*

gend Verpflichtungen gehen wir bei unserer Geburt nicht ein, und mehr als dieses Leben *wegwerfen* kann man nicht. Wer nach seinem Tode noch weiterlebt, der steht über den Gesetzen. – Du trugst dich damals in Brüssel mit der Absicht, dich dem Staatsdienst zu widmen?

SCHOLZ Ich trat bei uns ins Eisenbahnministerium ein.

v. KEITH Ich wunderte mich noch, daß du es bei deinem enormen Vermögen nicht vorzogst, als Grandseigneur deinen Neigungen zu leben.

SCHOLZ Ich hatte den Vorsatz gefaßt, vor allem erst ein nützliches Mitglied der menschlichen Gesellschaft zu werden. Wäre ich als der Sohn eines Tagelöhners geboren, dann ergäbe sich das ja auch als etwas ganz Selbstverständliches.

v. KEITH Man kann seinen Mitmenschen nicht mehr in dieser Welt nützen, als wenn man in der umfassendsten Weise auf seinen eigenen Vorteil ausgeht. Je weiter meine Interessen reichen, einer desto größeren Anzahl von Menschen biete ich den nötigen Lebensunterhalt. Wer sich aber darauf, daß er seinen Posten ausfüllt und seine Kinder ernährt, etwas einbildet, der macht sich blauen Dunst vor. Die Kinder danken ihrem Schöpfer, wenn man sie nicht in die Welt setzt, und nach dem Posten recken hundert arme Teufel die Hälse!

SCHOLZ Ich konnte aber in der Tatsache, daß ich ein reicher Mann bin, keinen zwingenden Grund sehen, als Tagedieb in der Welt herumzuschlendern. Künstlerische Veranlagungen besitze ich nicht, und um meine einzige Lebensbestimmung im Heiraten und Kinderzeugen zu erblicken, dazu schien ich mir nicht unbedeutend genug.

v. KEITH Du hast aber den Staatsdienst quittiert?

SCHOLZ *läßt den Kopf sinken* Weil ich in meinem Amt ein entsetzliches Unglück verschuldet habe.

v. KEITH – Als ich von Amerika zurückkam, erzählte mir jemand, der dich ein Jahr vorher in Konstantinopel getroffen hatte, du habest zwei Jahre auf Reisen zugebracht, lebest jetzt aber wieder zu Haus und stehest eben im Begriff, dich zu verheiraten.

SCHOLZ Meine Verlobung habe ich vor drei Tagen aufgelöst. – Ich war bis jetzt nur ein halber Mensch. Seit dem Tage, an dem ich mein eigner Herr wurde, ließ ich mich lediglich von der Überzeugung leiten, ich könne mich meines Daseins nicht eher erfreuen, als bis ich meine Existenz durch ehrliche Arbeit gerechtfertigt hätte. Diese einseitige Anschauung hat mich dahin geführt, daß ich heute aus reinem Pflichtgefühl, nicht anders, als gälte es eine Strafe abzubüßen, den rein materiellen Genuß aufsuche. Sobald ich aber dem Leben die Arme öffnen will, dann lähmt mich die Erinnerung an jene unglücklichen Menschen, die nur durch meine übertriebene Gewissenhaftigkeit in der entsetzlichsten Weise ums Leben gekommen sind.

v. KEITH Was war denn das für eine Geschichte?

SCHOLZ Ich hatte ein Bahnreglement geändert. Es lag eine beständige Gefahr darin, daß dieses Bahnreglement unmöglich genau respektiert werden konnte. Meine Befürchtungen waren natürlich übertrieben, aber mit jedem Tage sah ich das Unglück näherkommen. Mir fehlte eben das seelische Gleichgewicht, das dem Menschen aus einem menschenwürdigen Familienheim erwächst. – Am ersten Tage nach Einführung meines neuen Reglements erfolgte ein Zusammenstoß von zwei Schnellzügen, der neun Männern, drei Frauen und zwei Kindern das Leben kostete. Ich inspizierte die Unglücksstätte noch. Es ist nicht meine Schuld, daß ich den Anblick überlebte.

v. KEITH Dann gingst du auf Reisen?

SCHOLZ Ich ging nach England, nach Italien, fühle mich nun aber erst recht von allem lebendigen Treiben ausgeschlossen. In lachender, scherzender Umgebung, bei ohrbetäubender Musik, entringt sich mir plötzlich ein geller Schrei, weil ich mir unversehens wieder jenes Unglücks bewußt worden bin. Ich habe auch im Orient nur wie eine verscheuchte Eule gelebt. Aufrichtig gesagt, bin ich auch seit jenem Unglückstag erst recht davon überzeugt, daß ich mir meine Lebensfreude nur durch Selbstaufopferung zurückkaufen kann. Aber dazu brauche ich Zutritt zum Leben. Diesen Zutritt zum Leben hoffte ich vor einem Jahr dadurch zu finden, daß ich mich mit dem ersten besten Mädchen allerniedrigster Herkunft verlobte, um mit ihr in den Ehestand zu treten.

v. KEITH Wolltest du das Geschöpf wirklich zur Gräfin Trautenau machen?

SCHOLZ Ich bin kein Graf Trautenau mehr. Das entzieht sich deinem Verständnis. Die Presse hatte meinen Rang und Namen zu dem Unglück, das ich heraufbeschworen, in wirkungsvollen Kontrast gesetzt. Ich hielt mich deshalb meiner Familie gegenüber für verpflichtet, einen anderen Namen anzunehmen. Ich heiße seit zwei Jahren Ernst Scholz. Daher konnte auch meine Verlobung niemanden mehr überraschen; aber es wäre auch daraus nur wieder Unglück erwachsen. In ihrem Herzen keinen Funken Liebe, in meinem nur das Bedürfnis, mich aufzuopfern, der Verkehr eine endlose Kette der trivialsten Mißverständnisse ... Ich habe das Mädchen jetzt derart dotiert, daß sie für jeden ihres Standes eine begehrenswerte Partie ist. Sie konnte sich vor Freude über ihre wiedergewonnene Freiheit gar nicht fassen. Und ich muß nun endlich die schwere Kunst erlernen, mich selbst zu vergessen. Dem Tod sieht man mit klarem Bewußtsein ins Auge; aber niemand lebt, der sich nicht selbst vergessen kann.

v. KEITH *wirft sich in einen Sessel* – Mein Vater würde sich vor Schreck im Grabe umkehren bei dem Gedanken, daß du – mich um meinen Rat bittest.

SCHOLZ So schlägt das Leben die Schulweisheit auf den Mund. Dein Vater hat redlich sein Teil zu meiner einseitigen geistigen Entwicklung beigetragen.

v. KEITH Mein Vater war so selbstlos und gewissenhaft, wie es der Hauslehrer und Erzieher eines Grafen Trautenau nun einmal sein muß. Du warst sein Musterknabe, und ich war sein Prügeljunge.

SCHOLZ Erinnerst du dich nicht mehr, wie zärtlich du bei uns auf dem Schloß von unseren Kammerjungfrauen abgeküßt wurdest, und zwar mit Vorliebe dann, wenn ich zufällig gerade daneben stand?! – *Sich erhebend* Ich werde die nächsten zwei bis drei Jahre einzig und allein darauf verwenden, *unter Tränen* um mich zu einem Genußmenschen auszubilden.

v. KEITH *aufspringend* Gehen wir heute abend erst einmal nach Nymphenburg auf den Tanzboden! Das ist unser so unwürdig, wie nur irgendwie möglich. Aber bei all dem Regenwetter und Gletscherwasser, das sich über meinen Kopf ergießt, reizt es mich selbst, wieder einmal im Schlamm zu baden.

SCHOLZ Mich dürstet nicht nach Marktgeschrei.

v. KEITH Du hörst kein lautes Wort, nur das dumpfe Brausen des aus seinen Tiefen aufgewühlten Ozeans. München ist ein Arkadien zugleich und ein Babylon. Der stumme saturnalische Taumel, der sich hier bei jeder Gelegenheit der Seelen bemächtigt, behält auch für den Verwöhntesten seinen Reiz.

SCHOLZ Woher sollte ich denn verwöhnt sein! Ich habe von meinem Leben bis heute buchstäblich noch nichts genossen.

v. KEITH Der Gesellschaft werden wir uns auf dem Tanzboden erwehren müssen! An solchen Orten wirkt mein Erscheinen wie das Aas auf die Fliegen. Aber dafür, daß du dich selbst vergißt, stehe ich dir gut. Du wirst dich noch in drei Monaten selbst vergessen, wenn du an unseren heutigen Abend zurückdenkst.

SCHOLZ Ich habe mich schon allen Ernstes gefragt, ob nicht mein ungeheurer Reichtum vielleicht der einzige Grund meines Unglücks ist.

v. KEITH *empört* Das ist Gotteslästerung!

SCHOLZ Ich habe tatsächlich schon erwogen, ob ich nicht wie auf meinen Adel auch auf mein Vermögen verzichten soll. Solang ich lebe, wäre mir dieser Verzicht aber nur zugunsten meiner Familie möglich. Eine nützliche Verfügung über mein Eigentum kann ich allenfalls, nachdem mein Leben an ihm zuschanden geworden, auf dem Sterbebette treffen. Hätte ich von Jugend auf um meinen Unterhalt kämpfen müssen, dann stände ich bei meinem sittlichen Ernst und meinem Fleiß, statt ein Ausgestoßener zu sein, heute wahrscheinlich mitten in der glänzendsten Karriere.

v. KEITH Oder du schwelgtest mit deinem Mädchen aus niedrigstem Stande im allergewöhnlichsten Liebesquark und putztest dabei deiner Mitwelt die Stiefel.

SCHOLZ Das nehme ich jeden Augenblick mit Freuden gegen mein Los in Tausch.

v. KEITH Bilde dir doch nicht ein, daß dieses Eisenbahnunglück zwischen dir und dem Leben steht. Du sättigst dich nur deshalb an diesen scheußlichen Erinnerungen, weil du zu schwerfällig bist, um dir irgendwelche delikatere Nahrung zu verschaffen.

SCHOLZ Darin magst du recht haben. Deswegen möchte ich mich deiner geistigen Führung anvertrauen.

v. KEITH Wir finden heute abend schon was zu beißen. – Ich kann dich jetzt leider nicht bitten, mit mir zu frühstücken. Ich habe um zwölf Uhr ein geschäftliches Rendezvous mit einer hiesigen Finanzgröße. Aber ich gebe dir ein paar Zeilen mit an meinen Freund Raspe. Verbring den Nachmittag mit ihm; um sechs Uhr treffen wir uns im Hofgarten-Café. *Er ist an den Schreibtisch gegangen und schreibt ein Billett.*

SCHOLZ Womit beschäftigst du dich denn?

v. KEITH Ich treibe Kunsthandel, ich habe eine Zeitungskorrespondenz, eine Konzertagentur – alles nicht der Rede wert. Du kommst eben recht, um das Entstehen eines großangelegten Konzerthauses zu erleben, das ausschließlich für meine Künstler gebaut wird.

SCHOLZ *nimmt das Bild vom Tisch und betrachtet es* Du hast eine hübsche Bildergalerie.

v. KEITH *aufspringend* Das gebe ich nicht um zehntausend Mark. Ein Saranieff. – *Dreht es ihm in den Händen um.* Du mußt es anders herum nehmen.

SCHOLZ Ich verstehe nichts von Kunst. Ich bin auf meinen Reisen nicht in einem einzigen Museum gewesen.

v. KEITH *gibt ihm das Billett* Der Mann ist internationaler Kriminalbeamter; sei deshalb nicht gleich zu offenherzig. Ein entzückender Mensch. Aber die Leute wissen nie, ob sie mich beobachten sollen oder ob ich da bin, um sie zu beobachten.

SCHOLZ Ich danke dir für dein liebenswürdiges Entgegenkommen. Also heute abend um sechs im Hofgarten-Café.

v. KEITH Dann fahren wir nach Nymphenburg. Ich danke dir, daß auch du schließlich Vertrauen zu mir gewonnen hast. *v. Keith geleitet Scholz hinaus. Die Szene bleibt einen Moment leer. Dann kommt Molly Griesinger aus dem Wohnzimmer und nimmt das Teegeschirr vom Tisch. Gleich darauf kommt v. Keith zurück.*

v. KEITH *ruft* Sascha! – *Geht ans Telefon und läutet* Siebzehn, fünfunddreißig – Kommissär Raspe!

SASCHA *kommt aus dem Wartezimmer* Herr Baron!

v. KEITH Meinen Hut! Meinen Paletot!

SASCHA *eilt nach dem Vorplatz.*

MOLLY Ich beschwöre dich, laß dich doch mit diesem Patron

nicht ein! Der käme doch nicht zu uns, wenn er uns nicht ausbeuten wollte.

v. KEITH *spricht ins Telefon* Gott sei Dank sind Sie da! Warten Sie zehn Minuten. – – Das werden Sie merken. – *Zu Molly, während ihm Sascha in den Paletot hilft* Ich fahre rasch auf die Redaktionen.

MOLLY Was soll ich Mama antworten?

v. KEITH *zu Sascha* Einen Wagen!

SASCHA Jawohl, Herr Baron. *Ab.*

v. KEITH Leg ihr meine Ehrerbietung zu Füßen. *Geht zum Schreibtisch* Die Pläne – der Brief von Ostermeier – morgen früh muß München wissen, daß der Feenpalast gebaut wird!

MOLLY Dann kommst du nicht nach Bückeburg?

v. KEITH *nimmt, die zusammengerollten Pläne unter dem Arm, seinen Hut vom Mitteltisch und stülpt ihn auf* Nimmt mich wunder, wie sich der zum Genußmenschen ausbildet! *Rasch ab.*

ZWEITER AUFZUG

Im Arbeitszimmer des Marquis von Keith ist der mittlere Tisch zum Frühstück gedeckt: Champagner und eine große Schüssel Austern. – Der Marquis von Keith sitzt auf dem Schreibtisch und hält den linken Fuß auf einen Schemel, während ihm Sascha, der vor ihm kniet, mit einem Knopfhaken die Stiefel zuknöpft. Ernst Scholz steht hinter dem Diwan und versucht sich auf einer Gitarre, die er von der Wand genommen.

v. KEITH Wann bist du denn heute morgen in dein Hotel zurückgekommen?

SCHOLZ *mit verklärtem Lächeln* Um zehn Uhr.

v. KEITH Tat ich also nicht recht daran, dich mit diesem entzückenden Geschöpf allein zu lassen?

SCHOLZ *selig lächelnd* Nach den Gesprächen von gestern abend über Kunst und moderne Literatur frage ich mich, ob ich bei diesem Mädchen nicht in die Schule gehen soll. Um so mehr wunderte es mich, daß sie dich noch darum bat, an dem Gartenfest, mit dem du München in Erstaunen setzen willst, deine Gäste bedienen zu dürfen.

v. KEITH Sie rechnet sich das ganz einfach zur Ehre an! Übrigens hat das noch Zeit mit dem Gartenfest. Ich fahre morgen auf einige Tage nach Paris.

SCHOLZ Das kommt mir aber höchst ungelegen.

v. KEITH Komm doch mit. Ich will eine meiner Künstlerinnen vor der Marquesi singen lassen, bevor sie hier öffentlich auftritt.

SCHOLZ Soll ich mir jetzt die Seelenqualen wieder vergegenwärtigen, die ich seinerzeit in Paris durchgekostet habe?!

v. KEITH Würde dir denn das Erlebnis dieser Nacht nicht darüber hinweghelfen?! – Dann halte dich während meiner Abwesenheit an den Kunstmaler Saranieff. Er wird ja heute wohl irgendwo vor uns auftauchen.

SCHOLZ Von diesem Saranieff erzählte mir das Mädchen, sein Atelier sei eine Schreckenskammer, voll der entsetzlichsten Greuel, die die Menschheit je verübt hat. Und dann plauderte sie im hellsten Entzücken von ihrer Kindheit, wie sie in Tirol den ganzen

Sommer durch in den Kirschbäumen gesessen und im Winter abends bis in die Dunkelheit mit den Dorfkindern Schlitten gefahren sei. – Wie kann es sich dieses Mädchen nur so zur Ehre anrechnen, bei dir als Aufwärterin figurieren zu dürfen!

v. KEITH Das Geschöpf rechnet sich das zur Ehre an, weil es dabei Gelegenheit findet, die unbegrenzte Verachtung zu bekämpfen, mit der sie von der gesamten bürgerlichen Gesellschaft behandelt wird.

SCHOLZ Aber was rechtfertigt denn diese Verachtung! Wieviel hundert weibliche Existenzen gehen in den besten Gesellschaftskreisen daran zugrunde, daß der Strom des Lebens versiegt, wie er hier aus seinen Ufern tritt! – Einer Sünde, wie es die seelenmörderische Zwietracht war, in der meine Eltern zwanzig Jahre beieinander aushielten, macht sich dieses Mädchen doch in seinem seligsten Glück nicht schuldig!

v. KEITH Was ist Sünde!!

SCHOLZ Darüber war ich mir gestern noch völlig klar. Heute kann ich dafür ohne Beklommenheit aussprechen, was tausend und tausend gutsituierte Menschen wie ich empfunden haben: Das verfehlte Leben blickt mit bitterem Neid auf das verlorene Geschöpf!

v. KEITH Das Glück dieser Geschöpfe wäre so verachtet nicht, wenn es nicht das denkbar schlechteste Geschäft wäre. Sünde ist eine mythologische Bezeichnung für schlechte Geschäfte. Gute Geschäfte lassen sich nun einmal nur innerhalb der bestehenden Gesellschaftsordnung machen! Das weiß niemand besser als ich. Ich, der Marquis von Keith, von dem ganz München spricht, stehe heute bei meinem europäischen Ruf noch ebenso außerhalb der Gesellschaft wie dieses Geschöpf. Das ist auch der einzige Grund, weshalb ich das Gartenfest gebe. Ich bedaure ungemein, daß ich die Kleine nicht unter meinen Gästen empfangen kann. Um so geschmackvoller wird sie sich dafür unter meiner Bedienung ausnehmen.

SASCHA *hat sich erhoben* Befehlen der Herr Baron einen Wagen?

v. KEITH Ja.

SASCHA *ab.*

v. KEITH *sich in den Stiefeln feststampfend* Du hast gelesen, daß sich gestern die Feenpalastgesellschaft konstituiert hat?

SCHOLZ Ich habe von gestern auf heute natürlich keine Zeitung in die Hand bekommen. *Beide nehmen am Frühstückstisch Platz.*

v. KEITH Das ganze Unternehmen ruht auf einem Bierbrauer, einem Baumeister und einem Restaurateur. Das sind die Karyatiden, die den Giebel des Tempels tragen.

SCHOLZ Ein entzückender Mensch ist übrigens dein Freund, der Kriminalbeamte Raspe.

v. KEITH Er ist ein Schurke; ich liebe ihn aber aus einem anderen Grunde.

SCHOLZ Er erzählte mir, er sei ursprünglich Theologe gewesen, habe aber durch zu vieles Studieren seinen Glauben verloren und ihn dann auf dem Wege wiederzufinden gesucht, auf dem der verlorene Sohn seinen Glauben wiederfand.

v. KEITH Er sank immer tiefer und tiefer, bis ihn schließlich die hohe Staatsanwaltschaft in ihren Armen auffing und ihm seinen verlorenen Glauben durch einen zweijährigen Aufenthalt hinter Schloß und Riegel zurückerstattete.

SCHOLZ Das Mädchen konnte es absolut nicht fassen, daß ich bis heute noch nicht radfahren gelernt habe. Daß ich in Asien und Afrika nicht radgefahren sei, meinte sie, sei sehr vernünftig gewesen wegen der wilden Tiere. In Italien hätte ich denn aber doch damit anfangen können!

v. KEITH Ich warne dich noch einmal, lieber Freund, sei nicht zu offenherzig! Die Wahrheit ist unser kostbarstes Lebensgut, und man kann nicht sparsam genug damit umgehen.

SCHOLZ Deshalb hast du dir wohl auch den Namen Marquis von Keith beigelegt?

v. KEITH Ich heiße mit demselben Recht Marquis von Keith, mit dem du Ernst Scholz heißt. Ich bin der Adoptivsohn des Lord Keith, der im Jahre 1863 ...

SASCHA *tritt vom Vorplatz ein, anmeldend* Herr Professor Saranieff!

SARANIEFF *tritt ein, in schwarzem Gehrock mit etwas zu langen Ärmeln, hellen, etwas zu kurzen Beinkleidern, grobem Schuhwerk, knallroten Handschuhen; das halblange, straffe, schwarze Haar gerade abgeschnitten; vor den verheißungsvollen Augen trägt er an schwarzem Bande ein Pincenez à la Murillo; ausdrucksvolles*

Profil, kleiner spanischer Schnurrbart. Den Zylinder gibt er nach der Begrüßung an Sascha.

SARANIEFF Ich wünsche Ihnen von Herzen Glück, mein lieber Freund. Endlich sind die Taue gekappt, und der Ballon kann steigen!

V. KEITH Meine Kommanditäre erwarten mich; ich kann Sie kaum mehr zum Frühstück einladen.

SARANIEFF *sich an den Tisch setzend* Ich erlasse Ihnen die Einladung

V. KEITH Noch ein Kuvert, Sascha!

Sascha hat den Hut auf dem Vorplatz aufgehängt und geht ins Wohnzimmer ab.

SARANIEFF Mich wundert nur, daß man den Namen des großen Casimir nicht mit unter den Mitgliedern des Feenpalast-Konsortiums liest.

V. KEITH Weil ich nicht auf das Verdienst verzichten will, selber der Schöpfer meines Werkes zu sein. *Vorstellend* Herr Kunstmaler Saranieff – Graf Trautenau.

SARANIEFF *zieht ein Glas und einen Teller heran und bedient sich, zu Scholz* Sie, Herr Graf, kenne ich schon in- und auswendig. *Zu v. Keith* Simba war eben bei mir; sie sitzt mir gegenwärtig zu einem Böcklin.

V. KEITH *zu Scholz* Der Böcklin war nämlich selbst ein großer Maler. *Zu Saranieff* Sie brauchten mit solchen Streichen nicht noch zu prahlen!

SARANIEFF Machen Sie mich berühmt, dann habe ich diese Streiche nicht mehr nötig! Ich bezahle Ihnen dreißig Prozent auf Lebenszeit. Zamrjakis Verstand wackelt schon wie ein morscher Zaunpfahl, weil er durchaus auf ehrlichem Wege unsterblich werden will.

V. KEITH Mir ist es um seine Musik zu tun. Dem richtigen Komponisten ist sein Verstand nur ein Hindernis.

SCHOLZ Um unsterblich werden zu wollen, muß man doch wohl schon ganz außergewöhnlich lebenslustig sein.

SARANIEFF *zu Scholz* Sie hat mir unsere Simba übrigens als einen hochinteressanten Menschen geschildert.

SCHOLZ Das glaube ich, daß ihr solche Sauertöpfe wie ich nicht jeden Tag in den Weg laufen.

SARANIEFF Sie hat Sie den Symbolisten zugeteilt. *Zu v. Keith* Und dann schwärmte sie von einer bevorstehenden Feenpalast-Gründungsfeier mit eminentem Feuerwerk.

v. KEITH Mit Feuerwerk blendet man keinen Hund, aber der vernünftigste Mensch fühlt sich beleidigt, wenn man ihm keines vormacht. Ich fahre übrigens vorher noch auf einige Tage nach Paris.

SARANIEFF Man will wohl Ihre Ansichten über ein deutsch-französisches Schutz-und-Trutz-Bündnis hören?

v. KEITH Aber sprechen Sie nicht davon!

SCHOLZ Ich wußte gar nicht, daß du dich auch in der Politik betätigst!

SARANIEFF Wissen Sie vielleicht irgend etwas, worin sich der Marquis von Keith nicht betätigt?

v. KEITH Ich will mir nicht vorwerfen lassen, daß ich mich um meine Zeit nicht gekümmert habe!

SCHOLZ Hat man denn nicht genug mit sich selbst zu tun, wenn man das Leben ernst nimmt?

SARANIEFF Sie nehmen es allerdings verteufelt ernst! Am Fuße der Pyramiden, in dem Dorfe Gizeh, soll Ihnen die Wäscherin einen Hemdkragen verwechselt haben?

SCHOLZ Sie scheinen wirklich schon ganz gut über mich unterrichtet zu sein. Wollen Sie mir nicht erlauben, daß ich Sie einmal in Ihrem Atelier besuche?

SARANIEFF Wenn es Ihnen recht ist, trinken wir jetzt gleich unseren Kaffee bei mir. Sie finden dann auch Ihre Simba noch dort.

SCHOLZ Simba? – Simba? – Sie reden immer von Simba. Das Mädchen sagte mir doch, daß sie Kathi hieße!

SARANIEFF Von Natur heißt sie Kathi; aber der Marquis von Keith hat sie Simba getauft.

SCHOLZ *zu v. Keith* Das bezieht sich wohl auf ihre wundervollen roten Haare?

v. KEITH Darüber kann ich dir mit dem besten Willen keine Auskunft geben.

SARANIEFF Sie hat es sich auf meinem persischen Diwan bequem gemacht und schläft vorläufig noch ihren Katzenjammer von gestern aus.

Molly Griesinger kommt aus dem Wohnzimmer und legt Saranieff ein Kuvert vor.

SARANIEFF Heißen Dank, gnädige Frau; Sie sehen, ich habe schon alles aufgegessen. Verzeihen Sie, daß ich noch nicht Gelegenheit nahm, Ihnen die Hand zu küssen.

MOLLY Sparen Sie Ihre Komplimente doch für würdigere Gelegenheiten! *Es läutet auf dem Korridor; Molly geht, um zu öffnen.*

V. KEITH *sieht nach der Uhr und erhebt sich* Sie müssen mich entschuldigen, meine Herren. *Ruft* Sascha!

SARANIEFF *wischt sich den Mund* Bitte, wir fahren natürlich mit. *Er und Scholz erheben sich.*

Sascha kommt mit der Garderobe aus dem Wartezimmer und hilft v. Keith und Scholz in den Paletot.

SCHOLZ *zu v. Keith* Warum sagst du mir denn gar nicht, daß du verheiratet bist?

V. KEITH Laß mich dir deine Krawatte in Ordnung bringen. *Er tut es* Du mußt etwas mehr Sorgfalt auf dein Äußeres verwenden.

MOLLY *kommt mit Hermann Casimir vom Vorplatz zurück.*

MOLLY Der junge Casimir bittet um die Ehre.

V. KEITH *zu Hermann* Haben Sie gestern meine Grüße ausgerichtet?

HERMANN Die Frau Gräfin wartete selbst auf Geld von Ihnen!

V. KEITH Warten Sie einen Augenblick auf mich. Ich bin gleich zurück. *Zu Scholz und Saranieff* Ist es Ihnen recht, meine Herren?

SARANIEFF *Sascha seinen Hut abnehmend* Mit Ihnen durch dick und dünn!

SASCHA Der Wagen wartet, Herr Baron.

V. KEITH Setz dich zum Kutscher!

Scholz, Saranieff, v. Keith und Sascha ab.

MOLLY *kramt das Frühstücksgeschirr zusammen* Nimmt mich nur wunder, was Sie in diesem Narrenturm suchen! Sie blieben doch wirklich vernünftiger bei Ihrer Frau Mama zu Hause!

HERMANN *will sofort das Zimmer verlassen* Meine Mutter lebt nicht mehr, gnädige Frau; aber ich möchte nicht lästig sein.

MOLLY Um Gottes willen, bleiben Sie nur! Sie genieren hier

niemanden. – Aber diese unmenschlichen Eltern, die ihr Kind nicht vor dem Verkehr mit solchen Strauchdieben schützen! – Ich hatte mein glückliches Vaterhaus wie Sie und war weder älter noch klüger als Sie, als ich, ohne mir was dabei zu denken, den Sprung ins Bodenlose tat.

HERMANN *sehr erregt* Der Himmel erbarme sich mein – ich muß notwendig einen Weg wählen! Ich gehe zugrunde, wenn ich noch länger hier in München bleibe! Aber der Herr Marquis wird mir seine Hilfe verweigern, wenn er ahnt, was ich vorhabe. Ich bitte Sie, gnädige Frau, verraten Sie mich nicht!

MOLLY Wenn Sie wüßten, wie es mir ums Herz ist, Sie hätten keine Angst, daß ich mich um Ihre Geschichte bekümmere! Wenn es Ihnen nur nicht noch schlimmer geht als mir! Hätte mich meine Mutter arbeiten lassen, wie ich jetzt arbeite, statt mich jeden freien Nachmittag Schlittschuh laufen zu schicken, ich hätte heute mein Lebensglück noch vor mir!

HERMANN Aber – wenn Sie so grenzenlos unglücklich sind und wissen, – daß Sie noch glücklich werden können, warum – warum lassen Sie sich denn dann nicht scheiden?

MOLLY Reden Sie doch um Gottes willen nicht über Dinge, von denen Sie nichts verstehen! Wenn man hingehen will, um sich scheiden zu lassen, dann muß man erst einmal verheiratet sein.

HERMANN Verzeihen Sie, ich – meinte, Sie wären verheiratet.

MOLLY Ich will mich hier weiß Gott über niemanden beklagen! Aber um sich zu verheiraten, hat man nun einmal in der ganzen Welt zuerst Papiere nötig. Und das ist ja unter seiner Würde, Papiere zu haben! *Da es auf dem Korridor läutet* Von früh bis spät geht es wie in einem Postbüro! *Ab nach dem Vorplatz.*

HERMANN *sich sammelnd* Wie konnte ich mich nur so verplappern!

Molly geleitet die Gräfin Werdenfels herein.

MOLLY Wenn Sie hier vielleicht auf meinen Mann warten wollen. Er muß ja wohl gleich kommen. Darf ich die Herrschaften bekannt machen?

ANNA Danke. Wir kennen uns.

MOLLY Natürlich! Dann bin ich ja überflüssig. *Ins Wohnzimmer ab.*

ANNA *läßt sich neben Hermann auf den Schreibtischsessel nieder und legt ihre Hand auf die seinige* Nun erzählen Sie mir einmal offen und ausführlich, mein lieber junger Freund, wozu Sie auf Ihrer Schulbank so viel Geld brauchen.

HERMANN Das sage ich Ihnen nicht.

ANNA Ich möchte es aber so gerne wissen!

HERMANN Das glaube ich Ihnen!

ANNA Trotzkopf!

HERMANN *entzieht ihr seine Hand* Ich lasse mich nicht so behandeln!

ANNA Wer behandelt Sie denn? Bilden Sie sich doch nichts ein! – Sehen Sie, ich teile die Menschen in zwei große Klassen. Die einen sind hopp-hopp, und die andern sind etepetete.

HERMANN Ich bin Ihrer Ansicht nach natürlich etepetete.

ANNA Wenn Sie nicht einmal sagen dürfen, wozu Sie all das viele Geld nötig haben ...

HERMANN Jedenfalls nicht, weil ich etepetete bin!

ANNA Das habe ich Ihnen doch auf den ersten Blick angesehen: Sie sind hopp-hopp!

HERMANN Das bin ich auch; sonst bliebe ich gemütlich in München.

ANNA Aber Sie wollen hinaus in die Welt!

HERMANN Und Sie möchten gerne wissen, wohin. Nach Paris – nach London.

ANNA Paris ist heutzutage doch gar nicht mehr Mode!

HERMANN Ich will auch gar nicht nach Paris.

ANNA Warum bleiben Sie denn nicht lieber hier in München? – Sie haben einen steinreichen Vater ...

HERMANN Weil man hier nichts erlebt! – Ich verkomme hier in München, besonders wenn ich noch länger auf der Schulbank sitzen muß. Ein früherer Klassenkamerad schreibt mir aus Afrika, wenn man sich in Afrika unglücklich fühle, dann fühle man sich noch zehnmal glücklicher, als wenn man sich in München glücklich fühle.

ANNA Ich will Ihnen etwas sagen: Ihr Freund ist etepetete. Gehen Sie nicht nach Afrika. Bleiben Sie lieber hier bei uns in München und erleben Sie etwas.

HERMANN Aber das ist hier doch gar nicht möglich!

Molly läßt den Kriminalkommissär Raspe eintreten. Raspe, anfangs der Zwanziger, in heller Sommertoilette und Strohhut, hat die kindlich-harmlosen Züge eines Guido Renischen Engels. Kurzes blondes Haar, keimender Schnurrbart. Wenn er sich beobachtet fühlt, klemmt er einen blauen Kneifer vor die Augen.

MOLLY Mein Mann wird gleich kommen; wenn Sie einen Augenblick warten wollen. Darf ich Sie vorstellen ...

RASPE Ich weiß wirklich nicht, gnädige Frau, ob dem Herrn Baron damit gedient wäre, daß Sie mich vorstellen.

MOLLY Na, dann nicht! – um Gotteswillen! *Ins Wohnzimmer ab.*

ANNA Ihre Vorsicht ist übrigens vollkommen überflüssig. Wir kennen uns doch.

RASPE *nimmt auf dem Diwan Platz* Hm – ich muß mich erst in meinen Erinnerungen zurechtfinden ...

ANNA Wenn Sie sich zurechtgefunden haben, dann möchte ich Sie übrigens auch darum bitten, mich nicht vorzustellen.

RASPE Wie ist es aber möglich, daß ich hier nie ein Wort über Sie gehört habe!

ANNA Das sind nur Namensunterschiede. Von Ihnen erzählte man mir, Sie hätten zwei Jahre in absoluter Einsamkeit zugebracht.

RASPE Worauf Sie natürlich nicht durchblicken ließen, daß Sie mich in meiner höchsten Glanzzeit gekannt hatten.

ANNA Wen hat man nicht alles in seiner Glanzzeit gekannt!

RASPE Sie haben ganz recht. Mitleid ist Gotteslästerung. – Was konnte ich dafür! Ich war das Opfer des wahnsinnigen Vertrauens geworden, das mir jedermann entgegenbrachte.

ANNA Jetzt sind Sie aber wieder hopp-hopp?

RASPE Jetzt verwerte ich das wahnsinnige Vertrauen, das mir jedermann entgegenbringt, zum Wohle meiner Mitmenschen. – Können Sie mir übrigens etwas Näheres über diesen Genußmenschen sagen?

ANNA Ich bedaure sehr; den hat man mir noch nicht vorgeritten.

RASPE Das wundert mich außerordentlich. Ein gewisser Herr Scholz, der sich hier in München zum Genußmenschen ausbilden will.

ANNA Und dazu macht ihn der Marquis von Keith mit einem Kriminalkommissär bekannt?

RASPE Ein ganz harmloser Mensch. Ich wußte gar nicht, was ich mit ihm anfangen sollte. Ich führte ihn zu seiner Ausbildung ins Hofbräuhaus. Das liegt hier ja gleich nebenan.

Molly öffnet die Entreetür und läßt den Konsul Casimir eintreten. Er ist ein Mann in der Mitte der Vierziger, etwas vierschrötig, in opulente Eleganz gekleidet; volles Gesicht mit üppigen schwarzen Favorits, starkem Schnurrbart, buschigen Augenbrauen, das Haar sorgfältig in der Mitte gescheitelt.

MOLLY Mein Mann ist nicht zu Hause. – *Ab*

CASIMIR *geht, ohne jemanden zu grüßen, auf Hermann zu* Da ist die Türe! – – In dieser Räuberhöhle muß ich dich aufstöbern!

HERMANN Du würdest mich hier auch nicht suchen, wenn du nicht für deine Geschäfte fürchtetest!

CASIMIR *dringt auf ihn ein* Willst du still sein! – Ich werde dir Beine machen!

HERMANN *zieht einen Taschenrevolver* Rühr mich nicht an, Papa! – Rühr mich nicht an! Ich erschieße mich, wenn du mich anrührst!

CASIMIR Das bezahlst du mir, wenn du zu Hause bist!

RASPE Wer läßt sich denn auch wie ein Stück Vieh behandeln!

CASIMIR Beschimpfen lassen soll ich mich hier noch! . . .

ANNA *tritt ihm entgegen* Bitte, mein Herr, das gibt ein Unglück. Werden Sie erst selbst ruhig. *Zu Hermann* Seien Sie vernünftig; gehen Sie mit Ihrem Vater.

HERMANN Ich habe zu Hause nichts zu suchen. Er merkt es nicht einmal, wenn ich mich sinnlos betrinke, weil ich nicht weiß, wozu ich auf der Welt bin!

ANNA Dann sagen Sie ruhig, was Sie beabsichtigen; aber drohen Sie Ihrem Vater nicht mit dem Revolver. Geben Sie mir das Ding.

HERMANN Das könnte mir einfallen!

ANNA Sie werden es nicht bereuen. Ich gebe ihn Ihnen zurück, wenn Sie ruhig sind. – Halten Sie mich für eine Lügnerin?

HERMANN *gibt ihr zögernd den Revolver.*

ANNA Jetzt bitten Sie Ihren Vater um Verzeihung. Wenn Sie einen Funken Ehre im Leibe haben, können Sie von Ihrem Vater nicht erwarten, daß er den ersten Schritt tut.

HERMANN Ich will aber nicht zugrunde gehen!

ANNA Erst bitten Sie um Verzeihung. Seien Sie fest überzeugt, daß Ihr Vater dann auch mit sich reden läßt.

HERMANN – Ich – ich – bitte dich um ... *Er sinkt in die Knie und schluchzt.*

ANNA *sucht ihn aufzurichten* Schämen Sie sich! Blicken Sie doch Ihrem Vater in die Augen!

CASIMIR Die Nerven seiner Mutter!

ANNA Beweisen Sie Ihrem Vater, daß er Vertrauen zu Ihnen haben kann. – Jetzt gehen Sie nach Hause, und wenn Sie ruhig geworden sind, dann setzen Sie Ihrem Vater Ihre Pläne und Wünsche auseinander. – *Sie geleitet ihn hinaus.*

CASIMIR *zu Raspe* Wer ist diese Dame?

RASPE Ich sehe sie heute seit zwei Jahren zum erstenmal wieder. Damals war sie Verkäuferin in einem Geschäft in der Perusastraße und hieß Huber, wenn ich mich recht erinnere. Aber wenn Sie etwas Näheres wissen wollen ...

CASIMIR Ich danke Ihnen. Gehorsamer Diener! *Ab.*

MOLLY *kommt aus dem Wohnzimmer, um das Frühstücksgeschirr hinauszutragen.*

RASPE Entschuldigen Sie, gnädige Frau; hatte der Herr Baron wirklich die Absicht, vor Tisch noch zurückzukommen?

MOLLY Ich bitte Sie um Gottes willen, fragen Sie mich nicht nach solchen Lächerlichkeiten!

ANNA *kommt vom Vorplatz zurück, zu Molly* Darf ich Ihnen nicht vielleicht etwas abnehmen?

MOLLY Sie fragen mich auch noch, ob Sie mir nicht vielleicht etwas ... *Den Präsentierteller wieder auf den Tisch setzend* Räume den Tisch ab, wer will; ich habe nicht daran gegessen! – *Ins Wohnzimmer ab.*

RASPE Das haben Sie einfach tadellos gemacht mit dem Jungen.

ANNA *setzt sich wieder zum Schreibtisch* Ich beneide ihn um die Equipage, in der ihn sein Alter nach Hause fährt.

RASPE Sagen Sie mir, was ist denn eigentlich aus diesem Grafen Werdenfels geworden, der damals vor zwei Jahren ein Champagnergelage nach dem andern gab?

ANNA Ich trage seinen Namen.

RASPE Das hätte ich mir doch denken können! – Wollen Sie dem Herrn Grafen, bitte, meinen aufrichtigsten Glückwunsch zu seiner Wahl aussprechen?

ANNA Das ist mir nicht mehr möglich.

RASPE Sie leben selbstverständlich getrennt?

ANNA Selbstverständlich, ja. *Da Stimmen auf dem Korridor laut werden* Ich erzähle Ihnen das ein anderes Mal.

v. Keith tritt ein mit den Herren Ostermeier, Krenzl und Grandauer, alle drei mehr oder weniger schmerbäuchige triefäugige Münchner Pfahlbürger. Ihnen folgt Sascha.

V. KEITH Das trifft sich ausgezeichnet, daß ich Sie gleich mit einer unserer ersten Künstlerinnen bekannt machen kann. – Sascha, trag den Kram hinaus!

SASCHA *mit dem Frühstücksgeschirr ins Wohnzimmer ab.*

V. KEITH *vorstellend* Herr Bierbrauereibesitzer Ostermeier, Herr Baumeister Krenzl, Herr Restaurateur Grandauer, die Karyatiden des Feenpalastes – Frau Gräfin Werdenfels. Aber Ihre Zeit ist gemessen, meine Herren; Sie wollen die Pläne sehen. *Nimmt die Pläne vom Schreibtisch und entrollt sie auf dem Mitteltisch.*

OSTERMEIER Lassen's Ihnen Zeit, verehrter Freund. Auf fünf Minuten kommt es nicht an.

V. KEITH *zu Grandauer* Wollen Sie bitte halten. – Was Sie hier sehen, ist der große Konzertsaal mit entfernbarem Plafond und Oberlicht, so daß er im Sommer als Ausstellungspalast dienen kann. Daneben ein kleinerer Bühnensaal, den ich durch die allermodernste Kunstgattung populär machen werde, wissen Sie, was so halb Tanzboden und halb Totenkammer ist. Das Allermodernste ist immer die billigste und wirksamste Reklame.

OSTERMEIER Hm – haben S' auch auf die Toiletten nicht vergessen?

V. KEITH Hier sehen Sie die Garderoben- und Toilettenverhältnisse in durchgreifendster Weise gelöst. – Hier, Herr Baumeister, der Frontaufriß: Auffahrt, Giebelfeld und Karyatiden.

KRENZL I mecht denn aber fein net mit von dena Karyatiden sein!

V. KEITH Das ist doch ein Scherz von mir, mein verehrter Herr!

KRENZL Was saget denn mei Alte, wann i mi da heroben wollt als Karyatiden aushauen lassen, nachher noch gar an eim Feenpalast!

GRANDAUER Wissens, mir als Restaratär is halt d' Hauptsach bei dera G'schicht, daß i Platz hab.

v. KEITH Für die Restaurationslokalitäten, mein lieber Herr Grandauer, ist das ganze Erdgeschoß vorgesehen.

GRANDAUER Zum Essen und Trinken megen d' Leit halt net so eingepfercht sein als wie beim Kunstgenuß.

v. KEITH Für den Nachmittagskaffee, lieber Herr Grandauer, haben Sie hier eine Terrasse im ersten Stock mit großartiger Aussicht auf die Isaranlagen.

OSTERMEIER I mecht Sie halt nur noch bitten, verehrter Freund, daß Sic uns Ihre Eröffnungsbilanz sehen lassen.

v. KEITH *ein Schriftstück produzierend* Viertausend Anteilscheine à fünftausend, macht rund zwanzig Millionen Mark. – Ich gehe von der Bedingung aus, meine Herren, daß jeder von uns vierzig Vorzugsaktien zeichnet und schlankweg einzahlt. Die Rentabilitätsberechnung, sehen Sie, ist ganz außergewöhnlich niedrig gestellt.

KRENZL Es fragt sich jetzt halt nur noch, ob der Magistrat die Bedürfnisfrag bejaht.

v. KEITH Deshalb wollen wir außer den Aktien eine Anzahl Genußscheine ausgeben und der Stadt einen Teil davon zu wohltätigen Zwecken zur Verfügung stellen. – Für die Vorstandsmitglieder sind zehn Prozent Tantiemen vom Reingewinn vor Abzug der Abschreibungen und Reserven vorgesehen.

OSTERMEIER Alles was recht ist. Mehr kann man nicht verlangen.

v. KEITH Den Börsenmarkt muß man etwas bearbeiten. Ich fahre deshalb morgen nach Paris. Heute in vierzehn Tagen findet unsere Gründungsfeier in meiner Villa an der Brienner Straße statt.

ANNA *zuckt zusammen.*

OSTERMEIER Wann S' bis zu dera Gründungsfeier halt nur auch den Konsul Casimir dazu brächten, daß er mitmacht!

KRENZL Das wär halt g'scheit. Wann mir den Konsul Casimir haben, nachher sagt der Magistrat eh' zu allem ja.

v. KEITH Ich hoffe, meine Herren, wir werden schon vor dem Fest eine Generalversammlung einberufen können. Da werden Sie sehen, ob ich Ihre Anregungen in bezug auf den Konsul Casimir zu berücksichtigen weiß.

OSTERMEIER *schüttelt ihm die Hand* Dann wünsche ich vergnügte Reise, verehrter Freund. Lassen Sie uns aus Paris etwas hören. *Sich gegen Anna verbeugend* Habe die Ehre, mich zu empfehlen; mein Kompliment.

GRANDAUER Ich empfehle mich; habe die Ehre, guten Nachmittag zu wünschen.

KRENZL Meine Hochachtung. Servus!

v. KEITH *geleitet die Herren hinaus.*

ANNA *nachdem er zurückgekommen* Was in aller Welt fällt dir denn ein, deine Gründungsfeier in meinem Haus zu veranstalten?!

v. KEITH Ich werde dir in Paris eine Konzerttoilette anfertigen lassen, in der du zum Singen keine Stimme mehr nötig hast. – *Zu Raspe* Von Ihnen, Herr Kriminalkommissär, erwarte ich, daß Sie an unserer Gründungsfeier die Gattinnen der drei Karyatiden mit dem ganzen Liebreiz Ihrer Persönlichkeit bezaubern.

RASPE Die Damen werden sich nicht über mich zu beklagen haben.

v. KEITH *ihm Geld gebend* Hier haben Sie dreihundert Mark. Ein Feuerwerk bringe ich aus Paris mit, wie es die Stadt München noch nicht gesehen hat.

RASPE *das Geld einsteckend* Das hat er von dem Genußmenschen bekommen.

v. KEITH *zu Anna* Ich verwerte jeden Sterblichen seinen Talenten entsprechend und muß meinen näheren Bekannten Herrn Kriminalkommissär Raspe gegenüber etwas Vorsicht anempfehlen.

RASPE Wenn man, wie Sie, wie vom Galgen geschnitten aussieht, dann ist es keine Kunst, ehrlich durchs Leben zu kommen. Ich wollte sehen, wo Sie mit meinem Engelsgesicht heute steckten!

v. KEITH Ich hätte mit Ihrem Gesicht eine Prinzessin geheiratet.

ANNA *zu Raspe* Wenn mir recht ist, lernte ich Sie doch seinerzeit unter einem französischen Namen kennen.

RASPE Französische Namen führe ich nicht mehr, seitdem ich ein nützliches Mitglied der menschlichen Gesellschaft geworden bin. – Erlauben Sie, daß ich mich Ihnen empfehle. *Ab.*

ANNA Ich bin aber doch mit meiner Bedienung nicht darauf eingerichtet, große Soupers zu geben!

V. KEITH *ruft* Sascha!

SASCHA *kommt aus dem Wartezimmer* Herr Baron?

V. KEITH Willst du an dem Gartenfest bei meiner Freundin bedienen helfen?

SASCHA Dös is mir a Freud, Herr Baron. *Ab.*

V. KEITH Darf ich dir heute meinen ältesten Jugendfreund, den Grafen Trautenau, vorstellen?

ANNA Ich habe mit Grafen kein Glück.

V. KEITH Das macht nichts. Ich bitte dich nur darum, meine Familienverhältnisse nicht mit ihm zu erörtern. Er ist nämlich wirklich Moralist, von Natur und aus Überzeugung. Er hat mich meiner Häuslichkeit wegen heute schon ins Gebet genommen.

ANNA Allmächtiger Gott, der will sich doch nicht etwa zum Genußmenschen ausbilden?!

V. KEITH Das ist Selbstironie! Er lebt, seit ich ihn kenne, in nichts als Aufopferung, ohne zu merken, daß er zwei Seelen in seiner Brust hat.

ANNA Auch das noch! Ich finde, man hat an einer schon zuviel. – Aber heißt der nicht Scholz?

V. KEITH Seine eine Seele heißt Ernst Scholz und seine andere Graf Trautenau.

ANNA Dann bedanke ich mich! Ich will nichts mit Menschen zu tun haben, die mit sich selber nicht im reinen sind!

V. KEITH Er ist ein Ausbund von Reinheit. Die Welt hat ihm keinerlei Genuß mehr zu bieten, wenn er nicht wieder von unten anfängt.

ANNA Der Mensch soll doch lieber noch eine Treppe höher steigen!

V. KEITH Was erregt dich denn so?

ANNA Daß du mich mit diesem fürchterlichen Ungeheuer verkuppeln willst!

V. KEITH Er ist lammfromm.

ANNA Ich danke schön! Ich werde doch das verkörperte Unglück nicht in meinem Boudoir empfangen!

V. KEITH Du verstehst mich wohl nicht recht. Ich kann sein Vertrauen augenblicklich nicht entbehren und will mich deshalb seiner Mißbilligung nicht aussetzen. Wenn er dich nicht kennenlernt, um so besser für mich, dann habe ich keine Vorwürfe von ihm zu fürchten.

ANNA Wer will bei dir wissen, wo die Berechnung aufhört!

V. KEITH Was dachtest du dir denn?

ANNA Ich glaubte, du wolltest mich bei deinem Freund als Dirne verwerten.

V. KEITH Das traust du mir zu?!

ANNA Du sagtest vor einer Minute noch, daß du jeden Sterblichen nach seinen Talenten verwertest. Und daß ich Talent zur Dirne habe, das wird doch wohl niemand in Zweifel ziehen.

V. KEITH *Anna in die Arme schließend* Anna – ich fahre morgen nach Paris, nicht um den Börsenmarkt zu bearbeiten oder um Feuerwerk einzukaufen, sondern weil ich frische Luft atmen muß, weil ich mir die Arme ausrecken muß, wenn ich meine überlegene Haltung hier in München nicht verlieren will. Würde ich dich, Anna, mit nach Paris nehmen, wenn du mir nicht mein Alles wärst?! – – Weißt du, Anna, daß keine Nacht vergeht, ohne daß ich dich im Traum mit einem Diadem im Haar vor mir sehe? Wenn es darauf ankommt, für dich einen Stern vom Firmament zu holen, ich schrecke davor nicht zurück, ich finde Mittel und Wege.

ANNA Verwerte mich doch als Dirne! – Du wirst ja sehen, ob ich dir etwas einbringe!

V. KEITH Dabei habe ich in diesem Augenblick keinen anderen Gedanken in meinem Kopf als die Konzerttoilette, die ich dir bei Saint-Hilaire anfertigen lassen werde ...

SASCHA *kommt vom Vorplatz herein* Ein Herr Sommersberg möcht' um die Ehr' bitten.

V. KEITH Laß ihn eintreten. *Zu Anna, die Toilette markierend* Eine Silberflut von hellvioletter Seide und Pailletten von den Schultern bis auf die Knöchel, so eng geschnürt und vorn und hinten so tief ausgeschnitten, daß das Kleid nur wie ein glitzerndes Geschmeide auf deinem schlanken Körper erscheint!

SOMMERSBERG *ist eingetreten, Ende der Dreißiger, tiefgefurchtes Antlitz, Haar und Bart graumeliert und ungekämmt. Ein dicker Winterüberrock verdeckt seine ärmliche Kleidung, zerrissene Glacéhandschuhe.*

SOMMERSBERG Ich bin der Verfasser der »Lieder eines Glücklichen«. Ich sehe nicht danach aus.

V. KEITH So habe ich auch schon ausgesehen!

SOMMERSBERG Ich hätte auch den Mut nicht gefunden, mich an Sie zu wenden, wenn ich nicht tatsächlich seit zwei Tagen beinah nichts gegessen hätte.

V. KEITH Das ist mir hundertmal passiert. Wie kann ich Ihnen helfen?

SOMMERSBERG Mit einer Kleinigkeit – für ein Mittagbrot ...

V. KEITH Zu etwas Besserem tauge ich Ihnen nicht?

SOMMERSBERG Ich bin Invalide.

V. KEITH Sie haben aber das halbe Leben noch vor sich!

SOMMERSBERG Ich habe mein Leben daran vergeudet, den hohen Erwartungen, die man in mich setzte, gerecht zu werden.

V. KEITH Vielleicht finden Sie doch noch eine Strömung, die Sie aufs offene Meer hinausträgt. – Oder zittern Sie um Ihr Leben?

SOMMERSBERG Ich kann nicht schwimmen; und hier in München erträgt sich die Resignation nicht schwer.

V. KEITH Kommen Sie doch heute in vierzehn Tagen zu unserer Gründungsfeier in der Brienner Straße. Da können sich Ihnen die nützlichsten Beziehungen erschließen. *Gibt ihm Geld.* Hier haben Sie hundert Mark. Behalten Sie so viel von dem Geld übrig, daß Sie sich für den Abend einen Gesellschaftsanzug leihen können.

SOMMERSBERG *zögernd das Geld nehmend* Ich habe das Gefühl, als betrüge ich Sie ...

V. KEITH Betrügen Sie sich selbst nicht! Dadurch tun Sie schon ein gutes Werk an dem nächsten armen Teufel, der zu mir kommt.

SOMMERSBERG Ich danke Ihnen, Herr Baron. *Ab.*

V. KEITH Bitte, gar keine Ursache! *Nachdem er die Tür hinter ihm geschlossen, Anna in die Arme schließend* Und jetzt, meine Königin, fahren wir nach Paris!

DRITTER AUFZUG

Man sieht einen mit elektrischen Lampen erleuchteten Gartensaal, von dem aus eine breite Glastür in der rechten Seitenwand in den Garten hinausführt. Die Mitteltür in der Hinterwand führt ins Speisezimmer, in dem getafelt wird. Beim Öffnen der Tür erblickt man das obere Ende der Tafel. In der linken Seitenwand eine Tür mit Portiere zum Spielzimmer, durch das man ebenfalls in den Speisesaal gelangt. Neben derselben ein Pianino. Rechts vorn ein Damenschreibtisch, links vorn eine Causeuse, Sessel, Tischchen u. a. In der Ecke rechts hinten führt eine Tür zum Vorplatz.

Im Speisezimmer wird ein Toast ausgebracht. Während die Gläser erklingen, kommen Sommersberg, in dürftiger Eleganz, und v. Keith, im Gesellschaftsanzug, durch die Mitte in den Salon.

v. KEITH *die Tür hinter sich schließend* Sie haben das Telegramm aufgesetzt?

SOMMERSBERG *ein Papier in der Hand, liest* »Die Gründung der Münchner Feenpalast-Gesellschaft versammelte gestern die Notabilitäten der fröhlichen Isarstadt zu einer äußerst animierten Gartenfeier in der Villa des Marquis von Keith in der Brienner Straße. Bis nach Mitternacht entzückte ein großartiges Feuerwerk die Bewohner der anliegenden Straßen. Wünschen wir dem unter so günstigen Auspizien begonnenen Unternehmen…«

v. KEITH Ausgezeichnet! – Wen schicke ich denn damit aufs Telegraphenamt . . .?

SOMMERSBERG Lassen Sie mich das besorgen. Auf all den Sekt hin tut es mir gut, etwas frische Luft zu schöpfen.

Sommersberg nach dem Vorplatz ab; im gleichen Moment kommt Ernst Scholz herein; er ist in Gesellschaftstoilette und Paletot.

v. KEITH Du läßt lange auf dich warten!

SCHOLZ Ich komme auch nur, um dir zu sagen, daß ich nicht hier bleibe.

v. KEITH Dann macht man sich über mich lustig! Der alte Casimir läßt mich schon im Stich; aber der schickt doch wenigstens ein Glückwunschtelegramm.

SCHOLZ Ich gehöre nicht unter Menschen! Du beklagst dich, du stehest außerhalb der Gesellschaft; ich stehe außerhalb der Menschheit!

v. KEITH Genießt du denn jetzt nicht alles, was sich ein Mensch nur erträumen kann?!

SCHOLZ Was genieße ich denn! Der Freudentaumel, in dem ich schwelge, läßt mich zwischen mir und einem Barbiergesellen keinen Unterschied mehr erkennen. Allerdings habe ich für Rubens und Richard Wagner schwärmen gelernt. Das Unglück, das früher mein Mitleid erregte, ist mir durch seine Häßlichkeit schon beinahe unausstehlich. Um so andächtiger bewundere ich dafür die Kunstleistungen von Tänzerinnen und Akrobatinnen. – Wäre ich bei alledem aber nur um einen Schritt weiter! Meines Geldes wegen läßt man mich allenfalls für einen Menschen gelten. Sobald ich es sein möchte, stoße ich mit meiner Stirn gegen unsichtbare Mauern an!

v. KEITH Wenn du die Glückspilze beneidest, die aufwachsen, wo gerade Platz ist, und weggeblasen werden, sobald sich der Wind dreht, dann suche kein Mitleid bei mir! Die Welt ist eine verdammt schlaue Bestie, und es ist nicht leicht, sie unterzukriegen. Ist dir das aber einmal gelungen, dann bist du gegen jedes Unglück gefeit.

SCHOLZ Wenn dir solche Phrasen zur Genugtuung gereichen, dann habe ich auch in der Tat nichts bei dir zu suchen. *Will sich entfernen.*

v. KEITH *hält ihn auf* Das sind keine Phrasen! Mir kann heute kein Unglück mehr etwas anhaben. Dazu kennen wir uns zu gut, ich und das Unglück. Ein Unglück ist für mich eine günstige Gelegenheit wie jede andere. Unglück kann jeder Esel haben; die Kunst besteht darin, daß man es richtig auszubeuten versteht!

SCHOLZ Du hängst an der Welt wie eine Dirne an ihrem Zuhälter. Dir ist es unverständlich, daß man sich zum Ekel wird wie ein Aas, wenn man nur um seiner selbst willen existiert.

v. KEITH Dann sei doch in des Dreiteufels Namen mit deiner himmlischen Laufbahn zufrieden! Hast du erst einmal dieses Fegefeuer irdischer Laster und Freuden hinter dir, dann blickst du auf mich elenden armseligen Sünder wie ein Kirchenvater herab!

SCHOLZ Wäre ich nur erst im Besitz meiner angeborenen Menschenrechte! Lieber mich wie ein wildes Tier in die Einöden verkriechen als Schritt für Schritt meiner Existenz wegen um Verzeihung bitten müssen! – – Ich kann nicht hierbleiben. – Ich begegnete gestern der Gräfin Werdenfels. – Wodurch ich sie gekränkt habe, das ist mir einfach unverständlich. Vermutlich verfiel ich unwillkürlich in einen Ton, wie ich ihn mir im Verkehr mit unserer Simba angewöhnt habe.

V. KEITH Ich habe von Frauen schon mehr Ohrfeigen bekommen, als ich Haare auf dem Kopfe habe! Hinter meinem Rücken hat sich aber deswegen noch keine über mich lustig gemacht!

SCHOLZ Ich bin ein Mensch ohne Erziehung! – und das gegenüber einer Frau, der ich die allergrößte Ehrerbietung entgegenbringe!

V. KEITH Wem wie dir von Jugend auf jeder Schritt zu einem seelischen Konflikt auswächst, der beherrscht seine Zeit und regiert die Welt, wenn wir andern längst von den Würmern gefressen sind!

SCHOLZ Und dann die kleine Simba, die heute abend hier bei dir als Aufwärterin figuriert! – Solch einer heiklen Situation wäre der gewandteste Diplomat nicht gewachsen!

V. KEITH Simba kennt dich nicht!

SCHOLZ Ich fürchte nicht, daß mir Simba zu nahetritt; ich fürchte Simba zu kränken, wenn ich sie hier ohne die geringste Veranlassung übersehe.

V. KEITH Wie solltest du denn Simba damit kränken! Simba versteht sich hundertmal besser auf Standesunterschiede als du.

SCHOLZ Auf Standesunterschiede habe ich mich gründlich verstehen gelernt! Das sind weiß Gott diejenigen Fesseln, in denen sich der Mensch am allereindringlichsten seiner vollkommenen Ohnmacht bewußt wird!

V. KEITH Glaubst du vielleicht, ich habe mit keinerlei Ohnmacht zu kämpfen?! Ob mein Benehmen so korrekt wie der Lauf der Planeten ist, ob ich mich in die ausgesuchteste Eleganz kleide, das ändert diese Plebejerhand so wenig, wie es aus einem Dummkopf je eine Kapazität macht! Bei meinen Geistesgaben hätte ich mich ohne diese Hände auch längst eines besseren Rufes in der Gesellschaft zu erfreuen. – Komm, es ist sicherer, wenn du deinen Paletot im Nebenzimmer ablegst!

SCHOLZ Erlaß es mir! Ich kann heute kein ruhiges Wort mit der Gräfin sprechen.

V. KEITH Dann halte dich an die beiden geschiedenen Frauen; die laborieren in ähnlichen Konflikten wie du.

SCHOLZ Gleich zwei auf einmal?!

V. KEITH Keine über fünfundzwanzig, vollendete Schönheiten, uralter nordischer Adel, und so hypermodern in ihren Grundsätzen, daß ich mir wie ein altes Radschloßgewehr erscheine.

SCHOLZ Ich glaube, mir fehlt auch nicht mehr viel zu einem modernen Menschen. *Scholz geht ins Spielzimmer ab; v. Keith will ihm folgen, doch kommt im selben Moment Saranieff vom Vorplatz herein.*

SARANIEFF Sagen Sie, kriegt man noch was zu essen?

V. KEITH Lassen Sie bitte Ihren Havelock draußen! – Ich habe noch den ganzen Tag nichts gegessen.

SARANIEFF Hier nimmt man's doch nicht so genau. Ich muß Sie nur vorher etwas Wichtiges fragen. *Saranieff hängt Hut und Havelock im Vorplatz auf; derweil kommt Sascha in Frack und Atlas-Kniehosen mit einem gefüllten Champagnerkühler aus dem Spielzimmer und will in den Speisesaal.*

V. KEITH Wenn du nachher das Feuerwerk abbrennst, Sascha, dann nimm dich ja vor dem großen Mörser in acht! Der ist mit der ganzen Hölle geladen!

SASCHA I hab koa Angst net, Herr Baron! *In den Speisesaal ab, die Tür hinter sich schließend.*

SARANIEFF *kommt vom Vorplatz zurück* Haben Sie Geld?

V. KEITH Sie haben doch eben erst ein Bild verkauft! Wozu schicke ich Ihnen denn meinen Jugendfreund!

SARANIEFF Was soll ich denn mit der ausgepreßten Zitrone? Sie haben ihn ja schon bis aufs Hemd ausgeraubt. Er muß drei Tage warten, bis er mir einen Pfennig bezahlen kann.

V. KEITH *gibt ihm einen Schein* Da haben Sie tausend Mark.

SIMBA *ein echtes Münchner Mädel, mit frischen Farben, leichtem Schritt, üppigem rotem Haar, in geschmackvollem schwarzem Kleid mit weißer Latzschürze, kommt mit einem Tablett voll halbleerer Weingläser aus dem Speisesaal.*

SIMBA Der Herr Kommerzienrat möchten noch an Spruch auf den Herrn Baron ausbringen.

V. KEITH *nimmt ihr eines der Gläser ab und tritt inmitten der offenen Tür an die Tafel. Simba ins Spielzimmer ab.*

V. KEITH Meine Damen und Herren! Die Feier des heutigen Abends bedeutet für München den Beginn einer alles Vergangene überstrahlenden Ära. Wir schaffen eine Kunststätte, in der alle Kunstgattungen der Welt ihr gastliches Heim finden sollen. Wenn unser Unternehmen allgemeine Überraschung hervorgerufen, so seien Sie der Tatsache eingedenk, daß stets nur das wahrhaft Überraschende von großen Erfolgen gekrönt war. Ich leere mein Glas zu Ehren des Lebenselementes, das München zur Kunststadt weiht, zu Ehren des Münchner Bürgertums und seiner schönen Frauen.

Während noch die Gläser erklingen, kommt Sascha aus dem Speisesaal, schließt die Tür hinter sich und geht ins Spielzimmer ab. – Simba kommt mit einer Käseglocke aus dem Spielzimmer und will in den Speisesaal.

SARANIEFF *sie aufhaltend* Simba! Bist du denn mit Blindheit geschlagen?! Bemerkst du denn nicht, Simba, daß dein Genußmensch auf dem besten Wege ist, dir aus dem Garn zu gehen und sich von dieser Gräfin aus der Perusastraße einfangen zu lassen?!

SIMBA Was bleibst denn da heraußen? – Geh her, setz dich mit an den Tisch!

SARANIEFF Ich werde mich unter die Karyatiden setzen! – Simba! Willst du denn das ganze schöne Geld, das dein Genußmensch in der Tasche hat, diesem wahnsinnigen Marquis von Keith in den Rachen jagen?!

SIMBA Geh, laß mi aus! I muaß servieren.

SARANIEFF Die Karyatiden brauchen keinen Käse mehr. Die sollen sich endlich den Mund wischen! *Setzt die Käseglocke auf den Tisch und nimmt Simba auf die Knie* Simba! Hast du denn gar kein Herz mehr für mich?! Soll ich mir von dem Marquis die Zwanzigmarkstücke unter Heulen und Zähneklappern erbetteln, während du die Tausendmarkscheine frisch aus der Quelle schöpfen kannst?!

SIMBA I dank schön! Es hat mi fein noch koa Mensch auf dera Welt äso sekiert as wie der Genußmensch mit seim Mitg'fühl, seim damischen! Mir will der Mensch einreden, daß ich a Märtyrerin der Zivilisation bin! Hast schon so was g'hört?! Ich und a Märtyrerin der Zivilisation! Ich hab ihm g'sagt: Sag du das dena Damen in der G'sellschaft, hab i g'sagt. Die freut's, wann's heißt, sie san Märtyrerinnen der Zivilisation, weil's sunst eh nix san! Wann ich an Schampus trink und mich amüsier, soviel ich Lust hab, nachher bin ich a Märtyrerin der Zivilisation!

SARANIEFF Simba! Wenn ich ein Weib von deinen Qualitäten wäre, der Genußmensch müßte mir jeden feuchten Blick mit einer Ahnenburg aufwiegen!

SIMBA Akkurat a solche Sprüch macht er a! Warum as er a Mann ist, fragt er mi. Als gäb's net schon G'spenster gnua auf dera Welt! Frag i denn an Menschen, warum daß ich a Madel bin?!

SARANIEFF Du fragst auch nichts danach, uns wegen deiner verwünschten Vorurteile fünfzig Millionen aus dem Netz gehen zu lassen!

SIMBA Mei, die traurigen Millionen! An oanzigs Mal, seit ich den Genußmenschen kenn, hab ich ihn lachen g'sehn. I hab ihm doch g'sagt, dem Genußmenschen, daß er muaß radfahren lernen. Nachher hat er's g'lernt. Mir also radeln nach Schleißheim, und wie mir im Wald san, bricht a G'witter los, daß i moan, d'Welt geht unter. Da zum erstenmal, seit ich ihn kenn, fangt er z' lachen an. Mei, wie der g'lacht hat! Na, sag i, jetzt bist der rechte Genußmensch! Bei jedem Blitzschlag hat er g'lacht. Je mehr als blitzt und donnert hat, je narrischer lacht der! – Geh, stell dich doch net unter den Baum, sag i, da derschlagt di ja der Blitz! – Mi derschlagt koa Blitz net, sagt er, und lacht und lacht!

SARANIEFF Simba! Simba! Du hättest unmittelbare Reichsgräfin werden können!

SIMBA I dank schön! Sozialdemokratin hätt i können werden! Weltverbesserung, Menschheitsbeglückung, das san so dem seine Spezialitäten. Noa, woaßt, ich bin fei net für die Sozialdemokraten. Die san mir z' moralisch! Wann die amal z' regieren anfangen, nachher da is aus mit die Champagnersoupers. – Sag du, hast mein Schatz net g'sehn?

SARANIEFF Ob ich deinen Schatz nicht gesehen habe? Dein Schatz bin doch ich!

SIMBA Da könnt a jeder kommen! – Woaßt, i muaß fein Obacht geben, daß er koan Schwips kriagt, sunst engagiert ihn der Marquis net für den neuen Feenpalast.

Sommersberg kommt zum Vorplatz herein.

SIMBA Da ist er ja! Wo steckst denn du die ganze Ewigkeit?

SOMMERSBERG Ich habe ein Telegramm an die Zeitungen abgeschickt.

SARANIEFF Die Gräber tun sich auf! Sommersberg! Und Sie schämen sich nicht, von den Toten aufzuerstehen, um Sekretär dieses Feenpalastes zu werden?!

SOMMERSBERG *auf Simba deutend* Dieser Engel hat mich der Welt zurückgegeben.

SIMBA Geh, sei stad, Schatzerl! – Kommt er und fragt mi, wo mer a Geld kriagt. – Geh halt zum Marquis von Keith, sag i; wann der koans hat, nachher findst in der ganzen Münchner Stadt koan Pfennig net.

RASPE *in elegantester Gesellschaftstoilette, eine kleine Kette mit Orden auf der Brust, kommt aus dem Spielzimmer* Simba, das ist einfach skandalös, daß du die ganze Feenpalastgesellschaft auf Käse warten läßt!

SIMBA *ergreift die Käseglocke* Jesus Maria – i komm schon!

SARANIEFF Bleiben Sie doch bei Ihren alten Schrauben, für die Sie engagiert sind!

SIMBA *Raspes Arm nehmend* Laß mir du das Buberl in Ruh'! – Ihr beid' wärt's froh: wann's mitsamt aso guat g'stellt wart as wie der!

SARANIEFF Simba – du bist eine geborene Dirne!

SIMBA Was bin i?

SARANIEFF Du bist eine geborene Dirne!

SIMBA Sagst das noch amal?

SARANIEFF Du bist eine geborene Dirne!

SIMBA Nein, ich bin keine geborene Dirne. Ich bin eine geborene Käsbohrer. *Mit Raspe ins Spielzimmer ab.*

SOMMERSBERG Ich diktiere ihr ja selbst ihre Liebesbriefe.

SARANIEFF Dann habe ich mich also bei Ihnen für meine zertrümmerten Luftschlösser zu bedanken!

SASCHA *kommt mit einer brennenden Laterne aus dem Spielzimmer.*

SARANIEFF Donnerwetter, bist du geschniegelt! Du willst hier wohl auch eine Gräfin heiraten?

SASCHA Jetzt geh i das Feuerwerk im Garten abbrennen. Wann i den großen Mörser anzünd', na werden's aber schaun! Der Herr Marquis sagt, der is mit der ganzen Höll' g'laden. – *Ab in den Garten.*

SARANIEFF Sein Herr fürchtet, er könnte mit in die Luft fliegen, wenn er seinen Mörser mit dem Feuerwerk drinnen selbst abbrennt! – Das Glück weiß sehr wohl, warum es den nicht aufsitzen läßt! – Sobald er im Sattel sitzt, hetzt er das Tier zuschanden, daß ihm keine Faser mehr auf den Rippen bleibt! – *Da sich die Mitteltür öffnet und die Gäste den Speisesaal verlassen* Kommen Sie, Sommersberg! Jetzt lassen wir uns von unserer Simba ein lukullisches Mahl auftischen!

Die Gäste strömen in den Salon; voran Raspe zwischen Frau Kommerzienrat Ostermeier und Frau Krenzl; dann v. Keith mit Ostermeier, Krenzl und Grandauer; dann Zamrjaki mit Freifrau v. Rosenkron und Freifrau v. Totleben, zuletzt Scholz und Anna. – Saranieff und Sommersberg nehmen an der Tafel im Speisesaal Platz.

RASPE Darf ich die fürstlichen Hoheiten zu einer Tasse köstlichen Mokkas geleiten?

FRAU OSTERMEIER Nein, a so an liebenswürdigen Kavalier wie Ihnen find't man in ganz Süddeutschland net!

FRAU KRENZL An Ihnen könnten sich fein unsere hochadeligen Herren von der königlichen Equitation a Muster nehmen!

RASPE Ich gebe jeden Augenblick mein Ehrenwort darauf, daß dies der seligste Moment meines Lebens ist. –

Mit den beiden Damen ins Spielzimmer ab.

OSTERMEIER *zu v. Keith* 's ist immerhin schön vom alten Casimir, wissen S', daß er a Glückwunschtelegramm g'schickt hat. Aber schaun S', verehrter Freund, der alte Casimir, das is halt an vorsichtiger Mann!

v. KEITH Macht nichts! Macht nichts! Bei der ersten Generalversammlung haben wir den alten Casimir in unserer Mitte. – Wollen die Herren eine Tasse Kaffee trinken?

Ostermeier, Krenzl und Grandauer ins Spielzimmer ab.

FREIFRAU V. ROSENKRON *zu v. Keith, der den Herren folgen will* Versprechen Sie mir, Marquis, daß Sie mich für den Feenpalast zur Tänzerin ausbilden lassen!

FREIFRAU V. TOTLEBEN Und daß Sie mich zur Kunstreiterin ausbilden lassen!

v. KEITH Ich schwöre Ihnen, meine Göttinnen, daß wir ohne Sie den Feenpalast nicht eröffnen werden! – Was ist denn mit Ihnen, Zamrjaki? Sie sind ja totenbleich . . .

ZAMRJAKI *ein schmächtiger, kleiner Konservatorist mit gescheitelten, langen, schwarzen Locken; spricht mit polnischen Akzent* Arbeite ich Tag und Nacht an Symphonie meiniges. – *v. Keith beiseite nehmend* Erlauben, Herr Marquis, daß ich bitte, möchten geben Vorschuß zwanzig Mark auf Gage von Kapellmeister von Feenpalastorchester.

v. KEITH Mit dem allergrößten Vergnügen. *Gibt ihm Geld* Können Sie uns aus Ihrer neuen Symphonie nächstens nicht etwas in einem meiner Feenpalastkonzerte vorspielen?

ZAMRJAKI Werde ich spielen Scherzo. Scherzo wird haben großen Erfolg.

FREIFRAU V. ROSENKRON *an der Glastür zum Garten* Nein, dieses Lichtermeer! Martha, sieh nur! – Kommen Sie, Zamrjaki, begleiten Sie uns in den Garten!

ZAMRJAKI Komm ich schon, Damen! Komm ich schon. *Mit Freifrau v. Rosenkron und Freifrau v. Totleben in den Garten ab.*

v. KEITH *ihnen folgend* Tod und Teufel, Kinder, bleibt von dem großen Mörser weg! Der ist mit meinen prachtvollsten Raketen geladen! *In den Garten ab. Simba schließt vom Speisesaal aus die Mitteltür. – Anna und Scholz bleiben allein im Salon.*

ANNA Ich wüßte nichts in der Welt, was ich Ihnen jemals hätte übelnehmen können. Sollte Ihnen die Taktlosigkeit, von der Sie sprechen, nicht vielleicht mit irgendeiner anderen Dame begegnet sein?

SCHOLZ Das ist völlig ausgeschlossen. Aber sehen Sie, ich bin ja so glücklich wie ein Mensch, der von frühester Kindheit auf im Kerker gelegen hat und der nun zum erstenmal in seinem Leben freie Luft atmet. Deshalb mißtraue ich mir auch noch bei jedem Schritt, den ich wage; so ängstlich zittre ich um mein Glück.

ANNA Ich kann es mir sehr verlockend vorstellen, sein Leben im Dunkeln und mit geschlossenen Augen zu genießen!

SCHOLZ Sehen Sie, Frau Gräfin, wenn es mir gelingt, mein Dasein für irgendeine gemeinnützige Bestrebung einzusetzen, dann werde ich meinem Schöpfer nicht genug dafür danken können.

ANNA Ich glaubte, Sie wollten sich hier in München zum Genußmenschen ausbilden?

SCHOLZ Meine Ausbildung zum Genußmenschen ist für mich nur Mittel zum Zweck. Ich gebe Ihnen meine heiligste Versicherung darauf! Halten Sie mich deswegen nicht etwa für einen Heuchler! – Ach, es gibt ja noch so viel Gutes zu erkämpfen in dieser Welt! Ich finde schon meinen Platz. Je dichter es Schläge regnet, um so teurer wird mir meine Haut sein, die mir bis jetzt so unsagbar lästig war. Und der einen Tatsache bin ich mir vollkommen sicher: Sollte es mir jemals gelingen, mich um meine Mitmenschen verdient zu machen, mir werde ich das nie und nimmer zum Verdienst anrechnen! Führe mein Weg mich aufwärts oder führe er mich abwärts, ich gehorche nur dem grausamen unerbittlichen Selbsterhaltungstrieb!

ANNA Vielleicht erging es allen berühmten Menschen so, daß sie nur deshalb berühmte Menschen wurden, weil ihnen der Verkehr mit uns gewöhnlicher Dutzendware auf die Nerven fiel!

SCHOLZ Sie mißverstehen mich noch immer, Frau Gräfin. – Sobald ich meinen Wirkungskreis gefunden habe, werde ich der bescheidenste, dankbarste Gesellschafter sein. Ich habe hier in München schon damit angefangen, radzufahren. Mir war dabei zumute, als hätte ich die Welt seit meinen frühesten Kindertagen nicht mehr gesehen. Jeder Baum, jedes Wasser, die Berge, der Himmel, alles wie eine große Offenbarung, die ich in einem andern Leben einmal vorausgeahnt hatte. – Darf ich Sie vielleicht einmal zu einer Radpartie abholen?

ANNA Paßt es Ihnen morgen früh um sieben Uhr? Oder sind Sie vielleicht kein Freund vom frühen Aufstehen?

SCHOLZ Morgen früh um sieben! Ich sehe mein Leben wie eine endlose Frühlingslandschaft vor mir ausgebreitet!

ANNA Daß Sie mich aber nicht umsonst warten lassen!

Zamrjaki, Freifrau v. Rosenkron und Freifrau v. Totleben kommen aus dem Garten zurück. – Simba kommt aus dem Spielzimmer.

FREIFRAU V. ROSENKRON Hu, ist das kalt! – Martha, wir müssen nachher unsere Tücher mitnehmen. Spielen Sie uns einen Cancan, Zamrjaki! – *Zu Scholz* Tanzen Sie Cancan?

SCHOLZ Ich bedaure, gnädige Frau.

FREIFRAU V. ROSENKRON *zu Freifrau v. Totleben* Dann tanzen wir zusammen!

ZAMRJAKI *hat sich ans Piano gesetzt und intoniert einen Walzer.*

FREIFRAU V. ROSENKRON Nennen Sie das Cancan, Herr Kapellmeister?!

ANNA *zu Simba* Aber Sie tanzen doch Walzer?

SIMBA Wann's die gnädige Frau befehlen ...

ANNA Kommen Sie!

Freifrau v. Rosenkron, Freifrau v. Totleben, Anna und Simba tanzen Walzer.

FREIFRAU V. ROSENKRON Mehr Tempo, bitte!

v. Keith kommt aus dem Garten zurück und dreht die elektrischen Lampen bis auf einige aus, so daß der Salon nur mäßig erhellt bleibt.

ZAMRJAKI *das Spiel ärgerlich abbrechend* Komm ich bei jedem Takt in Symphonie meiniges!

FREIFRAU V. TOTLEBEN Warum wird es denn auf einmal so dunkel?

V. KEITH Damit meine Raketen mehr Eindruck machen! – *Öffnet die Tür zum Spielzimmer* Darf ich bitten, meine Damen und Herren ... *Raspe, Herr und Frau Ostermeier und Herr und Frau Krenzl kommen in den Salon. – Simba ab.*

V. KEITH Ich freue mich, Ihnen mitteilen zu können, daß noch im Laufe der nächsten Woche das erste unserer großen Feenpalastkonzerte stattfinden wird, die schon jetzt im Münchner Publikum für unsere Sache Propaganda machen sollen. Frau Gräfin Werdenfels wird uns darin mit einigen Liedern allermodernster Vertonung bekanntmachen, während Herr Kapellmeister Zamrjaki einige Bruchstücke aus seiner symphonischen Dichtung »Die Weisheit des Brahmanen« eigenhändig dirigieren wird.

Allgemeine Beifallsäußerungen. Im Garten steigt zischend eine Rakete auf und wirft einen rötlichen Schimmer in den Salon. v. Keith dreht das elektrische Licht völlig aus und öffnet die Glastür.

v. KEITH In den Garten, meine Damen und Herren! In den Garten, wenn Sie etwas sehen wollen! *Eine zweite Rakete steigt auf, während die Gäste den Salon verlassen. – v. Keith, der ihnen folgen will, wird von Anna zurückgehalten. – Die Szene bleibt dunkel.*

ANNA Wie kommst du denn dazu, meine Mitwirkung bei deinem Feenpalastkonzert anzukündigen?!

v. KEITH Wenn du darauf warten willst, daß dich deine Lehrerin für die Öffentlichkeit reif erklärt, dann kannst du, ohne je gesungen zu haben, alt und grau werden. – *Wirft sich in einen Sessel* Endlich, endlich hat das halsbrecherische Seiltanzen ein Ende! Zehn Jahre mußte ich meine Kräfte damit vergeuden, um nur das Gleichgewicht nicht zu verlieren. – Von heute ab geht es aufwärts!

ANNA Woher soll ich denn die Unverfrorenheit nehmen, mit meiner Singerei vor das Münchner Publikum zu treten?!

v. KEITH Wolltest du denn nicht in zwei Jahren die erste Wagnersängerin Deutschlands sein?

ANNA Das sagte ich doch im Scherz.

v. KEITH Das kann ich doch nicht wissen!

ANNA Andere Konzerte werden Monate vorher vorbereitet!

v. KEITH Ich habe in meinem Leben nicht tausend Entbehrungen auf mich genommen, um mich nach andern Menschen zu richten. Wem deine Singerei nicht gefällt, der berauscht sich an deiner brillanten Pariser Konzert-Toilette.

ANNA Wenn mich die andern Menschen nur auch mit deinen Augen betrachten wollten!

v. KEITH Ich werde dem Publikum schon die richtige Brille aufsetzen!

ANNA Du siehst und hörst Phantasiegebilde, sobald du mich vor Augen hast. Du überschätzest meine Erscheinung geradeso, wie du meine Kunst überschätzest.

v. KEITH *aufspringend* Ich stand noch kaum je im Verdacht, Frauen zu überschätzen, aber dich erkannte ich allerdings auf den ersten Blick! Was Wunder, da ich zehn Jahre lang in zwei verschiedenen Weltteilen nach dir gesucht hatte! Du warst mir auch schon mehrere Male begegnet, aber dann befandest du dich entweder im Besitz eines Banditen, wie ich es bin, oder ich war so reduziert, daß es keinen praktischen Zweck gehabt hätte, in deinen Lichtkreis zu treten.

ANNA Wenn du aus Liebe zu mir den Verstand verlierst, ist das für mich ein Grund, den Spott von ganz München auf mich zu laden?

v. KEITH Andere Frauen haben um meinetwillen noch ganz andere Dinge auf sich geladen!

ANNA Ich bin aber nicht in dich vernarrt!

v. KEITH Das sagt jede! Ergib dich in dein unabwendbares Glück. Die nötige Unbefangenheit für dein erstes Auftreten werde ich dir schon einflößen – und wenn ich dich mit dem geladenen Revolver vor mir hertreiben muß!

ANNA Wenn du mich wie ein Stück Vieh behandelst, dann ist es bald zwischen uns zu Ende!

v. KEITH Setz dein Vertrauen getrost in die Tatsache, daß ich ein Mensch bin, der das Leben verteufelt ernst nimmt! Wenn ich mich gern in Champagner bade, so kann ich dafür auch wie kein anderer Mensch auf jeden Lebensgenuß verzichten. Keine drei Tage ist mir aber mein Dasein erträglich, ohne daß ich derweil meinen Zielen um einen Schritt näherkomme!

ANNA Es ist wohl auch die höchste Zeit, daß du endlich deine Ziele erreichst!

v. KEITH Glaubst du denn, Anna, ich veranstalte das Feenpalastkonzert, wenn ich nicht die unverbrüchliche Gewißheit hätte, daß es dir den glänzendsten Triumph einträgt?! – Laß dir eines sagen: Ich bin ein *gläubiger* Mensch ...

Im Garten steigt zischend eine Rakete empor.

v. KEITH ... Ich glaube an nichts so zuversichtlich wie daran, daß sich unsere Mühen und Aufopferungen in *dieser* Welt belohnen!

ANNA Das muß man wohl, um sich so abzuhetzen, wie du das tust!

v. KEITH Wenn nicht an uns, dann an unsern Kindern!

ANNA Du hast ja noch gar keine!

v. KEITH Die schenkst du mir, Anna – Kinder mit meinem Verstand, mit strotzend gesundem Körper und aristokratischen Händen. Dafür baue ich dir ein königliches Heim, wie es einer Frau deines Schlages zukommt! Und ich gebe dir einen Gatten zur Seite, der die Allmacht hat, dir jeden Wunsch, der aus deinen großen schwarzen Augen spricht, zu erfüllen! *Er küßt sie inbrünstig. Im Garten wird ein Feuerwerk abgebrannt, das das Paar für einen Moment mit dunkelroter Glut übergießt.*

v. KEITH – – Geh in den Garten. Die Karyatiden lechzen jetzt danach, vor unserem Götterbilde die Knie beugen zu dürfen!

ANNA Kommst du nicht auch?

v. KEITH *dreht zwei der elektrischen Lampen auf, so daß der Salon matt erhellt ist* Ich schreibe nur rasch noch eine Zeitungsnotiz über unser Konzert. Die Notiz muß morgen früh in den Zeitungen stehen. Ich gratuliere dir darin schon im voraus zu deinem eminenten Triumph.

Anna in den Garten ab. v. Keith setzt sich an den Tisch und notiert einige Worte. – Molly Griesinger, einen bunten Schal um den Kopf, eilt aufgeregt und verhetzt vom Vorplatz herein.

MOLLY Ich muß dich nur eine Minute sprechen.

v. KEITH So lang' du willst, mein Kind; du störst mich durchaus nicht. Ich sagte dir doch, du werdest es allein zu Hause nicht aushalten.

MOLLY Ich flehe zum Himmel, daß ein furchtbares Unglück über uns hereinbricht! Das ist das einzige, was uns noch retten kann!

v. KEITH Aber warum begleitest du mich denn nicht, wenn ich dich darum bitte!?

MOLLY *zusammenschaudernd* In deine Gesellschaft?!

v. KEITH Die Gesellschaft in diesen Räumen ist das Geschäft, von dem wir beide leben! Aber das ist dir unerträglich, daß ich mit meinen Gedanken hier bin und nicht bei dir.

MOLLY Kann dich das wundern?! – Sieh, wenn du unter diesen Leuten bist, dann bist du ein ganz anderer Mensch; dann bist du jemand, den ich nie gekannt habe, den ich nie geliebt habe, dem ich nie in meinem Leben einen Schritt nachgegangen wäre, geschweige denn, daß ich ihm Heim, Familie, Glück und alles geopfert hätte. – Du bist so gut, so groß, so lieb! – Aber unter diesen Menschen – da bist du für mich – schlimmer als tot!

v. KEITH Geh nach Hause und mach ein wenig Toilette; Sascha begleitet dich. Du *darfst* heute abend nicht allein sein.

MOLLY Mir ist es gerade danach zumute, mich aufzudonnern. Dein Treiben ängstigt mich ja, als müßte morgen die Welt untergehen. Ich habe das Gefühl, als müßte ich irgend etwas tun, sei es, was es sei, um das Entsetzliche von uns abzuwenden.

v. KEITH Ich beziehe seit gestern ein Jahresgehalt von hunderttausend Mark. Du brauchst nicht mehr zu fürchten, daß wir Hungers sterben müssen.

MOLLY Spotte nicht so! Du versündigst dich an mir! Ich bringe es ja gar nicht über die Lippen, was ich fürchte!

v. KEITH Dann sag mir doch nur, was ich tun kann, um dich zu beruhigen. Es geschieht augenblicklich.

MOLLY Komm mit mir! Komm mit aus dieser Mördergrube, wo es alle nur darauf abgesehen haben, dich zugrunde zu richten. Ich habe den Leuten gegenüber auf dich geschimpft, das ist wahr; aber ich tat es, weil ich deine kindische Verblendung nicht mehr mit ansehen konnte. Du bist ja so dumm. Du bist so dumm wie die Nacht! Ja, das bist du! Von den gemeinsten, niedrigsten Gaunern läßt du dich übertölpeln und dir geduldig den Hals abschneiden!

v. KEITH Es ist besser, mein Kind, Unrecht leiden als Unrecht tun.

MOLLY Ja, wenn du es wenigstens wüßtest! – Aber die hüten sich wohl, dir die Augen zu öffnen. Diese Menschen schmeicheln dir, du seist weiß Gott welch ein Wunder an Pfiffigkeit und an Diplomatie! Weil deine Eitelkeit auf nichts Höheres ausgeht, als das zu sein! Und dabei legen sie dir gemächlich kaltblütig den Strick um den Hals!

v. KEITH Was fürchtest du denn so Schreckliches?

MOLLY *wimmernd* Ich kann es nicht sagen! Ich kann es nicht aussprechen!

v. KEITH Sprich es doch bitte aus; dann lachst du darüber.

MOLLY Ich fürchte ... ich fürchte ... *Ein dumpfer Knall tönt vom Garten herein; Molly schreit auf und bricht in die Knie.*

v. KEITH *sie aufrichtend* Das war der große Mörser. – – Du mußt dich beruhigen! – Komm, trink ein paar Gläser Champagner; dann sehen wir uns zusammen das Feuerwerk an ...

MOLLY Mich brennt das Feuerwerk seit vierzehn Tagen in meinen Eingeweiden! – Du warst in Paris! – Mit wem warst du in Paris! – Ich schwöre dir hoch und heilig, ich will nie um dich gezittert haben, ich will nie etwas gelitten haben, wenn du jetzt mit mir kommst!

v. KEITH *küßt sie* Armes Geschöpf!

MOLLY – Ein Almosen. – Ja, ja, ich gehe ja schon ...

v. KEITH Du bleibst hier; was fällt dir ein! – Trockne deine Tränen! Es kommt jemand aus dem Garten herauf ...

MOLLY *fällt ihm leidenschaftlich um den Hals und küßt ihn ab* – Du Lieber! – Du Großer! – Du Guter! – *Sie macht sich los, lächelnd* Ich wollte dich nur gerade heute einmal in deiner Gesellschaft sehen. Du weißt ja, ich bin zuweilen so ein wenig... *Sie dreht die Faust vor der Stirn.*

v. KEITH *will sie zurückhalten* Du bleibst hier, Mädchen ...!

Molly stürzt durch die Vorplatztür hinaus. Scholz kommt hinkend, sich das Knie haltend, durch die Glastür aus dem Garten herein.

SCHOLZ *sehr vergnügt* Erschrick bitte nicht! – Lösch das Licht aus, damit man mich von draußen nicht sieht. Es hat niemand aus deiner Gesellschaft etwas davon gemerkt. *Er schleppt sich zu einem Sessel, in dem er sich niederläßt.*

v. KEITH Was ist denn mit dir?

SCHOLZ Lösch nur erst das Licht aus. – Es hat gar nichts auf sich. Der große Mörser ist explodiert! Ein Stück davon hat mich an die Kniescheibe getroffen!

V. KEITH *hat die Lampen ausgedreht; die Szene ist dunkel* Das kann nur dir passieren!

SCHOLZ *in beseligtem Ton* Die Schmerzen beginnen ja schon nachzulassen. – Glaub mir, ich bin ja das glücklichste Geschöpf unter Gottes Sonne! Zu der Radpartie mit der Gräfin Werdenfels werde ich morgen früh mich allerdings nicht einfinden können. Aber was macht das! *Jubelnd* Ich habe die bösen Geister niedergekämpft; das Glück liegt vor mir; ich gehöre dem Leben! Von heute an bin ich ein anderer Mensch ...

Eine Rakete steigt im Garten empor und übergießt Scholzens Gesichtszüge mit düsterroter Glut.

V. KEITH Weiß der Henker – ich hätte dich eben tatsächlich kaum wiedererkannt!

SCHOLZ *springt vom Sessel auf und hüpft auf einem Fuße, indem er das andere Knie mit den Händen festhält, jauchzend im Zimmer umher* Zehn Jahre lang hielt ich mich für einen Geächteten! Für einen Ausgestoßenen! Wenn ich jetzt denke, daß das alles nur Einbildung war! Alles nur Einbildung! Nichts als Einbildung!

VIERTER AUFZUG

Im Gartensaal der Gräfin Werdenfels liegen mehrere riesige Lorbeerkränze auf den Lehnsesseln; ein pompöser Blumenstrauß steht in einer Vase auf dem Tisch. Anna Gräfin Werdenfels in schmucker Morgentoilette befindet sich im Gespräch mit Polizeikommissär Raspe und Hermann Casimir. Es ist Vormittag.

ANNA *ein Blatt farbiges Briefpapier in der Hand, zu Hermann* Ihnen, mein junger Freund, danke ich für die schönen Verse, die Sie gestern abend nach unserem ersten Feenpalastkonzert noch auf mich gedichtet haben. Ich danke Ihnen auch für Ihre herrlichen Blumen. – *Zu Raspe* Von Ihnen, mein Herr, finde ich es aber höchst sonderbar, daß Sie mir gerade am heutigen Morgen diese bedenklichen Gerüchte über Ihren Freund und Wohltäter hinterbringen.

RASPE Der Marquis von Keith ist weder mein Freund noch mein Wohltäter. Vor zwei Jahren bat ich ihn, in meinem Prozeß als psychiatrischer Experte über mich auszusagen. Er hätte mir anderthalb Jahre Gefängnis ersparen können. Statt dessen brennt der Windhund mit einem fünfzehnjährigen Backfisch nach Amerika durch!

Simba in geschmackvollem Dienstbotenkleid kommt vom Vorplatz herein und überreicht Anna eine Karte.

SIMBA Der Herr möchten um die Ehr' bitten.

ANNA *zu Hermann* Um Gottes willen, Ihr Vater!

HERMANN *erschrocken, auf Raspe blickend* Wie kann denn mein Vater ahnen, daß ich hier bei Ihnen bin!

RASPE Durch mich hat er nichts erfahren.

ANNA *hebt die Portiere zum Spielzimmer* Gehen Sie da hinein. Ich werde ihn schon weiterschicken.

Hermann ins Spielzimmer ab.

RASPE Dann ist es wohl am besten, wenn ich mich gleichfalls empfehle.

ANNA Ja, ich bitte Sie darum.

RASPE *sich verbeugend* Meine Gnädigste! *Ab.*

ANNA *zu Simba* Bitten Sie den Herrn, einzutreten.

Simba geleitet den Konsul Casimir herein, der einem ihm folgenden Lakaien einen Blumenstrauß abgenommen hat; Simba ab.

KONSUL CASIMIR *seine Blumen überreichend* Gestatten Sie mir, meine Gnädigste, Ihnen zu Ihrem gestrigen Triumph aufrichtig zu gratulieren. Ihr erstmaliges Auftreten hat Ihnen ganz München im Sturm erobert; Sie können aber auf keinen Ihrer Zuhörer einen nachhaltigeren Eindruck gemacht haben als wie auf mich.

ANNA Wäre das auch der Fall, so müßte es mich doch ungemein überraschen, daß Sie mir das persönlich mitteilen.

CASIMIR Haben Sie eine Sekunde Zeit? – Es handelt sich um eine rein praktische Frage.

ANNA *lädt ihn zum Sitzen ein* Sie befinden sich doch wohl auf falscher Fährte.

CASIMIR *nachdem beide Platz genommen* Das werden wir gleich sehen. – Ich wollte Sie fragen, ob Sie meine Frau werden wollen.

ANNA – Wie soll ich das verstehen?

CASIMIR Deswegen bin ich hier, damit wir uns darüber verständigen können. Erlauben Sie mir, Ihnen von vornherein zu erklären, daß Sie auf die verlockende künstlerische Zukunft, die sich Ihnen gestern abend erschlossen, natürlich verzichten müßten.

ANNA Sie haben sich Ihren Schritt doch wohl nicht reiflich überlegt.

CASIMIR In meinen Jahren, meine Gnädigste, tut man keinen unüberlegten Schritt. Später ja – oder früher. Wollen Sie mich wissen lassen, was sich bei Ihnen sonst noch für Bedenken geltend machen.

ANNA Sie wissen doch wohl, daß ich Ihnen auf solche Äußerungen gar nicht antworten kann?

CASIMIR Gewiß weiß ich das. Ich spreche aber für den naheliegenden Fall, daß Sie in vollkommenster Freiheit über sich und Ihre Zukunft entscheiden dürfen.

ANNA Ich kann mir in diesem Augenblick die Möglichkeit gar nicht vorstellen, daß ein solcher Fall eintritt.

CASIMIR Ich bin heute der angesehenste Mann Münchens, sehen

Sie, und kann morgen hinter Schloß und Riegel sitzen. Ich verdenke es meinem besten Freunde nicht, wenn er sich gelegentlich fragt, wie er sich bei einem solchen Schicksalsschlag mit mir stellen soll.

ANNA Würden Sie es auch Ihrer Gattin nicht verdenken, wenn sie sich mit der Frage beschäftigt?

CASIMIR Meiner Gattin gewiß; meiner Geliebten niemals. Ich möchte jetzt auch gar keine Antwort von Ihnen hören. Ich spreche nur für den Fall, daß Sie im Stich gelassen werden oder daß sich Tatsachen ergeben, die jede Verbindlichkeit lösen; kurz und gut, daß Sie nicht wissen, wo aus noch ein.

ANNA Dann wollten Sie mich zu Ihrer Frau machen?

CASIMIR Das muß Ihnen allerdings beinahe verrückt erscheinen; das gereicht Ihrer Bescheidenheit zur Ehre. Aber darüber ist man nur sich selbst Rechenschaft schuldig. Ich habe, wie Sie vielleicht wissen, noch zwei kleine Kinder zu Hause, Mädchen im Alter von drei und sechs Jahren. Dann kommen, wie Sie sich wohl denken können, noch andere Gründe hinzu . . . Was Sie betrifft, daß Sie mich in meinen Erwartungen nicht enttäuschen werden, dafür übernehme ich jede Verantwortung – auch Ihnen gegenüber.

ANNA Ich bewundere Ihr Selbstvertrauen.

CASIMIR Sie können sich vollkommen auf mich verlassen.

ANNA Aber nach einem Erfolg wie gestern abend! – Es schien, als wäre ein ganz neuer Geist über das Münchner Publikum gekommen.

CASIMIR Glauben Sie mir, daß ich den Begründer des Feenpalastes aufrichtig um seinen feinen Spürsinn beneide. Übrigens muß ich Ihnen mein Kompliment noch ganz speziell zur Wahl Ihrer gestrigen Konzerttoilette aussprechen. Sie entfalten eine so vornehme Sicherheit darin, Ihre Figur wirkungsvoll zur Geltung zu bringen, daß es mir – ich gestehe es – kaum möglich wurde, Ihrem Gesangsvortrag mit der ihm gebührenden Aufmerksamkeit zu folgen.

ANNA Glauben Sie bitte nicht, daß ich den Applaus, den meine künstlerischen Leistungen ernteten, irgendwie überschätze.

CASIMIR Das würde ich Ihnen durchaus nicht verdenken; aber Ihre Lehrerin sagt mir, daß ein Erfolg wie der Ihrige von gestern abend schon viele Menschen ins Unglück gestürzt hat. Dann vergessen Sie bitte eines nicht: Was wäre die gefeiertste Sängerin auf der Bühne, wenn es der reiche Mann nicht für seine moralische Pflicht hielte, sie sich à fonds perdu anzuhören. Mag die Gage in einzelnen Fällen noch so glänzend sein, in Wirklichkeit bleiben es doch immer nur Almosen, von denen diese Leute leben.

ANNA Ich war ganz starr über die günstige Aufnahme, die jede Nummer beim Publikum fand.

CASIMIR *sich erhebend* Bis auf die unglückliche Symphonie dieses Herrn Zamrjaki. Übrigens zweifle ich gar nicht daran, daß wir mit der Zeit auch dazu kommen werden, den Lärm, den dieser Herr Zamrjaki verursacht, als eine göttliche Kunstoffenbarung zu verehren. Lassen wir also der Welt ihren Lauf, hoffen wir das Beste und seien wir auf das Schlimmste gefaßt. – Gestatten, gnädige Frau, daß ich mich empfehle. *Ab.*

Anna faßt sich mit beiden Händen an die Schläfen, geht zum Spielzimmer, lüftet die Portiere und tritt zurück.

ANNA Nicht einmal die Türe geschlossen!

Hermann Casimir tritt aus dem Spielzimmer.

HERMANN Hätte ich mir jemals träumen lassen, daß man ein solches Erlebnis erleben kann!

ANNA Gehen Sie jetzt, damit Ihr Vater Sie zu Hause findet.

HERMANN *bemerkt das zweite Bukett* Die Blumen sind von ihm? – Ich scheine das also geerbt zu haben. – Nur läßt er es sich nicht so viel kosten wie ich.

ANNA Woher nehmen Sie denn auch das Geld zu so wahnsinnigen Ausgaben!

HERMANN *bedeutungsvoll* Vom Marquis von Keith.

ANNA Ich bitte Sie, gehen Sie jetzt! Sie sind übernächtig. Sie haben gestern wohl noch lang gekneipt?

HERMANN Ich habe geholfen, dem Komponisten Zamrjaki das Leben zu retten.

ANNA Halten Sie das für eine Ihrer würdige Beschäftigung?

HERMANN Was habe ich Besseres zu tun!

ANNA Es ist gewiß schön von Ihnen, wenn Sie ein Herz für unglückliche Menschen haben; aber Sie dürfen sich nicht mit ihnen an den gleichen Tisch setzen. Das Unglück steckt an.

HERMANN *bedeutungsvoll* Dasselbe sagt mir der Marquis von Keith.

ANNA Gehen Sie jetzt! Ich bitte Sie darum.

Simba kommt vom Vorplatz herein und überbringt eine Karte.

SIMBA Der Herr möcht' um die Ehre bitten.

ANNA *die Karte lesend* »Vertreter der süddeutschen Konzertagentur« – Er soll in vierzehn Tagen wiederkommen.

Simba ab.

HERMANN Was werden Sie meinem Vater antworten?

ANNA Jetzt ist es aber die höchste Zeit! Sie werden ungezogen!

HERMANN Ich gehe nach London – und wenn ich mir das Geld dazu stehlen muß. Mein Vater soll sich nicht mehr über mich zu beklagen haben.

ANNA Das wird Ihnen selbst am meisten nützen.

HERMANN *beklommen* Das bin ich meinen beiden kleinen Geschwistern schuldig. *Ab.*

ANNA *besinnt sich einen Moment, dann ruft sie* Kathi!

Simba kommt aus dem Speisesaal.

SIMBA Gnädige Frau?

ANNA Ich will mich anziehen.

Es läutet auf dem Korridor.

SIMBA Sofort, gnädige Frau. *Geht, um zu öffnen.*

Anna geht ins Spielzimmer ab. – Gleich darauf läßt Simba Ernst Scholz eintreten; er geht auf einen eleganten Krückstock gestützt, auf steifem Knie hinkend, und trägt einen großen Blumenstrauß.

ERNST SCHOLZ Ich fand noch gar keine Gelegenheit, mein liebes Kind, dir für dein taktvolles, feinfühliges Benehmen neulich abend an dem Gartenfest zu danken.

SIMBA *formell* Wünschen der Herr Baron, daß ich Sie der gnädigen Frau melde?

v. Keith kommt in hellem Paletot, einen Pack Zeitungen in der Hand, vom Vorplatz herein.

V. KEITH *seinen Paletot ablegend* Das ist eine Fügung des Himmels, daß ich dich hier treffe! *Zu Simba* Was tun Sie denn noch hier?

SIMBA Die gnädige Frau haben mich als Hausmädchen in den Dienst genommen.

V. KEITH Sehen Sie, ich habe Ihr Glück gemacht. – Melden Sie uns!

SIMBA Sehr wohl, Herr Baron.

Ins Spielzimmer ab.

V. KEITH Die Morgenblätter bringen schon die begeistertsten Besprechungen über unser gestriges Konzert! *Er setzt sich an das Tischchen links vorn und durchblättert die Zeitungen.*

SCHOLZ Hast du denn jetzt endlich Nachricht, wo sich deine Frau aufhält?

V. KEITH Sie ist bei ihren Eltern in Bückeburg. Du warst während des Banketts gestern abend ja plötzlich verschwunden?

SCHOLZ Ich hatte das lebhafteste Bedürfnis, allein zu sein. Wie geht es denn deiner Frau?

V. KEITH Danke; ihr Vater steht vor dem Bankrott.

SCHOLZ So viel wirst du doch noch übrig haben, um ihre Familie vor dem Äußersten zu schützen!

V. KEITH Weißt du, was mich das Konzert gestern gekostet hat?

SCHOLZ Ich finde, du nimmst diese Dinge zu leicht!

V. KEITH Du wünschest wohl, daß ich dir dabei helfe, die Eier der Ewigkeit auszubrüten?

SCHOLZ Ich würde mich glücklich schätzen, wenn ich dir von meinem Überschuß an Pflichtgefühl etwas abtreten könnte.

V. KEITH Gott bewahre mich davor! Ich habe jetzt die erdenklichste Elastizität nötig, um die Erfolge in ihrer ganzen Tragweite auszubeuten.

SCHOLZ *selbstbewußt* Ich danke es dir, daß ich dem Leben heute mit ruhigem, sicherem Blick gegenüberstehe. Ich halte es daher für meine Pflicht, ebenso offen zu dir zu sprechen, wie du vor vierzehn Tagen zu mir gesprochen hast.

v. KEITH Der Unterschied ist nur der, daß ich dich nicht um deinen Rat gebeten habe.

SCHOLZ Das ist für mich nur ein Grund mehr zu rückhaltloser Aufrichtigkeit. Ich habe durch meinen übertriebenen Pflichteifer den Tod von zwanzig Menschen verschuldet; aber du benimmst dich, als habe man seinen Mitmenschen gegenüber *überhaupt keine Pflichten.* Du gefällst dir geradezu darin, mit dem Leben anderer zu spielen!

v. KEITH Bei mir ist noch jeder mit einem blauen Auge davongekommen.

SCHOLZ *mit wachsendem Selbstbewußtsein* Das ist dein persönliches Glück! Dir fehlt aber das Bewußtsein, daß andere ganz die nämlichen Ansprüche auf den Genuß ihres Lebens haben wie du. Das, worin die Menschheit ihre höchsten Errungenschaften erblickt, was man mit Fug und Recht als *Sittlichkeit* bezeichnet, dafür hast du nicht das geringste Verständnis.

v. KEITH Du bleibst dir treu. – Du kommst nach München mit dem ausgesprochenen Vorsatz, dich zum Genußmenschen auszubilden, und bildest dich aus Versehen zum Sittenprediger aus.

SCHOLZ Ich bin durch das buntscheckige Treiben Münchens zu einer bescheidenen, aber jedenfalls um so zuverlässigeren Selbstabschätzung gelangt. Ich habe in diesen vierzehn Tagen so gewaltige innere Wandlungen durchgemacht, daß ich, wenn du mich anhören willst, allerdings auch als Sittenprediger reden kann.

v. KEITH *gereizt* Dir treibt mein Glück die Galle ins Blut!

SCHOLZ Ich glaube nicht an dein Glück! Ich bin so namenlos glücklich, daß ich die ganze Welt umarmen möchte, und wünsche dir aufrichtig und ehrlich dasselbe. Dazu gelangst du aber nie, solang du noch über die höchsten Werte des Lebens in deiner knabenhaften Weise spottest. *Ich* wußte, bis ich nach München kam, die Beziehungen zwischen Mann und Weib allerdings nur ihrer *seelischen* Bedeutung nach zu würdigen, während mir der Sinnengenuß noch als etwas Gemeines erschien. Das war verkehrt. Aber du hast in deinem ganzen Leben an einem Weibe nie etwas Höheres als den Sinnengenuß geschätzt. Solange du nicht von deinem Standpunkt aus der sittlichen Weltordnung deine Zugeständnisse machst, wie ich es von meinem Standpunkt aus getan habe, so lang wird all dein Glück ewig auf tönernen Füßen stehn!

v. KEITH *sachlich* Die Dinge liegen ganz anders. Ich verdanke den letzten vierzehn Tagen meine *materielle* Freiheit und gelange infolgedessen endlich zum Genuß meines Lebens. Und du verdankst den letzten vierzehn Tagen deine *geistige* Freiheit und bist infolgedessen endlich zum Genuß deines Lebens gelangt.

SCHOLZ Nur mit dem Unterschied, daß es mir bei all den Genüssen darum zu tun ist, ein nützliches Mitglied der menschlichen Gesellschaft zu werden.

v. KEITH *aufspringend* Warum soll man denn durchaus ein nützliches Mitglied der menschlichen Gesellschaft werden?!

SCHOLZ Weil man als etwas anderes keine Existenzberechtigung hat!

v. KEITH Ich brauche keine Existenzberechtigung! Ich habe niemanden um meine Existenz gebeten und entnehme daraus die Berechtigung, meine Existenz nach meinem Kopfe zu existieren.

SCHOLZ Dabei gibst du deine Frau, die drei Jahre alle Gefahren und Entbehrungen mit dir getragen hat, mit der größten Seelenruhe dem Elend preis!

v. KEITH Was soll ich denn tun! Meine Ausgaben sind so horrend, daß ich für meinen eigenen Gebrauch nicht einen Pfennig übrig habe. Mit der ersten Rate meines Gehaltes habe ich meinen Anteil am Gründungskapital eingezahlt. Ich dachte einen Augenblick daran, das Geld anzugreifen, das mir zur Bestreitung der Vorarbeiten zur Verfügung steht. Aber das kann ich nicht. – Oder wolltest du mir dazu raten?

SCHOLZ Ich kann dir eventuell schon noch zehn- oder zwanzigtausend Mark überlassen, wenn du dir nicht anders helfen kannst. Ich bekam gerade heute zufällig einen Wechsel von meinem Verwalter über zehntausend Mark.

Entnimmt seinem Portefeuille einen Wechsel und reicht ihn v. Keith hin.

v. Keith *reißt ihm das Papier aus der Hand* Komm mir dann aber bitte nicht gleich morgen wieder damit, du wollest das Geld zurückhaben!

Scholz Ich brauche es jetzt nicht. Die übrigen zehntausend Mark muß ich mir aber erst durch meinen Bankier aus Breslau schicken lassen.

Anna kommt in eleganter Straßentoilette aus dem Spielzimmer.

Anna Entschuldigen Sie, meine Herren, daß ich warten ließ.

Scholz *überreicht seine Blumen* Ich konnte mir die Freude nicht versagen, gnädige Frau, Sie am ersten Morgen Ihrer vielversprechenden künstlerischen Laufbahn von ganzem Herzen zu beglückwünschen.

Anna *stellt die Blumen in eine Vase* Ich danke Ihnen. Gestern abend vergaß ich in meiner Aufregung vollkommen, Sie danach zu fragen, wie es Ihnen denn eigentlich mit Ihren Verletzungen ergangen ist.

Scholz Die sind weiß Gott nicht der Rede wert. Mein Arzt sagt, ich könne in acht Tagen, wenn ich Lust dazu habe, auf die Zugspitze klettern. Ein Schmerz war mir gestern abend allerdings das schallende Hohngelächter, das der Herr Kapellmeister Zamrjaki mit seiner Symphonie hervorrief.

v. Keith *hat sich an den Schreibtisch gesetzt* Ich kann nicht mehr tun als den Menschen Gelegenheit geben, ihr Können zu zeigen. Wer seinen Mann nicht stellt, der bleibt am Wege. Ich finde in München Kapellmeister genug.

Scholz Sagtest du denn nicht selbst von ihm, er sei das größte musikalische Genie, das seit Richard Wagner lebt?

v. Keith Ich werde doch meinen eigenen Gaul nicht Schindmähre nennen! Ich muß in jeder Sekunde für die Richtigkeit meiner Berechnungen einstehen. *Sich erhebend* Ich war eben mit den Karyatiden auf dem Magistrat. Es handelte sich um die Frage, ob der Bau des Feenpalastes für München ein Bedürfnis ist. Die Frage wurde einstimmig bejaht. Eine Stadt wie München läßt es sich ja gar nicht träumen, was sie für Bedürfnisse hat!

Scholz *zu Anna* Gnädige Frau haben jetzt vermutlich mit

Ihrem glücklichen Impresario weltumfassende geschäftliche Pläne zu erörtern.

ANNA Nein, bitte, wir haben nichts miteinander zu besprechen. Wollen Sie uns schon verlassen?

SCHOLZ Sie erlauben mir vielleicht, daß ich mir in den nächsten Tagen wieder einmal die Ehre nehme?

ANNA Ich bitte Sie darum; Sie sind jederzeit willkommen.

Scholz hat v. Keith die Hand gedrückt. Ab.

V. KEITH Die Morgenblätter bringen schon die begeistertsten Kritiken über dein gestriges Auftreten...

ANNA Hast du denn jetzt endlich eine Nachricht, wo sich Molly befindet?

V. KEITH Sie ist bei ihren Eltern in Bückeburg. Sie schwelgt in einem Ozean kleinbürgerlicher Sentimentalität.

ANNA Zum zweitenmal werden wir uns nicht wieder so von ihr in Schrecken jagen lassen! Übrigens hatte sie wirklich nötig, dir zu beweisen, wie völlig entbehrlich sie dir ist!

V. KEITH Dir ist die gewaltige Liebesleidenschaft Gott sei Dank ein Buch mit sieben Siegeln. Ist das nicht befähigt, einen zu beglücken, dann will es einem wenigstens das Haus über dem Kopf in Brand stecken!

ANNA Du dürftest einem trotzdem etwas mehr Vertrauen zu deinen geschäftlichen Unternehmungen einflößen! Ein Vergnügen ist es gerade nicht, Tag und Nacht wie auf einem Vulkan zu sitzen!

V. KEITH Wie komme ich denn gerade heute dazu, mir von allen Seiten moralische Vorlesungen halten lassen zu müssen?!

ANNA Weil dein Treiben den Anschein hat, als müßtest du dich ununterbrochen betäuben! Du kennst keine Ruhe. Ich finde, sobald man im Zweifel ist, ob man dieses oder jenes tun soll, dann tut man am besten *gar nichts*. Dadurch allein, daß man etwas tut, setzt man sich immer schon allen erdenklichen Unannehmlichkeiten aus. Ich tue so wenig als irgendwie möglich und hatte meiner Lebtag Glück damit. Du kannst es niemandem verdenken, daß er dir mißtraut, wenn du Tag und Nacht wie ein ausgehungerter Wolf hinter deinem Glücke herjagst.

V. KEITH Ich kann nicht für meine Unersättlichkeit.

ANNA Es sitzen aber manchmal Leute mit geladenen Flinten im Schlitten, dann geht es piff-paff.

v. KEITH Ich bin kugelfest. Ich habe noch zwei spanische Kugeln von Kuba her in den Gliedern. Außerdem besitze ich die unverbrüchlichste Garantie für mein Glück.

ANNA Das ist schon die richtige Höhe!

v. KEITH Allerdings zu hoch für den menschlichen Herdenverstand! – Zwanzig Jahre mögen es sein, da standen der junge Trautenau und ich in kurzen Schoßröckchen in der getünchten Dorfkirche am Altar. Mein Vater spielte die Orgel dazu. Da drückte der Dorfpfarrer jedem von uns einen Bilderbogen mit einem Bibelspruch darauf in die Hände. Ich habe seitdem kaum jemals eine Kirche mehr von innen gesehen, aber mein Konfirmationsspruch hat sich an mir bewahrheitet, daß ich oftmals des Staunens keine Grenzen fand. Und stellt sich mir heute je eine Widerwärtigkeit in den Weg, dann kommt mich immer gleich ein verächtliches Lächeln an im Hinblick auf den Spruch: – »Wir wissen, daß denen, die Gott lieben, alle Dinge zum Besten dienen.«

ANNA Denen, die Gott lieben?! – Dieser Liebe willst du auch noch fähig sein?!

v. KEITH Auf die Frage hin, ob ich Gott liebe, habe ich alle bestehenden Religionen geprüft und fand bei keiner Religion einen Unterschied zwischen der Liebe zu Gott und der Liebe zum eigenen Wohlergehen. Die Liebe zu Gott ist überall immer nur eine summarische symbolische Ausdrucksweise für die Liebe zur eigenen Person.

Simba tritt vom Vorplatz ein.

SIMBA Der Herr Marquis möchten einen Moment herauskommen. Der Sascha ist da.

v. KEITH Warum kommt der Junge denn nicht herein?

Sascha kommt mit einem Telegramm.

SASCHA I hab' net g'wußt, darf i oder darf i net, weil der Herr Baron g'sagt haben, i soll in G'sellschaft koan Telegramm nicht überbringen.

v. KEITH *erbricht das Telegramm, ballt es zusammen und wirft es weg.* Verdammt noch mal! – Meinen Paletot!

ANNA Von Molly?

v. KEITH Nein! – Wenn nur um Gottes willen keine Seele davon erfährt!

ANNA Ist sie denn nicht bei ihren Eltern in Bückeburg?

v. KEITH *während ihm Sascha in den Paletot hilft* Nein!

ANNA Du sagtest doch eben noch...

v. KEITH Ist denn das meine Schuld, daß sie nicht in Bückeburg ist?! – Eben setzt man den Fuß auf den grünen Zweig, da hat man den Hals in der Schlinge! – *v. Keith und Sascha ab.*

SIMBA *hebt das Telegramm auf und gibt es Anna* Der Herr Marquis haben das Telegramm vergessen.

ANNA Wissen Sie, woher der Sascha stammt?

SIMBA Der Sascha stammt aus der Au. Sei' Mutter ist Hausmeisterin.

ANNA Dann kann er aber doch nicht Sascha heißen?

SIMBA Ursprünglich heißt er Sepperl, aber der Herr Marquis haben ihn Sascha 'tauft.

ANNA Bringen Sie mir meinen Hut.

Es läutet auf dem Korridor.

SIMBA Sofort, gnädige Frau. *Geht, um zu öffnen.*

ANNA *liest das Telegramm* »... Molly nicht bei uns. Bitte umgehend Drahtnachricht, ob Sie Lebenszeichen von Molly haben. In entsetzlicher Angst ...«

Simba kommt zurück.

SIMBA Der Herr Baron haben seine Handschuh vergessen.

ANNA Welcher Baron denn?

SIMBA Ich moan halt den Genußmenschen.

ANNA *hastig suchend* Maria und Joseph, wo sind denn die Handschuhe ...!

Ernst Scholz tritt ein.

SCHOLZ Erlauben Sie mir noch zwei Worte, gnädige Frau.

ANNA Ich bin eben im Begriff, auszugehen. *Zu Simba* Meinen Hut, aber rasch! *Simba ab.*

SCHOLZ Die Gegenwart meines Freundes hinderte mich daran, mich rückhaltlos auszusprechen . . .

ANNA Vielleicht warten Sie damit doch auch lieber auf eine passendere Gelegenheit.

SCHOLZ Ich hoffte noch einige Tage auf Ihren Bescheid warten zu können. Meine Empfindungen, Frau Gräfin, tun mir einfach Gewalt an! Damit Sie nicht im Zweifel darüber sind, daß ich mit meinen Anerbietungen nur Ihr Glück erstrebe, erlauben Sie mir, Ihnen zu gestehen, daß ich Sie in – in ganz unsagbarer Weise liebe.

ANNA Nun? Und was wären Ihre Anerbietungen?

SCHOLZ Bis Sie als Künstlerin die Früchte einer unbestrittenen Anerkennung ernten, wird sich Ihnen noch manches Hindernis in den Weg stellen . . .

ANNA Das weiß ich, aber ich singe voraussichtlich nicht mehr.

SCHOLZ Sie wollen nicht mehr singen? Wie mancher unglückliche Künstler gäbe sein halbes Leben darum, wenn er Ihre Begabung damit erkaufen könnte!

ANNA Sonst haben Sie mir nichts mitzuteilen?

SCHOLZ Ich habe Sie wieder, ohne zu ahnen, gekränkt. Sie hatten natürlich erwartet, ich werde Ihnen meine Hand antragen . . .

ANNA Wollten Sie denn das nicht?

SCHOLZ Ich wollte Sie fragen, ob Sie meine *Geliebte* werden wollen. – Ich kann Sie als Gattin nicht höher verehren, als ich meine Geliebte in Ihnen ehren würde. *Von jetzt ab spricht er mit den rücksichtslosen, ausfallenden Gebärden eines Verrückten.* Sei es der Gattin, sei es der Geliebten, ich biete Ihnen mein Leben, ich biete Ihnen alles, was ich besitze. Sie wissen, daß ich mich nur mit der größten Selbstüberwindung in die sittlichen Anschauungen fand, die hier in München maßgebend sind. Wenn mein Lebensglück an dem Siege zerschellen sollte, den ich nur über mich errungen habe, um an dem Lebensglück meiner Mitmenschen teilnehmen zu können, das wäre ein *himmelschreiendes Narrenspiel!*

ANNA Ich glaubte, Ihnen wäre es nur darum zu tun, ein nützliches Mitglied der menschlichen Gesellschaft zu werden!

SCHOLZ Ich träumte von Weltbeglückung, wie der Gefangene hinter Kerkergittern von Gletscherfirnen träumt! Jetzt erhoffe ich nur eines noch, daß ich die Frau, die ich in so ganz unsagbarer Weise liebe, so glücklich machen kann, daß sie ihre Wahl nie bereut.

ANNA Ich bedaure, Ihnen sagen zu müssen, daß Sie mir gleichgültig sind.

SCHOLZ Ich Ihnen gleichgültig?! Ich erhielt noch von keiner Frau mehr Beweise von Zuneigung als von Ihnen!

ANNA Das ist nicht meine Schuld. Ihr Freund hatte Sie mir als einen Philosophen geschildert, der sich um die Wirklichkeit überhaupt nicht kümmert.

SCHOLZ Mir hat nur die Wirklichkeit meine Philosophie abgerungen! Ich bin keiner von denen, die ihr Leben lang über irdische Nichtigkeit schwadronieren und die der Tod, wenn sie taub und lahm sind, noch mit Fußtritten vor sich herjagen muß!

ANNA Dem Marquis von Keith hilft sein Konfirmationsspruch über jedes Mißgeschick hinweg! Er hält seinen Konfirmationsspruch für eine unfehlbare Zauberformel, vor der Polizei und Gerichtsvollzieher Reißaus nehmen!

SCHOLZ Ich erniedrige mich nicht so tief, um an Vorbedeutungen zu glauben! Hätte dieser Glücksritter recht, dann erhielt ich bei meiner Konfirmation eine ebenso unverbrüchliche Zauberformel für mein Unglück. Mir gab unser Pastor damals den Spruch: »Viele sind berufen, aber wenige sind auserwählt.« – Aber das kümmert mich nicht! Hätte ich auch die untrüglichsten Beweise dafür, daß ich selber *nicht* zu den Auserwählten gehöre, das könnte mich immer nur in meinem unerschrockenen Kampf gegen mein Geschick bestärken!

ANNA Verschonen Sie nur bitte mich mit Ihrem unerschrockenen Kampf!

SCHOLZ Ich schwöre Ihnen, daß ich lieber auf meine gesunde Vernunft verzichte, als daß ich mich durch diese Vernunft davon überzeugen lasse, daß gewisse Menschen ohne jedes Verschulden von Anfang an von allem Lebensglück ausgeschlossen sind!

ANNA Beklagen Sie sich darüber doch beim Marquis von Keith!

SCHOLZ Ich beklage mich gar nicht! Je länger die harte Schule des Unglücks währt, desto gestählter wird die geistige Widerstandsfähigkeit. Es ist ein beneidenswerter Tausch, den Menschen wie ich eingehen. *Meine Seele ist unverwüstlich!*

ANNA Dazu gratuliere ich Ihnen!

SCHOLZ Darin liegt meine Unwiderstehlichkeit! Je weniger Sie für mich empfinden, desto größer und mächtiger wird in mir meine Liebe zu Ihnen, desto näher sehe ich den Augenblick, wo Sie sagen: Ich kämpfte gegen dich mit allem, was mir zu Gebote stand, aber ich liebe dich!

ANNA Bewahre mich der Himmel davor!!

SCHOLZ Davor bewahrt Sie der Himmel nicht! Wenn ein Mensch von meiner Willenskraft, die sich durch kein Mißgeschick hat brechen lassen, sein ganzes Sinnen und Trachten auf *einen* Vorsatz konzentriert, dann gibt es nur zwei Möglichkeiten: er erreicht sein Ziel, oder er verliert den Verstand.

ANNA Darin scheinen Sie wirklich recht zu haben.

SCHOLZ Darauf lasse ich es auch ankommen! Alles hängt davon ab, was widerstandsfähiger ist, Ihre Gefühllosigkeit oder mein Verstand. Ich rechne mit dem schlimmsten Ausgang und wende, ehe ich am Ziel bin, keinen Blick zurück; denn kann ich mir aus der Seligkeit, die mich in diesem Augenblick erfüllt, kein glückliches Leben gestalten, dann ist keine Hoffnung mehr für mich. Die Gelegenheit bietet sich nicht wieder!

ANNA Ich danke Ihnen von Herzen dafür, daß Sie mich daran erinnern! *Sie setzt sich an den Schreibtisch.*

SCHOLZ Es ist das letztemal, daß die Welt in all ihrer Herrlichkeit vor mir liegt!

ANNA *ein Billett schreibend* Das trifft auch für mich zu! – *Ruft* Kathi! – *Für sich* Mir bietet sich die Gelegenheit auch nicht wieder.

SCHOLZ *plötzlich zu sich kommend* Was argwöhnen Sie, gnädige Frau?! – Was argwöhnen Sie?? Sie täuschen sich, Frau Gräfin! – Sie hegen einen entsetzlichen Verdacht ...

ANNA Merken Sie denn noch immer nicht, daß Sie mich aufhalten? – *Ruft* Kathi!

SCHOLZ Ich kann Sie so unmöglich verlassen! Geben Sie mir die Versicherung, daß Sie nicht an meiner geistigen Klarheit zweifeln!

Simba tritt mit Annas Hut ein.

ANNA Wo bleiben Sie denn so lange?

SIMBA I hab mi net hereingetraut.

SCHOLZ Simba, du weißt am besten, daß ich meiner fünf Sinne mächtig bin . . .

SIMBA *ihn zurückstoßend* Gehens, redens net so dumm!

ANNA Lassen Sie doch mein Mädchen in Ruhe. *Zu Simba* Wissen Sie die Adresse des Herrn Konsul Casimir?

SCHOLZ *in plötzlicher Versteinerung* – – Ich trage das Kain-Zeichen auf der Stirn . . .

FÜNFTER AUFZUG

Im Arbeitszimmer des Marquis v. Keith stehen sämtliche Türen angelweit offen. Während sich Hermann Casimir auf den Mitteltisch setzt, ruft v. Keith ins Wohnzimmer hinein.

v. KEITH Sascha! *Da er keine Antwort erhält, geht er nach dem Wartezimmer; zu Hermann* Entschuldigen Sie. *Ruft ins Wartezimmer* Sascha! – *Kommt nach vorn; zu Hermann* Also, Sie gehen mit Einwilligung Ihres Vaters nach London. Ich kann Ihnen nach London die besten Empfehlungen mitgeben. *Wirft sich auf den Diwan* In erster Linie empfehle ich Ihnen, Ihre deutsche Sentimentalität zu Hause zu lassen. Mit Sozialdemokratie und Anarchismus macht man in London keinen Effekt mehr. Lassen Sie sich noch eines sagen: Das einzig richtige Mittel, seine Mitmenschen auszunützen, besteht darin, daß man sie bei ihren *guten* Seiten nimmt. Darin liegt die Kunst, geliebt zu werden, die Kunst, recht zu behalten. Je ergiebiger Sie Ihre Mitmenschen übervorteilen, um so gewissenhafter müssen Sie darauf achten, daß Sie das Recht auf Ihrer Seite haben. Suchen Sie Ihren Nutzen niemals im Nachteil eines *tüchtigen* Menschen, sondern immer nur im Nachteil von Schurken und Dummköpfen. Und nun übermittle ich Ihnen den Stein der Weisen; das glänzendste Geschäft in dieser Welt ist die *Moral*. Ich bin noch nicht soweit, das Geschäft zu machen, aber ich müßte nicht der Marquis von Keith sein, wenn ich es mir entgehen ließe. *Es läutet auf dem Korridor.*

v. KEITH *ruft* Sascha! – *Sich erhebend* Der Bengel kriegt Ohrfeigen.

Er geht auf den Vorplatz und kommt mit dem Kommerzienrat Ostermeier zurück.

v. KEITH Sie könnten unmöglich gelegener kommen, mein bester Herr Ostermeier . . .

OSTERMEIER Meine Kollegen im Aufsichtsrat, verehrter Freund, beauftragen mich . . .

v. KEITH Ich habe einen Plan mit Ihnen zu besprechen, der unsere Einnahmen verhundertfacht.

OSTERMEIER Wünschen Sie eine von mir in der Generalversammlung abgegebene Erklärung, daß es mir heute wieder nicht gelungen ist, Ihre Geschäftsbücher zur Einsichtnahme zu erhalten?

v. KEITH Sie phantasieren, lieber Herr Ostermeier! – Wollen Sie mir nicht ruhig und sachlich auseinandersetzen, um was es sich handelt?

OSTERMEIER Um Ihre Geschäftsbücher, verehrter Freund.

v. KEITH *aufbrausend* Ich rackre mich für diese triefäugigen Dickschädel ab ...

OSTERMEIER Hat er also doch recht! *Sich zum Gehen wendend* Gehorsamer Diener!

v. KEITH *reißt die Schreibtisch-Schubladen auf* Hier, bitte, schwelgen Sie in Geschäftsbüchern! *Sich nach Ostermeier umwendend* Wer hat also doch recht?

OSTERMEIER Ein gewisser Herr Raspe, Kriminalkommissär, der gestern abend in der »American Bar« fünf Flaschen Pommery darauf gewettet hat, daß Sie keine Geschäftsbücher führen.

v. KEITH *sich in die Brust werfend* Ich führe auch keine Geschäftsbücher.

OSTERMEIER Dann zeigen Sie Ihr Kopierbuch.

v. KEITH Wo hätte ich seit der Gründung der Gesellschaft die nötige Zeit hernehmen sollen, um ein Büro einzurichten!

OSTERMEIER Dann zeigen Sie mir Ihr Kopierbuch.

v. KEITH *sich in die Brust werfend* Ich habe kein Kopierbuch.

OSTERMEIER Dann zeigen Sie den Depositenschein, den Ihnen die Bank ausgestellt hat.

v. KEITH Habe ich Ihre Einzahlungen erhalten, um sie auf Zinsen zu legen?!

OSTERMEIER Regen Sie sich nicht auf, verehrter Freund. Wenn Sie keine Bücher besitzen, dann notieren Sie sich Ihre Ausgaben doch irgendwo. Das tut doch jeder Laufbursche.

v. KEITH *wirft sein Notizbuch auf den Tisch* Da haben Sie mein Notizbuch.

OSTERMEIER *schlägt es auf und liest* »Eine Silberflut von hellvioletter Seide und Pailletten von den Schultern bis auf die Knöchel –« Das ist der ganze Mensch!

v. KEITH Wenn Sie mir jetzt, nachdem ich Erfolg auf Erfolg

erzielt habe, Knüppel in den Weg werfen, dann können Sie mit aller Bestimmtheit darauf rechnen, daß Sie von Ihrem Gelde weder in dieser noch in jener Welt etwas wiedersehen!

OSTERMEIER So schlecht stehen die Feenpalastaktien nicht, verehrter Freund. Wir sehen unser Geld schon wieder. – Gehorsamer Diener! *Will gehen.*

v. KEITH *ihn aufhaltend* Sie untergraben das Unternehmen durch Ihre Wühlereien! Verzeihen Sie, verehrter Herr; ich rege mich auf, weil ich mit dem Feenpalast empfinde wie ein Vater mit seinem Kind.

OSTERMEIER Dann machen Sie sich Ihres Kindes wegen nur gar keine Sorgen mehr. Der Feenpalast ist gesichert und wird gebaut.

v. KEITH Ohne mich?

OSTERMEIER Wann's sein muß, ohne Sie, verehrter Freund!

v. KEITH Das können Sie nicht!

OSTERMEIER Sie sind jedenfalls der letzte, der uns daran hindern wird!

v. KEITH Das wäre ein infamer Schurkenstreich!

OSTERMEIER Das wär' noch schöner! Weil wir uns von Ihnen nicht länger betrügen lassen wollen, schimpfen Sie uns Betrüger!

v. KEITH Wenn Sie sich betrogen glauben, dann verklagen Sie mich doch auf Auszahlung Ihres Geldes!

OSTERMEIER Sehr schön, verehrter Freund, wenn wir nicht dem Aufsichtsrat angehörten!

v. KEITH Was Sie sich einbilden! Sie sitzen im Aufsichtsrat, um mich bei meiner Arbeit zu unterstützen.

OSTERMEIER Dafür komme ich auch zu Ihnen; aber bei Ihnen gibt's eben nichts zu arbeiten.

v. KEITH Mein lieber Herr Ostermeier, Sie können mir als Mann von Ehre nicht zumuten, eine solche Niederträchtigkeit über mich ergehen zu lassen. Übernehmen Sie doch den geschäftlichen Teil; lassen Sie mich artistischer Leiter des Unternehmens sein. Ich gebe Inkorrektheiten in meiner Geschäftsführung zu, die ich mir aber nur in dem Bewußtsein verzieh, daß es zum allerletztenmal geschieht und daß ich mir nach Konsolidierung meiner Verhältnisse nicht das geringste mehr zuschulden kommen lassen würde.

OSTERMEIER Darüber hätten wir gestern, als ich mit den anderen Herren hier war, ein Wort reden können; aber da haben Sie uns ein Loch in den Bauch geschwatzt. Ich würde Ihnen auch heute noch sagen: Versuchen wir's noch einmal – wann Sie sich uns wenigstens als einen aufrichtigen Menschen gezeigt hätten. Hört man aber immer und immer wieder nur Unwahrheiten, dann . . .

v. KEITH *sich in die Brust werfend* Dann sagen Sie den Herren: Ich baue den Feenpalast, so gewiß, wie die Idee dazu aus meinem Hirn entsprungen ist. Bauen Sie ihn aber – sagen Sie das Ihren Herren! –, dann sprenge ich den Feenpalast samt Aufsichtsrat und Aktionärversammlung – in die Luft!

OSTERMEIER Werde ich pünktlich ausrichten, Herr Nachbar! Wissen Sie, ich möcht' beileibe niemanden vor den Kopf stoßen, geschweige denn vor den . . . Gehorsamer Diener! *Ab.*

v. KEITH *ihm nachstarrend . . .* Hintern! Ich spüre so was. – – *Zu Hermann* Lassen Sie mich jetzt nicht allein, sonst schrumpfe ich so zusammen, daß mich die Angst anpackt, es könnte nichts mehr von mir übrigbleiben. – – – Sollte das möglich sein? – – *Mit Tränen in den Augen* Nach so viel Feuerwerk! – – Ich soll wieder wie ein Geächteter von Land zu Land gepeitscht werden?! – – Nein! Nein! – Ich darf mich nicht an die Wand drücken lassen!! – Es ist das letztemal in diesem Leben, daß die Welt mit all ihrer Herrlichkeit vor mir liegt! *Sich hoch aufrichtend* Nein! – Ich wackle nicht nur noch nicht, ich werde ganz München durch meinen Sprung in Erstaunen setzen: Er schüttelt noch, da fall' ich schon, unter Pauken und Trompeten, ihm direkt auf den Kopf, daß alles rings auseinanderstiebt, und schlage alles kurz und klein. Dann wird sich's zeigen, wer zuerst wieder auf die Beine kommt!

Die Gräfin Werdenfels tritt ein.

v. KEITH *ihr entgegeneilend* Meine Königin . . .

ANNA *zu Hermann* Würden Sie uns einen Moment allein lassen.

v. Keith läßt Hermann ins Wohnzimmer eintreten.

v. KEITH *die Tür hinter ihm schließend* Du siehst so unternehmend aus?

ANNA Das ist schon möglich. Ich erhalte seit unserem Feenpalastkonzert Tag für Tag ein halbes Dutzend Heiratsanträge.

v. KEITH Das ist mir verdammt gleichgültig!

ANNA Aber mir nicht.

v. KEITH *höhnisch* Hast du dich denn in ihn verliebt?

ANNA Von wem sprichst du denn?

v. KEITH Von dem Genußmenschen!

ANNA Du machst dich über mich lustig!

v. KEITH Von wem sprichst du denn?!

ANNA *nach dem Wohnzimmer deutend* Von seinem Vater.

v. KEITH Und darüber willst du dich mit mir unterhalten?

ANNA Nein, ich wollte dich nur fragen, ob du jetzt endlich ein Lebenszeichen von Molly hast.

v. KEITH Nein, aber was ist mit Casimir?

ANNA Was ist mit Molly?? – – Du hältst ihr Verschwinden geheim?

v. KEITH *beklommen* Ich fürchte, offen gesagt, weniger, daß ihr ein Unglück zugestoßen ist, als daß mir ihr Verschwinden den Boden unter den Füßen wegzieht. Wenn das nicht von Menschlichkeit zeugt, dann sitze ich dafür seit drei Tagen Nacht für Nacht auf dem Telegraphenamt. – Mein Verbrechen an ihr besteht darin, daß sie, seit wir uns kennen, nie ein böses Wort von mir gehört hat. Sie verzehrt sich vor Sehnsucht nach ihrer kleinbürgerlichen Welt, in der man, Stirn gegen Stirn geschmiedet, sich duckt und schuftet und sich liebt! Kein freier Blick, kein freier Atemzug! Nichts als Liebe! Möglichst viel und von der gewöhnlichsten Sorte!

ANNA Wenn man Molly nun nicht findet, was dann?

v. KEITH Ich kann getrost darauf bauen, daß sie, wenn mir das Haus über dem Kopf zusammengekracht ist, reumütig lächelnd zurückkommt und sagt: »Ich will es nicht wieder tun.« – Ihr Zweck ist erreicht; ich kann mein Bündel schnüren.

ANNA Und was wird dann aus mir?

v. KEITH Du hast bei unserem Unternehmen bis jetzt am meisten gewonnen und wirst, so hoffe ich, noch mehr bei unserem Unternehmen gewinnen. Verlieren kannst du nichts, weil du mit keinem Einsatz dabei beteiligt bist.

ANNA Wenn das sicher ist?!

v. KEITH Ach so . . .?!

ANNA Ja, ja!

v. KEITH Was hast du ihm denn geantwortet?

ANNA Ich schrieb ihm, ich könne ihm noch keine Antwort geben.

v. KEITH Das hast du ihm geschrieben?!

ANNA Ich wollte erst mit dir darüber sprechen.

v. KEITH *packt sie am Handgelenk und schleudert sie von sich* Wenn es nicht anders bei dir steht, als daß du mit mir darüber sprechen mußt, dann – heirate ihn!!

ANNA Wer von Gefühlen so verächtlich denkt wie du, müßte doch über rein praktische Fragen ruhig mit sich reden lassen!

v. KEITH Laß meine Gefühle hier aus dem Spiel! Mich empört, daß du nicht mehr Rassestolz in dir hast, um deine Erstgeburt für ein Linsengericht zu verkaufen!

ANNA Was nicht du bist, das ist dir Linsengericht!

v. KEITH Ich kenne meine Schwächen; aber das sind *Haustiere!* Dem einen fehlt es im Hirn und dem andern im Rückenmark! Willst du Wechselbälge zur Welt bringen, die vor dem achten Tage nicht sehen können?! – Ich gebe dir mit Freuden, wenn es mit mir vorbei sein soll, was ich von meiner Seelenglut in dich hineingelebt, auf deine Karriere mit. Aber wenn du dich vor deinem Künstlerlos hinter einen Geldsack verschanzest, dann bist du heute schon nicht mehr wert als das Gras, das dereinst aus dem Grabe wächst!

ANNA Hättest du wenigstens den geringsten Anhaltspunkt darüber, was aus Molly geworden ist!

v. KEITH Beschimpf mich nicht noch! – *Ruft* Sascha!

ANNA Wenn du denn durchaus darauf bestehst, daß wir uns trennen sollen . . .

v. KEITH Gewiß, ich bestehe darauf.

ANNA Dann gib mir meine Briefe zurück!

v. KEITH *höhnisch* Willst du deine Memoiren schreiben?

ANNA Nein, aber sie könnten in falsche Hände geraten.

v. KEITH *aufspringend* Sascha!!

ANNA Was willst du von Sascha? – Ich habe Sascha einen Auftrag gegeben.

v. KEITH Wie kommst du dazu?!

ANNA Weil er zu mir kam. Ich habe das doch schon öfter getan. Im schlimmsten Fall weiß der Junge, wo er etwas zu verdienen findet.

v. KEITH *sinkt in den Sessel am Schreibtisch* Mein Sascha! *Wischt sich eine Träne aus dem Auge* Daß du auch ihn nicht vergessen hast! – – Wenn du jetzt das Zimmer verläßt, Anna, dann breche ich zusammen wie ein Ochse im Schlachthaus. – Gib mir noch eine Galgenfrist!

ANNA Ich habe keine Zeit zu verlieren.

v. KEITH Nur so lange, bis ich mich deiner entwöhnt habe, Anna! – Ich bedarf meiner geistigen Klarheit jetzt mehr denn je . . .

ANNA Gibst du mir dann meine Briefe zurück?

v. KEITH Du bist grauenhaft! – Aber das ist ja das helle Mitleid von dir! Ich soll dich wenigstens verfluchen dürfen, wenn du nicht mehr meine Geliebte bist.

ANNA Du lernst deiner Lebtag keine Frau richtig beurteilen!

v. KEITH *sich stolz emporreckend* Ich widerrufe meinen Glauben nicht auf der Folter! Du gehst mit dem Glück; das ist menschlich. Was du mir warst, bleibst du darum doch.

ANNA Dann gib mir meine Briefe zurück.

v. KEITH Nein, mein Kind! Deine Briefe behalte ich für mich. Sonst zweifle ich dereinst auf meinem Sterbebett, ob du nicht vielleicht nur ein Hirngespinst von mir gewesen bist. *Ihr die Hand küssend* Viel Glück!

ANNA Auch ohne dich! *Ab.*

v. KEITH *allein, sich unter Herzkrämpfen windend* – Ah! – Ah! – Das ist der Tod! – *Er stürzt zum Schreibtisch, entnimmt einem Schubfach eine Handvoll Briefe und eilt zur Tür* Anna! Anna!

In der offenen Tür tritt ihm Ernst Scholz entgegen. Scholz geht unbehindert, ohne daß man ihm noch eine Spur von seiner Verletzung anmerkt.

v. KEITH *zurückprallend* . . . Ich wollte eben zu dir ins Hotel fahren.

SCHOLZ Das hat keinen Zweck mehr. Ich reise ab.

v. KEITH Dann gib mir aber noch die zwanzigtausend Mark, die du mir gestern versprochen hast!

SCHOLZ Ich gebe dir kein Geld mehr.

v. KEITH Die Karyatiden zerschmettern mich! Man will mir meinen Direktionsposten nehmen!

SCHOLZ Das bestärkt mich in meinem Entschluß.

v. KEITH Es handelt sich nur darum, eine momentane Krisis zu überwinden!

SCHOLZ Mein Vermögen ist mehr wert als du! Mein Vermögen sichert den Angehörigen meiner Familie noch auf unendliche Zeiten eine hohe, freie Machtstellung! Währenddem du nie dahin gelangst, einem Menschen irgend etwas zu nützen!

v. KEITH Wo nimmst du Schmarotzer die Stirne her, mir Nutzlosigkeit vorzuwerfen?!

SCHOLZ Lassen wir den Wettstreit! – Ich leiste endlich den großen Verzicht, zu dem sich so mancher einmal in diesem Leben verstehen muß.

v. KEITH Was heißt das?

SCHOLZ Ich habe mich von meinen Illusionen losgerissen.

v. KEITH *höhnisch* Schwelgst du wieder mal in der Liebe eines Mädchens aus niedrigstem Stande?

SCHOLZ Ich habe mich von allem losgerissen. – Ich gehe in eine Privatheilanstalt.

v. KEITH *aufschreiend* Du kannst keine nichtswürdigere Schandtat begehen als den Verrat an deiner eigenen Person!

SCHOLZ Deine Entrüstung ist mir sehr begreiflich. – Ich habe in den letzten drei Tagen den grauenvollsten Kampf durchgekämpft, der einem Erdenwurm beschieden sein kann.

v. KEITH Um dich feige zu verkriechen?! – Um als Sieger auf deine Menschenwürde zu verzichten?!

SCHOLZ *aufbrausend* Ich verzichte nicht auf meine Menschenwürde! Du hast weder Ursache, mich zu beschimpfen, noch meiner zu spotten! – Wenn jemand die Beschränkung, in die ich mich finde, *gegen* seinen Willen über sich verhängen lassen muß, dann mag er seiner Menschenwürde verlustig gehen. Dafür bleibt er relativ glücklich; er wahrt sich seine Illusionen. – Wer kalten Blikkes wie ich mit der Wirklichkeit abrechnet, der kann sich dadurch weder die Achtung noch die Teilnahme seiner Mitmenschen verscherzen.

v. KEITH *zuckt die Achseln* Ich würde mir diesen Schritt doch noch ein wenig überlegen.

SCHOLZ Ich habe ihn reiflich überlegt. Es ist die letzte Pflicht, die mein Geschick mir zu erfüllen übrigläßt.

v. KEITH Wer einmal drin ist, kommt so leicht nicht wieder heraus.

SCHOLZ Hätte ich noch die geringste Hoffnung, jemals herauszukommen, dann ginge ich nicht hinein. Was ich mir an Entsagung aufbürden, was ich meiner Seele an Selbstüberwindung und Hoffnungsfreudigkeit entringen konnte, habe ich aufgewandt, um mein Los zu ändern. Mir bleibt, Gott sei's geklagt, keinerlei Zweifel mehr darüber, daß ich anders geartet als andre Menschen bin!

v. KEITH *im höchsten Stolz* Gott sei Dank habe ich nie daran gezweifelt, daß ich anders geartet als andere Menschen bin!

SCHOLZ *sehr ruhig* Sei es nun Gott geklagt oder Gott gedankt – dich hielt ich bis jetzt für den abgefeimtesten Spitzbuben! – Ich habe auch diese Illusion aufgegeben. Ein Spitzbube hat Glück, so wahr wie dem ehrlichen Menschen auch im unabänderlichen Mißgeschick noch sein gutes Gewissen bleibt. Du hast nicht mehr Glück als ich, und du weißt es nicht. Darin liegt die entsetzliche Gefahr, die über dir schwebt!

v. KEITH Über mir schwebt keine andere Gefahr, als daß ich morgen kein Geld habe!

SCHOLZ Du wirst zeit deines Lebens morgen kein Geld haben! – Ich wüßte dich vor den heillosen Folgen deiner Verblendung gerne in Sicherheit. Deswegen komme ich noch einmal zu dir. Ich habe die heilige Überzeugung, daß es für dich das beste ist, wenn du mich begleitest.

v. KEITH *lauernd* Wohin?

SCHOLZ In die Anstalt.

v. KEITH Gib mir die dreißigtausend Mark, dann komme ich mit!

SCHOLZ Wenn du mich begleitest, brauchst du kein Geld mehr. Du findest ein behaglicheres Heim, als du es vielleicht jemals gekannt hast. Wir halten uns Wagen und Pferde, wir spielen Billard ...

v. KEITH *ihn umklammernd* Gib mir die dreißigtausend Mark!! Willst du, daß ich hier vor dir einen Fußfall tue? Ich kann hier vom Platz weg verhaftet werden!

SCHOLZ Dann bist du schon so weit?! – *Ihn zurückstoßend* Ich gebe solche Summen keinem Wahnsinnigen!

V. KEITH *schreit* Du bist der Wahnsinnige!

SCHOLZ *ruhig* Ich bin zu Verstand gekommen.

V. KEITH *höhnisch* – Wenn du dich in die Irrenanstalt aufnehmen lassen willst, weil du zu Verstand gekommen bist, dann geh hinein!

SCHOLZ Du gehörst zu denen, die man mit Gewalt hineinbringen muß!

V. KEITH Dann wirst du in der Irrenanstalt wohl auch deinen Adelstitel wieder aufnehmen?

SCHOLZ Hast du nicht in zwei Weltteilen jeden erdenklichen Bankrott gemacht, der im *bürgerlichen* Leben überhaupt möglich ist?!

V. KEITH *giftig* Wenn du es für deine moralische Pflicht hältst, die Welt von deiner überflüssigen Existenz zu befreien, dann findest du radikalere Mittel als Spazierenfahren und Billardspielen!

SCHOLZ Das habe ich längst versucht.

V. KEITH *schreit ihn an* Was tust du denn dann noch hier?!

SCHOLZ *finster* Es ist mir mißlungen wie alles andere.

V. KEITH Du hast natürlich aus Versehen jemand anders erschossen!

SCHOLZ Man hat mir damals die Kugeln zwischen den Schultern, dicht neben dem Rückgrat, wieder herausgeschnitten. – Es ist heute wohl das letztemal in deinem Leben, daß sich dir eine rettende Hand bietet. Welch eine Art von Erlebnissen noch vor dir liegt, das weißt du jetzt.

V. KEITH *wirft sich vor ihm auf die Knie und umklammert seine Hände* Gib mir die vierzigtausend Mark, dann bin ich gerettet!

SCHOLZ Die retten dich nicht vor dem Zuchthaus!

V. KEITH *entsetzt emporfahrend* Schweig!!

SCHOLZ *bittend* Komm mit mir, dann bist du geborgen. Wir sind zusammen aufgewachsen; ich sehe nicht ein, warum wir nicht auch das Ende gemeinsam erwarten sollen. Die bürgerliche Gesellschaft urteilt dich als Verbrecher ab und unterwirft dich allen unmenschlichen mittelalterlichen Martern ...

V. KEITH *jammernd* Wenn du mir nicht helfen willst, dann geh, ich bitte dich darum!

SCHOLZ *Tränen in den Augen* Wende deiner einzigen Zuflucht nicht den Rücken! Ich weiß doch, daß du dir dein jammervolles Los ebensowenig selber gewählt hast wie ich mir das meinige.

v. KEITH Geh! Geh!

SCHOLZ Komm, komm. – Du hast einen lammfrommen Gesellschafter an mir. Es wäre ein matter Lichtschimmer in meiner Lebensnacht, wenn ich meinen Jugendgespielen seinem grauenvollen Verhängnis entrissen wüßte.

v. KEITH Geh! Ich bitte dich!

SCHOLZ – – Vertrau' dich von heute ab meiner Führung an, wie ich mich dir anvertrauen wollte . . .

v. KEITH *schreit verzweifelt* Sascha! Sascha!

SCHOLZ – – – Dann vergiß nicht, wo du einen Freund hast, dem du jederzeit willkommen bist.

Ab.

v. KEITH *kriecht suchend umher* – – Molly! – – Molly! – – Es ist das erstemal in meinem Leben, daß ich vor einem Weib auf den Knien wimmere! – – *Plötzlich nach dem Wohnzimmer aufhorchend* Da . . . ! Da . . . ! *Nachdem er die Wohnzimmertür geöffnet . . .* Ach, das sind Sie?

Hermann Casimir tritt aus dem Wohnzimmer.

v. KEITH Ich kann Sie nicht bitten, länger hierzubleiben. Mir ist – nicht ganz wohl. Ich muß erst – eine Nacht – darüber schlafen, um der Situation wieder Herr zu sein. – Reisen Sie mit . . . mit . . .

Schwere Schritte und viele Stimmen tönen vom Treppenhaus herauf.

v. KEITH Hören Sie . . . Der Lärm! Das Getöse! – Das bedeutet nichts Gutes . . .

HERMANN Verschließen Sie doch die Tür.

v. KEITH Ich kann es nicht! – Ich kann es nicht! – Das ist sie . . . !

Eine Anzahl Hofbräuhausgäste schleppen Mollys entseelten Körper herein. Sie trieft von Wasser, die Kleider hängen in Fetzen. Das aufgelöste Haar bedeckt ihr Gesicht.

EIN METZGERKNECHT Da hammer den Stritzi! – *Zurücksprechend* Hammer's? – Eini! *Zu v. Keith* Schau her, was mer g'fischt hamm! Schau her, was mer der bringen! Schau her, wann d'a Schneid hast!

EIN PACKTRÄGER Aus'm Stadtbach hammer's zogen! Unter die eisernen Gitterstangen vor! An die acht Täg' mag's drin g'legen sein im Wasser!

EIN BÄCKERWEIB Und da derweil treibt sich der Lump, der dreckichte, mit seine ausg'schamte Menscher umanand! Sechs Wuchen lang hat er's Brot net zahlt! Das arme Weib laßt er bei alle Krämersleut' betteln gehn, as was z' essen kriagt! A Stoan hat's derbarmt, as wia die auf d' Letzt ausg'schaut hat!

V. KEITH *retiriert sich, während ihn die Menge mit der Leiche umdrängt, nach seinem Schreibtisch* Ich bitte Sie, beruhigen Sie sich doch nur!

DER METZGERKNECHT Halt dei Fressen, du Hochstapler, du! Sunst kriagst vo mir a Watschen ins G'sicht, as nimma stehn kannst! – Schau da her! – Is sie's oder is sie's net?! – Schau her, sag i!

V. KEITH *hat hinter sich auf dem Schreibtisch Hermanns Revolver erfaßt, den die Gräfin Werdenfels früher dort hatte liegenlassen* Rühren Sie mich nicht an, wenn Sie nicht wollen, daß ich von der Waffe Gebrauch mache!

DER METZGERKNECHT Was sagt der Knickebein?! – Was sagt er?! – Gibst den Revolver her?! – Hast net gnua an dera da, du Hund?! – Gibst ihn her, sag' i . . . !

Der Metzgerknecht ringt mit v. Keith, dem es gelingt, sich dem Ausgang zu nähern, durch den eben der Konsul Casimir eintritt. Hermann Casimir hat sich derweil an die Leiche gedrängt; er und das Bäckerweib tragen die Leiche auf den Diwan.

V. KEITH *sich wie ein Verzweifelter wehrend, ruft* Polizei! – Polizei! *Bemerkt Casimir und klammert sich an ihn an* Retten Sie mich, um Gottes willen! Ich werde gelyncht!

DER KONSUL CASIMIR *zu den Leuten* Jetzt schaut's aber, daß weiter kummt, sunst lernt's mi anders kenna! – Laßt's die Frau auf dem Diwan! – Marsch, sag' i! – da hat der Zimmermann 's Loch g'macht! *Seinen Sohn, der sich mit der Menge entfernen will, am Arm nach vorn ziehend* Halt, Freunderl! Du nimmst auf deine Londoner Reise noch eine schöne Lehre mit!

Die Hofbräuhausleute haben das Zimmer verlassen.

CASIMIR *zu v. Keith* Ich wollte Sie auffordern, München binnen vierundzwanzig Stunden zu verlassen; jetzt glaube ich aber, es ist wirklich am besten für Sie, wenn Sie mit dem nächsten Zug reisen.

V. KEITH *immer noch den Revolver in der Linken haltend* Ich – ich habe dieses Unglück – nicht zu verantworten ...

CASIMIR Das machen Sie mit sich selbst ab! Aber Sie haben die Fälschung meiner Namensunterschrift zu verantworten, die Sie an Ihrem Gründungsfest in der Brienner Straße in einem Glückwunschtelegramm vorgenommen haben.

V. KEITH Ich kann nicht reisen ...

CASIMIR *gibt ihm ein Papier* Wollen Sie diese Quittung unterzeichnen. Sie bescheinigen darin, eine Summe von zehntausend Mark, die Ihnen die Frau Gräfin Werdenfels schuldete, durch mich zurückerhalten zu haben.

V. KEITH *geht zum Schreibtisch und unterzeichnet.*

CASIMIR *das Geld aus seiner Brieftasche abzählend* Als Ihr Nachfolger in der Direktion der Feenpalastgesellschaft möchte ich Sie im Interesse einer gedeihlichen Entwicklung unseres Unternehmens darum ersuchen, sich so bald nicht wieder in München blicken zu lassen!

V. KEITH *am Schreibtisch stehend, gibt Casimir den Schein und nimmt mechanisch das Geld in Empfang.*

CASIMIR *den Schein einsteckend* Vergnügte Reise! – *Zu Hermann* Marsch mit dir!

Hermann drückt sich scheu hinaus. Casimir folgt ihm.

V. KEITH *in der Linken den Revolver, in der Rechten das Geld, tut einige Schritte nach dem Diwan, bebt aber entsetzt zurück. Darauf betrachtet er unschlüssig abwechselnd den Revolver und das Geld. – Indem er den Revolver grinsend hinter sich auf den Mitteltisch legt* Das Leben ist eine Rutschbahn ...

Nachwort

»Frühlings Erwachen«

Des Frühlings Versteck

Steif recken sich empor die kahlen Mauern,
Die platten Dächer ragen in den Himmel...
Doch tief, tief unten, von den Mauern rings
Und von den grauen Zäunen eng umgeben –
Da liegt ein Garten. Zwischen engen Dächern
Schaut dort hinein der blaue Frühlingshimmel.
Ein kleiner Rasenfleck. Die feinen Gräser
Umwindet schüchtern, eng ein gelber Kiesweg.
In einer Ecke aber, wo die Zäune
Noch näher rücken und mit dunkler Wucht
Gewaltig hochragt eine rote Mauer,
Da steht ein Birnbaum, und die weiten Äste,
Sie greifen übern Zaun... der dunkle Stamm
Ganz voll von leuchtend weißen, leichten Blüten.
Und hin und wieder weht ein leiser Wind
Und Blüten sinken nieder in den Garten.

Walter Benjamin, 1910[1]

Aufbruchsstimmung

Ein Reststück Natur ist im Gedicht des achtzehnjährigen Schülers Walter Benjamin inmitten ziegelsteinumbauter Hinterhöfe sorgsam umhegt. In Benjamins Jugendlyrik legt das an sichtbare Natur nur noch erinnernde Rasenstück mit seinem über die enggesteckte Grenze ausgreifenden Baum Zeugnis ab vom gestörten Idyll. In den steinernen Einfassungen der Großstadt führt Natur ein unbeachtetes, kläglich kultiviertes, rührendes Dasein. Nahezu expressionistisch ragt der »Gott der Stadt«, wie das ebenfalls 1910 entstandene Gedicht von

1 Walter Benjamin: Gesammelte Schriften. Band II, 3. Herausgegeben von Rolf Tiedemann und Hermann Schweppenhäuser. Frankfurt am Main 1980. Seite 834.

Georg Heym betitelt ist, ins Hinterhofidyll. Inmitten der tausendfach gebrochenen und zurückgespiegelten Wahrnehmung des großstädtischen Blicks ist das Reale irgendeiner vorstellbaren Natur zum künstlich gepflegten Kuriosum geworden.

Aus dieser Perspektive läßt sich Benjamins positive Rezension der umstrittenen Inszenierung von Frank Wedekinds »Frühlings Erwachen« durch Karlheinz Martin an der Berliner Volksbühne im Jahre 1929 verstehen: Die Großstadt stand in Martins Inszenierung in ähnlich beherrschender Beziehung zur Restnatur wie im Gedicht des jungen Benjamin. Caspar Neher hatte das entsprechende Bühnenbild geliefert, in dem die Kinder aus Wedekinds Drama als Großstadtrangen agierten. »Kurz, Martin hat den Kindern ihren großen Sachwalter, den Frühling, genommen.«[2]

Die Verlegung des dramatischen Schauplatzes von »Frühlings Erwachen« in die Megalopolis Berlin der zwanziger Jahre verhält sich widersprüchlich zum geistigen Grundgehalt der Kindertragödie. Kontrapunktisch verweist die experimentelle Inszenierung auf die Zugehörigkeit des Schauspiels zu einer Stilepoche, die sich von der Künstlichkeit des großstädtischen Labyrinths radikal losgesprochen hatte: Den ideologischen Rahmen des Wedekindschen Dramas erstellt die widerspruchsvolle Epoche des Jugendstils, die in ihrer floralen Ornamentierung und schwungvollen Konturierung zur Darstellung ihrer Figuren großstädtische Massen, Industrie und Technik vor den Toren ihres paradiesischen Gartens zurückläßt. Die atmosphärische Nachwirkung in »Frühlings Erwachen« von Wedekinds Lenzburger Schloßjahren sowie die von Franz von Stuck im Jahre 1891 auf Vorschlag des Autors angefertigte Buchillustration für die Erstausgabe des Dramas lassen gleichermaßen großstädtischen Lebensraum unberücksichtigt. Ließe man nämlich in Benjamins Gedicht die städtischen Mauern und den eng abzirkelnden Kiesweg beiseite, so daß sich das Rasenstück zu freier Landschaft entfalten könnte, so erhielte man ungefähr das Stucksche Frontispiz. In ihm umschlingen sich zwei knospende Bäume, Schwalben fliegen im Frühlingswind, der Blick schweift unbegrenzt über eine hügelige Landschaft, wäh-

2 Walter Benjamin: Wedekind und Kraus in der Volksbühne. Am angegebenen Ort, Band IV, 1, 2. Herausgegeben von Tillman Rexroth. Seite 551.

rend sich im Vordergrund die ersten Frühlingsblumen zu voller Blüte entwickelt haben. Stucks ornamentale Symbolisierung wie der gleichfalls symbolische Titel des Dramas schließen die Kindertragödie jener Epoche des Jugendstils an, die sich von der historistischen Üppigkeit der Gründerzeitästhetik ebenso sehr unterscheiden wollte wie von der ihr zugehörigen philisterhaften, bigotten Moral. Von Aufbruchsstimmung und Kehrtwendung zu neuer Natürlichkeit wurde der Motivvorrat dieser Epoche geprägt: Jugend, Frühling, Sonne und Unschuld symbolisierten die Hingabe ans Kreatürliche. Von der in solchen bildnerischen wie dichterischen Darstellungen oftmals mitschwingenden Sterilität unterscheidet sich Wedekinds Rückgriff auf den epochalen Lebensbegriff der Unschuld nachhaltig. Die Doppeldeutigkeit des Lebensbegriffs als Hingabe und kraftvoller Wille zugleich[3] ermöglicht eine ebenso geartete Darstellung jugendlicher Unschuld, die Sterilität in Laszivität verwandelt. Jene Ambivalenz der Unschuld findet sich typisch in Stucks 1889 entstandener »Innocentia«, die ein von einem durchscheinenden Schleier umhülltes, pubertäres Mädchen zeigt, das das Symbol der Reinheit, eine weiße Lilie, in den Händen trägt. Daß unwissende Unschuld nicht unterschwelliger Laszivität entbehrt, zeigt nicht nur und ganz besonders die Kunst Stucks; auch in Wedekinds Konfiguration der Wendla Bergmann ist verführerische Doppeldeutigkeit zu spüren. Im Motiv der Unschuld verschränkt sich zeittypisch Ästhetisierung mit ganz und gar nicht konfliktfreier Sexualisierung des von bürgerlicher Sexualmoral beschädigten familiären Individuums. Psychoanalyse und Kunst des Jugendstils treten dergestalt in ein Verhältnis von unterschiedlich kathartischer Funktion. Die psychoanalytische Therapie beseitigt die ödipalen Fehlentwicklungen des bürgerlichen Subjekts im hermeneutischen Diskurs seiner frühkindlichen Sexualerinnerungen. Der vom Ornament geprägten Lebensbewältigung hingegen ist die Pubertät kreatürlicher Scheitelpunkt, an dem reine Natur erstmals in deformierende Kultur und Moral überzuwechseln droht. Bildnerische Kunst findet dafür aussagekräftige Embleme verdrängter Sehnsüchte.

3 Vgl. Gert Mattenklott: Jugendstil. In: Deutsche Literatur. Eine Sozialgeschichte. Herausgegeben von H. A. Glaser. Band 8: Jahrhundertwende: Vom Naturalismus zum Expressionismus 1880–1918. Herausgegeben von Frank Trommler. Reinbek bei Hamburg 1982.

Der Vielfältigkeit des widersprüchlichen Jugendstils, der ebenso sehr das Kranke wie das Gesunde, das helle Sonnenlicht wie die Nächte des sumpfigen Unbewußten, das Sinnlich-Wollüstige wie das Ätherische verehren konnte, ist Wedekind nur bedingt zuzurechnen. Teils ist seine Lebensemphase der ornamentalen Bilderwelt, mehr aber einer antinaturalistischen Lebensphilosophie verpflichtet, die Wedekinds originären Beitrag zur zeitgenössischen Lebensmetaphysik ausmacht. In der Bilderschrift des Jugendstils schreibt Wedekind, wenn der in der Kindertragödie enthaltene utopische Antrieb des zu überwindenden schlechten Gesellschaftlichen seine Kraft aus der Darstellung einer Pubertät bezieht, die dem Reich des Vegetativ-Organischen oder der Lebensrhythmik der Pflanzen angehört. In Marthas (I, 3) und Moritz' (I, 2) utopischen Erziehungsidealen, die den lebensreformerischen von Wedekind selbst entsprechen, wird dies ebenso deutlich wie in einer Bemerkung des Autors aus der Entstehungszeit der Kindertragödie über die Kontur der jugendlichen Figuren: »Der schmächtige Halm ist emporgeschossen, die schwere saftstrotzende Knospe droht ihn zu knicken...«[4] Der profane Mythos vom angeblich wesentlichen Stadium menschlicher Phylogenese in der Pubertät läßt Geschichte, Gesellschaft und Zivilisation als ihm gegensätzlich erscheinen. Es macht aber gerade die Entfernung vom Zeitgeist des Jugendstils aus, daß Wedekind keine Weltflucht antritt, sondern Lebensemphase in kritische Beziehung zu sozialer Realität bringt. Zwar erscheint in der Kindertragödie der Geschlechtstrieb als erwachende Naturkraft, die den Sexus als herrschaftsfreies Geheimnis konstruiert; in der Auseinandersetzung mit der zeitgenössischen bürgerlichen Gesellschaft funktioniert der Sexus jedoch als sozialkritische Instanz. In dieser dramaturgischen Konzeption Wedekinds gründet der Einbruch des Mythos ins bürgerliche Leben, der seinen Auftritt nie ohne tödliche Katastrophen vollzieht.

4 Artur Kutscher: Frank Wedekind. Sein Leben und seine Werke. 3 Bände. München 1922–31. Band 1. Seite 235.

Tatmenschen, nicht Seelenmenschen

Die Originalität von Wedekinds Drama besteht darin, daß sein Antinaturalismus nur bedingt der organisch-vegetativen Ästhetik des Jugendstils zuzurechnen ist. Die ästhetischen und ideologischen Konsequenzen aus dieser Distanz gestalten sich in der allegorischen Perspektive auf die Scheinwelt des Zirkus.

Von der Nachahmung der Wirklichkeit in der naturalistischen Dramatik hatte Wedekind sich bereits mit seinem Lustspiel »Kinder und Narren« (»Die junge Welt«, 1890) satirisch verabschiedet. Die deutsche Adaption von Zolas Devise der Literatur als »coin de la nature« (»Winkel der Natur«) ist für Wedekind kein nachahmenswertes Gestaltungsprinzip. Für ihn ist die Bühne Ort künstlerischer Verdichtung der Wirklichkeit, wenngleich die Auseinandersetzung mit gesellschaftlicher Realität und besonders das Aufgreifen der sexuellen Frage ohne die naturalistische Dramatik nicht zu denken ist. Dem Erbe des Naturalismus verdankt Wedekind in der Wahl und Diskussion seiner Stoffe mehr, wenngleich in bühnenästhetisch völlig anderer Verarbeitung, als der gesamte Antinaturalismus von Jugendstil und Impressionismus seinem eigenen Verständnis nach selbst meint. Verachtung bürgerlicher Behäbigkeit, Lebenskult, Befreiung der Liebe aus erstarrten Konventionen und vor allem Hinwendung zu einer radikal diesseitsbezogenen Wirklichkeit – all dies gehörte bereits zu den Glaubensgrundsätzen des Naturalismus. Mit seinen Vorstellungen von der Emanzipation der Frau und vor allem derjenigen der Liebe ging Wedekind allerdings über den naturalistischen Bühnenhorizont hinaus. Die Überwindung der Mitleidsethik des Naturalismus und entsprechend gearteter Seelenqualen und Innerlichkeitsprobleme ist der Motor der dramatischen Technik von »Frühlings Erwachen«; verunglückte Lieben und damit verbundene psychologische Querelen der Dramenhelden eines Sudermann, Halbe, Holz, Schlaf und vor allem des Wedekindschen Antipoden Gerhart Hauptmann kommen als ästhetische Gegenstände allenfalls noch parodistisch in Betracht.

Über Mitleid und Innerlichkeit, über Bewußtseinsbildung und Bewußtwerdung als Gestaltungsprinzipien der Bühnenfiguren will Wedekind hinaus. Seine Zirkusperspektive entwirft ein Individuum, das in allen seinen amoralischen Eigenschaften den genannten Grundsätzen entgegensteht. So hat es Wedekind 1887 in seinen »Zirkusgedanken« beschrieben, die als geistige Konstruktionswerkstatt verstanden werden müssen, in der die Dramaturgie der Kindertragödie entstanden ist. In diesen Gedanken verbündet sich Amoral mit der Dynamik des extrovertiert-schönen Leibes gegen idealschöne Innerlichkeit. Die amoralische Moral Wedekinds lautet: Der schöne Mensch ist egoistisch, nur der egoistische Mensch ist schön. Melchior ist der Protagonist dieser Moral des Tatmenschen. Die Allegorie der Zirkusmanege als Sinnbild des Weltgeschehens bedeutet die Nutzlosigkeit der Mitleidsmoral. In der Welt als Manege geht es allein um das Überleben: Die dort gültigen Spielregeln veranschaulichen ebenso sehr die Grausamkeit des Lebens wie ihre Bewältigung als Lebensgenuß im Entwurf eines ästhetischen Programms. Darin überschreitet die Allegorie des Zirkus die Banalität avitaler Alltäglichkeit und funktioniert gleichzeitig als ästhetisches Gegen-Bild zu profanem Sozialdarwinismus.

Moritz und Melchior vertreten das agonale und das vitale Prinzip der circensischen Lebensperspektive. Verdeutlicht bereits das dressierte Springpferd in Wedekinds »Zirkusgedanken« als poetische Metapher die »Elastizität«[5] des Lebenskampfes in Schönheit, so demonstriert vollends der Gegensatz von Trapez- und Seilkünstlerin das Vorherrschen des Lebenskampfes in Wedekinds Vitalismus, der sich transzendierender Sinnentfaltung enthalten möchte. Die Polarität von Moritz' Lebensflucht und von Melchiors Lebenswillen als Prinzipien des Lebens überhaupt beruht auf der Gegensätzlichkeit von »abstrakt-erhabenem Idealismus« und »real-praktischem Idealismus«[6], die in Trapez- und Seilkunst ihre plastisch-allegorische Darstellung findet. Die Unveränderlichkeit des Schwerpunktes in der Trapezkunst, Sinnbild eines übergeordneten, der Qualität des Bewußtseins eignenden Ideals, das sich mit den Anforderungen des realen Lebens nicht zur Deckung bringen läßt und von daher letztlich negiert werden muß, findet sich in der Sensibilität von Moritz wieder. Anders Melchior, das aufklärerische alter ego des Moralisten Moritz:

5 Frank Wedekind: Gesammelte Werke. 9 Bände. München 1912–21. Band 9 (aus dem Nachlaß herausgegeben von Artur Kutscher und Joachim Friedenthal). Seite 297.
6 Vgl. ebenda, Seite 305.

Sein labiles Gleichgewicht ermöglicht die permanente Anpassung an die Widrigkeiten der Lebensumstände. Moritz verbleibt *vor* dem Leben; doch noch seine Selbstzerstörung zeigt das Verlangen nach dem ihm Vorenthaltenen. Die Instinktsicherheit des Seiltänzers Melchior schließt aber den Tod gleichfalls nicht aus. Erst der Auftritt an seinem Abgrund erstellt die Grazie und die Schönheit seines Leibes und seiner Lebensführung. Kein Wunder also, daß der Versuch einer moralischen und ästhetischen Umkehr bei Richard Dehmel auf Zustimmung stieß. Nachdem er zuvor gegen Hauptmanns »Vor Sonnenaufgang« Front gemacht hatte, begrüßte er im Jahre 1892 »Frühlings Erwachen« als »Drama der Zukunft«[7] und Melchior Gabor nietzscheanisch als »den Knaben der Gegenwart mit dem Hammer der Zukunft«[8]. Vom Bühnenhelden der Gegenwart erwartete Dehmel, wie Wedekind, statt naturalistischer »Waschlappenseelen«[9] den neuen Menschen der Tat und des Handelns.

Tatsächlich legt Wedekinds vor Todesbereitschaft vibrierende Elastizität in ihrem Versuch, ohne metaphysierende Transzendierung auszukommen, eine Affinität zu Nietzsches Lebensbejahung nahe. An Wedekinds Egoismusmoral, die sich in den Jugendbriefen an den Schweizer Schulfreund Adolph Vögtlin findet und wie sie in die Konzipierung der Gestalt Melchiors Eingang gefunden hat, werden jedoch Differenz und Gegensatz zu Nietzsche deutlich. Zwar will Wedekind – Melchiors Charakter wie das sehnsüchtige Streben aller im Drama erscheinenden Jugendlichen weisen darauf hin – die Kräfte des Individuums anders anordnen, als es die altruistische Moral der reaktiven Kräfte, des Schuldgefühls und des schlechten Gewissens, verlangt. In der ästhetischen Moral als Kombination aus Zirkusakrobatik und instinktgeleiteter Hindernisbewältigung scheint die Gestalt eines Individuums hervor, das dem Charakter seiner unbewußten Triebkräfte gehorchen soll. Doch die spezifisch Wedekindsche Moral des Egoismus bleibt im Verhältnis zu Nietzsches Philosophie ein psychologisches Zwischenstadium in der Überwindung der altruistischen Moral. Deren christliche Herkunft erkennt Wedekind als

7 Erklärung. In: Die Gesellschaft. Monatsschrift für Litteratur, Kunst und Sozialpolitik. Jahrgang 1892, 4. Quartal, Seite 1474.
8 Ebenda, Seite 1475.
9 Die neue deutsche Alltagstragödie. Am angegebenen Ort, 2. Quartal, Seite 510.

Heuchelei, die ihre wahren Kräfte verborgen hält oder disziplinierender Verdrängung opfert. Die moralischen Grundsätze des jungen Wedekind gehen auf die Überzeugungen des Schülers zurück, daß »der Mensch nichts tue ohne angemessene Belohnung, *daß er keine andere Liebe kennt als Egoismus«*[10]. Der Kult des Ego will mit starkem Willen die Selbstlosigkeit puritanischer Moral überwinden und demaskiert den verborgenen Selbstzweck, durch disziplinierte Diesseitigkeit sich ein besseres Jenseits zu verdienen. Wedekinds Egoismusmoral bleibt als Verichlichung ans Ego gebunden, dessen Willenskraft sich als aktives Reagens auf den unbewußten Trieb versteht. Die Entinnerlichung im Zirkusmenschen entwirft das neue Individuum als ästhetisches Übertier. Im Gegensatz zum dionysischen Werden des Nietzscheschen Übermenschen ist dieses Tier an das Sein eines identischen Grundtriebes gebunden: den Sexus. Die Zirkuswelt entfaltet die Naturbeherrschung am Menschen als ästhetizistisches Programm: Nicht die Ausbildung eines erhabenen Bewußtseins ist von Wert, sondern die naturgemäße Hervorbringung der im Unbewußten schlafenden Lebenswünsche. Anders als in Nietzsches Philosophie bleiben in Wedekinds ästhetischer Konstruktion seiner typologischen Dramenhelden begriffliche Identitäten erhalten. Die Fiktion des Selbstbewußtseins eröffnet sich Wedekind bei Gelegenheit des Rückgriffs auf die unabdingbare »Natur« des einzelnen Subjekts: Die Wertschätzung des Sexualtriebs reguliert die Qualität der Lebensbewältigung. Hinter dem Mythos des Lebens bricht der moderne Mythos von der Allmacht des Sexus hervor.

*Poetische Utopie des Sexus:
Kampf der kulturellen Sexualmoral*

Anhand der Sexualität wird Wedekind die Brüchigkeit des Subjekts offenbar. Die Überwindung des Naturalismus, so wie Hermann Bahr sie formulierte[11], wird in »Frühlings Erwachen« in der dramatischen Darstellung des sexuell bedingten Nervösen vollzogen. Doch ist

10 An Adolph Vögtlin, Schloß Lenzburg, August 1881. In: Frank Wedekind: Gesammelte Briefe. 2 Bände. Herausgegeben von Fritz Strich. München 1924. Band 1. Seite 29.
11 Vgl. Hermann Bahr: Die Überwindung des Naturalismus. 1891.

Wedekind das Nervöse nicht, wie Bahr, naturalismusüberwindende Instanz einer anvisierten neuen Kunst. In der Kindertragödie dient das Nervöse vielmehr der Darstellung des von der philiströsen Moral beschädigten Sexuallebens der Jugendlichen. Wedekind votiert für die Aufhebung der von unbefriedigter und verdrängter Genitalität zeugenden Nervositäten. Onanie, masochistische Flagellationswünsche und erotische Tagträumereien verweisen sämtlich auf die Absperrung des genitalen Hauptstrombettes und der substituierenden Ausbreitung der sexuellen Energie in die Seitenarme der Perversionen. Die Lust des – vorenthaltenen – Sexus verstand Wedekind als Schutzgott der Perversionen der pubertären Jugendlichen. Auf die Differenz dieser Auffassung zu derjenigen Freuds hat Walter Benjamin aufmerksam gemacht: »Freud hat gelehrt, daß alle ›Entartungen‹ des Geschlechtslebens nur verfrühte Triebfixierungen sind; der Sexus ist auf kindlichen Entwicklungsstufen stehen geblieben; Denkmäler, Spuren dieser Stufen sind die Perversionen. Die allzu krassen, allzu scharfen Masken der Kinder sind inzwischen Schutzgötter des Wedekindschen Sexus selber geworden. Sie stehen zum organischen und geistigen Gesicht des Toten. Sie sind in der langen, traurigen Unsterblichkeit seine Nothelfer.«[12] Die Lust der Partialtriebe bewahrt die Erinnerung an die von Wedekind hypostasierte menschliche Sexualnatur. Bei Freud verweisen die polymorphen Perversionen des frühkindlichen Sexuallebens auf die synthetische Natur des Geschlechtstriebes sowie auf die Anforderungen des Realitätsprinzips, die erst die Umwandlung der Partialtriebe erzwingen. Für Wedekind sind hingegen die Perversionen Surrogate der wahren Sexualnatur, die durch die eindämmende Sexualmoral entstanden sind. Gerade gegen sie wendet sich seine Kritik vornehmlich. Angriffspunkte sind das skandalöse Schweigen und die falsche Scham bei der Behandlung der sexuellen Problematik; viel mehr noch tritt Wedekind aber für das Recht auf sexuelle Lust der Jugendlichen in der Demonstration ihrer »perversen« Wünsche ein, die allenfalls im Vokabular der Psychoanalyse als psychoneurotische Symptome erscheinen.

Wedekind wendet sich gegen die gesellschaftlich geforderte Enthaltsamkeit ebenso wie gegen daraus folgende Schuldgefühle ange-

12 Walter Benjamin, am angegebenen Ort, Seite 522.

sichts eines natürlichen Vorgangs. Seine Kritik ist sexualpolitischer Natur: Sie zielt gegen die monogame Sexualmoral der zeitgenössischen bürgerlichen Familie. Enthaltung von jeder Sexualbetätigung während des Heranwachsens, Schamhaftigkeit, Keuschheit und Reinheit, gipfelnd in der Wertschätzung besonders der weiblichen Jungfräulichkeit – all dies gehörte zu den unübertretbaren Geboten einer Moral, für die der Zweck der sexuellen Liebe allein in der Fortpflanzung bestand. Wedekinds Opposition gegen solche Moral attackiert jene dritte Kulturstufe des Sexualtriebes, wie Freud sie in seinem Aufsatz »Die ›kulturelle‹ Sexualmoral und die moderne Nervosität« definiert; in ihr ist nur noch »die legitime Fortpflanzung als Sexualziel zugelassen«[13]. Eher entspricht Wedekind als erwünschter Kulturzustand die von Freud benannte erste Kulturstufe, »auf welcher die Betätigung des Sexualtriebs auch über die Ziele der Fortpflanzung hinaus frei ist«[14]. Die Strenge einer bürgerlichen Sexualerziehung, die die Keuschheit in der heroischen Selbstüberwindung der Jugendlichen bewahrt wissen will und die Unwissenheit und Enthaltsamkeit an die ungewissen Versprechungen der Monogamie knüpft, ist für den Autor von »Frühlings Erwachen« unnatürlicher Verzicht. Im Lichte dieser Erziehung muß Wendlas lyrische Deflorationseuphorie (II, 6) betrachtet werden: Die Ästhetisierung der Notzucht will sich provokant an den von puritanischer Moral als hygienisch betrachteten Geboten des Libidoaufschubs vergehen. Am von ihnen gezeichneten Körper der Frau tritt Emanzipation als gewaltsames Einfordern des moralisch Tabuisierten in Erscheinung.

Im Schnittpunkt zweier Konstruktionslinien entsteht der ästhetische Ort der Kindertragödie. Einerseits handelt es sich um den literarischen Reflex auf die Misere der puritanischen Sexualmoral und deren überwachendes Instrumentarium am Beispiel des pädagogisierten Kindes, andererseits um die Entfaltung einer Atmosphäre, die in der Poetisierung der sexuellen Sehnsüchte der Jugendlichen der Rationalität des Sexualtriebs entgegenwirkt. Der lyrisch-literarische

13 Sigmund Freud: Die »kulturelle« Sexualmoral und die moderne Nervosität. In: Sigmund Freud: Studienausgabe. Band IX: Fragen der Gesellschaft. Ursprünge der Religion. Herausgegeben von Alexander Mitscherlich, Angela Richards und James Strachey. Frankfurt am Main 1974. Seite 20.

14 Ebenda.

Bezug auf diese Rationalität verweist auf ihre Herkunft aus der zeitgenössischen Sexualwissenschaft, die sich besonders seit den achtziger Jahren des letzten Jahrhunderts in einer Flut von wissenschaftlicher Literatur mehr oder weniger populären Charakters auf die begierige Leserschaft ergoß. Wedekind, selbst Rezipient dieser Literatur und Erkenntnistheoretiker in sexualibus, fordert mit der Kindertragödie die aus dem Diskurs der Sexualität folgenden Konsequenzen ein. Sie zielen auf die Abschaffung einer Moral, die sich auf das sexualisierte Individuum stützt, dessen Lust aber verschiedenen Kodifizierungen unterwirft. Mit der in der Kindertragödie enthaltenen Kritik und der darüber hinausgehenden Utopie verlangt Wedekind die Auflösung der durch die monogame Moral verursachten Verdrängungen zugunsten der Erfüllung der sexuellen Lüste. Am Ende des 19. Jahrhunderts dokumentiert die Kindertragödie am individualgeschichtlich entscheidenden Stadium der Pubertät eine historische Wende: Die Neuregelung der Verhältnisse zwischen den Geschlechtern war gesellschaftlich dringend notwendig geworden. Im Wunsch nach dem noch nicht verwirklichbaren Augenblick des sexuellen Rausches liegt die provokante Poesie des Dramas: Vor der Verwirklichung ihrer Forderungen im gesellschaftlichen Dauerzustand konsumtiver Promiskuität vermag sie noch unschuldig ihr sexuelles Pathos aufzuschreiben.

Die Zerstörung des trivialen Mythos von der ehelichen Liebe gipfelt in Wedekinds Drama in der als schlechthin wertlos erklärten Liebe der »amour passion« (»Liebe als Leidenschaft«). Keine der jugendlichen Figuren leidet unter ihrem Dämon; die pubertären Qualen beruhen einzig auf der Einschränkung ihrer Sexualnatur. Mit der Moral des Egoismus ist der Begriff der Liebe unvereinbar. Der Sexus hat sich unwiderruflich vom Eros getrennt: »O glaub mir, es gibt keine Liebe! Alles Eigennutz, alles Egoismus! – Ich liebe dich so wenig, wie du mich liebst.« (II, 4) Die Umkehr ist eindeutig: Liebe ist mit Altruismus, Egoismus ist mit dem Sexus identisch.

Die libidinöse Unentschiedenheit des pubertären Interims ist in ihren Verwirrungen am sinnfälligsten geeignet, die eindimensionale Rationalität des Erwachsenendaseins als Ergebnis gesellschaftlicher Zwangsmechanismen zu kennzeichnen. Die Schwankungen der Reifezeit zwischen Autoerotik und Objektfindung werden einerseits vom tiefinnerlichen Erschrecken vor dem Erwachen des eigenen Geschlechts begleitet, andererseits erweist die objektlose Wunschproduktion die Wahl des Partners als zufällige Laune der Natur und nicht als individuell motivierte Neigung. Beispiel für solche Unschärfen ist Moritz' Halluzination von der kopflosen Königin: Psychoanalytisch kann sie als negative Autoerotik gedeutet werden. Zur Liebe gegensätzlich spiegelt sich die Objektlosigkeit als naturhafter, bestialischer Prozeß im Todeswunsch verzerrt wider. Die pubertären Leidenschaften sind eher auf Zufälligkeiten und Aggression gegen alle als auf Liebe zu einem gegründet. Glückhaft gestaltet, kann deshalb die Pubertät gerade in Melchior als Widerpart zur monogamen Liebesideologie auftreten, die die sexuelle Verbindung der Partner von deren legalisierter Zuneigung abhängig macht.

Die Eliminierung des Eros zugunsten des Sexus erweitert die pubertätsbedingte melancholische Einsamkeit – paradigmatisch an Moritz zu beobachten – um eine weitere Dimension. Es ist dies diejenige Einsamkeit, die die moderne Sexualität mit sich bringt, wenn sie den erotischen Weltbezug verloren hat und fatalistisch auf den Instinkt verwiesen ist. Die lyrische Gestalt des erwachenden Sexus, sein bevorzugtes Erscheinen in elegischer Abendstunde, sein reines Begehren gegenüber unreiner Konvention – all dies läßt den Sexus seine harte Kontur verlieren. Die Abkehr vom Dämon des erotischen Rauschzustandes, den Wedekind nur als pervertierte, eheliche Liebesideologie kennenlernte, und die daraus folgende Bevorzugung der Heftigkeit des animalischen Lebens vor elementarer Ekstasis, wie sie in einer ganz anders gearteten lebensphilosophischen Esoterik zu finden ist, ließen das geistige Element der Neigung nicht mehr in Betracht kommen. Blindheit der Liebe, die selbst mit blicklosen Augen am anderen festhält, und Metaphorik des Herzens verursachen im jungen Wedekind Mißtrauen und Aufbegehren.

Das solitäre Dasein des Sexus zeigt sich vollends in dem Augenblick, in dem zwar das Reale seines Daseins gewollt, doch nur noch sein Imaginäres erreicht werden kann. Das angeblich Reale des Geschlechtstriebes und der Physis sind im Zuge umfassender Sexualisierung und Sexualdressur des bürgerlichen Zeitalters vollständig in der Imagination aufgegangen. Aus dieser Perspektive trägt die Onanieszene des Hänschen Rilow über die provokatorisch-kritische Absicht des Autors, die Masturbation und ihre Phantasien darzustellen, hinaus. Mit der theatralischen Präsentation dieses »Verbrechens am eigenen Leibe«, wie es die bürgerliche Pädagogik seit Mitte des 18. Jahrhunderts immer erbitterter verfolgte und im 19. Jahrhundert zunehmend der medizinischen Beobachtung aussetzte, macht Wedekind jenes »schmutzige kleine Geheimnis«[15], das puritanische Moral um der Reinheit ihres verschwiegenen Sprechens willen den Nachforschungen der Wissenschaftler überließ, zum dramatisch-ästhetischen Gegenstand. Gleichzeitig denunziert Wedekind gründerzeitliche Salonmalerei als verbrämte Pornographie. Zwangsläufig mußten diese Angriffe auf Kunst, Moral und Geschäft, wie es das Geld als Objekt der Masturbation in der Korrektionsanstalt symbolisiert, die Zensur als Sachwalter allgemeiner Sittlichkeit auf den Plan rufen. Die Dramatisierung der masturbatorischen Phantasien künden neben dem kritischen Antrieb des Autors vom kulturgeschichtlichen Stadium des sexualisierten Körpers. Dessen wahres Organ ist das voyeuristische Auge, das seine sexuellen Energien vorwiegend aus dem imaginationsstimulierenden Bild bezieht. Diesen Mechanismus beklagt Freud in der bereits erwähnten Bestandsaufnahme der kulturellen Sexualmoral: Masturbatorische Phantasien und Realitätsanforderungen klaffen derart auseinander, daß letztere keine entscheidungskräftige Wirkung mehr zeitigen.

Reale Physis und reale geschlechtliche Sexualität versprach im Fin de siècle die Prostituierte. Sie verhieß dasjenige Lusterleben, das die schamhaften Körper der Ehefrauen, deren reine Herzen von der Lust nichts wissen, verweigerten. Wendla Bergmann und ihre unwissenden Freundinnen sind die Repräsentantinnen jener weiblichen Tugend der Unschuld, deren Lust völlig der Verdrängung anheimzufallen droht und ihre Wiederkehr in hysterischen Symptomen erlebt. Als moralfreie Alternative zu Keuschheit und Verweigerung »natürlicher« Lust taugte zwangsläufig die Prostituierte: Für Wedekind gestaltete sie sich zur Allegorie des wahren »Weibes«. Die hysterische Abwehr der moralisierten Körper der Gattinnen hatte die Junggesellenphantasie

15 Vgl. D. H. Lawrence: Pornographie und Obszönität. In Liebe, Sex und Emanzipation. Zürich 1971. Seite 30.

von der männerfressenden, libertären Frau als Gegenbild erzeugt. Ilse ist solch eine Gestalt und als Vorläuferin Lulus die Märtyrerin der sexuellen Lebensbefreiung, der in zivilisatorischer Unnatur die Schmach des prostituierten Daseins angetan wird. In Ilse scheint jener Bereich vor, der im mythischen Prinzip Lulu seine Katastrophe erlebt. Die Figur der Ilse als Allegorie der wahren »Weibnatur« zeigt jedoch gleichermaßen die Allegorie des männlichen Begehrens, das sich das wahre Leben im nahezu heiligen Körper der Hetäre imaginiert. Allein die beliebig auswählbaren Partner der Prostitution können der wertlos erklärten (ehelichen) Liebe wahrhaft Widerstand leisten. Diese Beliebigkeit sowohl im pubertären Ausbruch des Sexus wie in der Prostitution bezeichnet den Wedekindschen Weg der Entinnerlichung. Die ästhetische Pädagogik des Zirkuskörpers reicht hinüber in den Bereich des Alltäglich-Menschlichen, in dem sich nicht Liebende, sondern einander begehrende und verschlingende Gattungsvertreter gegenübertreten. Die Inszenierung einer romantischen Liebe ist im Fin de siècle zu ihrem unwiderruflichen Ende gekommen. Ihr Dasein ist nur noch als Kolportage oder als Trivialität vorstellbar.

Lebensemphase

»Frühlings Erwachen« ist dem »vermummten Herrn« als »Personifikation des realen Lebens«[16] gewidmet. Dessen doppeltes Erscheinen als Motiv und Widmung, als maskierte Allgemeinheit und als lebendige Konkretion in Ilse verweist auf die Herkunft des so gearteten Lebensbegriffes aus dem Programm der »Lebensphilosophie«. Dort nämlich, wo der Anspruch besteht, das Leben aus ihm selbst heraus zu verstehen, tritt es ebenfalls als Doppelgänger auf. Einerseits erscheint »das Leben« als konstituierendes, einem Teil der Natur zugehöriges Dasein, andererseits erscheint es konstitutiv als subjektiver Erlebnisakt. Verstehen tritt in einen erkenntnistheoretischen Zirkel ein, der nicht aufzulösen ist: Alle Aussagen über das Leben finden schon immer in dem Medium statt, von dem sie bedingt sind. Leben entzieht

16 Vgl. Gesammelte Werke. Band 9. Seite 425f.

sich damit logischer Erklärung und beinhaltet statt dessen Unerkennbares und Unsagbares.

Am Ende des 19. Jahrhunderts erscheint »die Lebensphilosophie« als kultur- und zivilisationskritische Gegenwartsphilosophie, die als philosophische Wendung gegen rationalistische Aufklärungsphilosophie bis hin zur spekulativen Dialektik Hegels verstanden werden muß. Ratio und Geist, Daseins-, Existenz- und Wirklichkeitsbestimmungen als begrifflich gefaßte Seinsbestimmungen weichen dem Versuch, die Wirklichkeit des Wirklichen anders als vernunftmäßig zu bestimmen. Die kausallogischen Bestimmungen der Wirklichkeit unter Ausschluß zufälliger Möglichkeiten werden von der Bezeichnung des Wirklichen als Unmittelbarkeit des dynamischen Lebens abgelöst. »Lebensphilosophie« in diesem allgemeinen Sinne wendet sich gegen den Rationalismus von der wissenschaftlichen Erkennbarkeit des Lebens als begrifflichen Seins. Wirklichkeit ist nur im subjektiven Erlebniszusammenhang erfahr- und nicht letztlich erkennbar. Das Erlebnis stellt die logische Erkennbarkeit des Wirklichen grundsätzlich in Frage. Erkenntnistätigkeit als subjektives Bewußtseinserlebnis wird dann relativiert, wenn einerseits Sprache als allem Erkennen vorgeordnetes Medium erscheint und andererseits der Primat des Selbstbewußtseins und der Begriff des Subjekts als Fiktion einer konstanten Einheit gedacht werden. In Nietzsches Philosophie kommt eine so geartete Kritik metaphysischer Seinserkenntnis in der Bezeichnung des Seins als Werden zu ihrem Höhepunkt.

Als geistiges Konglomerat schlägt sich das Gedankengut der »Lebensphilosophie« im literarischen Vitalismus als ästhetischem Ableger eines allgemeinen Zeitgeistes nieder. Mit den philosophischen Auseinandersetzungen eines Simmel, Dilthey, Bergson oder Nietzsche ist dieser Vitalismus nur begrenzt in Einklang zu bringen, wenngleich vor allem Nietzsche zum Hauptzeugen des Lebenskultus gemacht und damit von vitalistischer Rezeption aus den Fragestellungen der abendländischen Philosophie ausgegrenzt wurde. Im Zuge allgemeiner Lebensemphase mißverstand die vom élan vital beeinflußte Nietzsche-Lektüre aus einer irrigen Interpretation willensgestählten Übermenschentums die Aphoristik des Philosophen als Handlungsanweisung zur Einkehr in die Fiktion eines unmittelbar-weihevollen Lebens, das mit abstraktem Denken endlich Schluß mache.

Die Konstellation von Moritz als Konfiguration negierten, vorenthaltenen und von Melchior als Gestaltung des mit Hilfe des vermummten Herrn gefundenen Lebenssinnes entsteht aus der Dramatisierung vitalistischen Gedankenguts: Die Suche nach kreatürlichem Sein bei gleichzeitigem Verlöschen des Selbstbewußt-Seins durch die Heraufkunft des Unbewußten macht die Metaphysik von Leben und Tod zur kritischen Instanz einer zureichenden Begründung für eine sittliche Weltordnung. In der Definition des vermummten Herrn erscheint Moral nur noch als Folge eines Imaginären; damit ist jede bestehende Moral in den Möglichkeitszustand versetzt. Der Blick der Kindertragödie auf die Lebenskraft ist der der sexuellen Physiologie. Ihre Erhaltungsbedingungen sind in einer möglichen, neuen Amoral als Prädikate natürlichen Seins projiziert. Vitalistisches Zeitwollen des Fin de siècle macht die von puritanischer Moral verdrängten Stimulantien zur Mitte seiner lebenserneuernden Idealität.

Thomas Medicus

»Der Marquis von Keith«

Wedekinds Zeitdiagnose: Der Bankrott der Idealismen

Daß die Kunst zur Ware, das Theater zur Branche der Vergnügungsindustrie und der Künstler selbst zum Narren des Kapitals zu werden drohe, über diesen auch für den »Marquis von Keith« zentralen kunstsoziologischen Befund waren die verschiedenen literarischen Strömungen der Jahrhundertwende sich im wesentlichen einig. Um alle »Rücksichten auf Theaterzensur und Gelderwerb«[1] auszuschalten, hatten deshalb die Berliner Naturalisten im Jahre 1889, etwa gleichzeitig mit dem Entstehen von Wedekinds ersten Stücken, die Theaterinstitution »Freie Bühne« als geschlossenen Verein gegründet. Ebenso wurden die wenig später von Stefan George herausgegebenen

1 Zitiert nach Gernot Schley: Die Freie Bühne in Berlin. Berlin o. J. [1967], Seite 27.

»Blätter für die Kunst« nur in minimalen Auflagen gedruckt und vom Vertrieb in Buchhandlungen ausdrücklich ausgeschlossen. Um so heftiger freilich differierten die verschiedenen literarischen Bewegungen in der inhaltlichen Füllung ihres Kunstbegriffs. Während die Vertreter des »art nouveau« (»Neue Kunst«) emphatisch auf dem Konzept der ästhetischen Autonomie beharrten und folgerichtig die Wirklichkeit zum Ornament verflüchtigten, griffen die Naturalisten gerade auf die aufklärerische Tradition einer moralisch engagierten Kunst zurück. Ziel des Theaters sei es, so proklamierte eine populäre naturalistische Programmschrift aus dem Jahre 1898, im Zuschauer »allumfassendes Mitleid« und »soziale Entrüstung« zu entfachen, zwei »starke Gefühle, die uns den endlichen Sieg der Gerechtigkeit auf Erden verbürgen«[2]. Daß freilich auch dieses ehrenwerte oppositionelle Programm den beherrschenden gesellschaftlichen Mechanismen und den Verwertungs- und Vergnügungsinteressen nicht entgehen könne, hat gleichzeitig mit dem »Marquis von Keith« Heinrich Mann in seinem Roman »Im Schlaraffenland« dargestellt. In ihm erscheint der Künstler, auch der naturalistische, als Hofnarr des Kapitals. Wie einst die Monarchen mit ihrem Hofstaat und ihren Festpoeten so umgeben sich die Kapitalgewaltigen mit ihren Salons und ihren publizistischen Werbeorganen. Am sichersten reüssiert hier der Schriftsteller, der bereit ist, die Rolle des Gigolo zu spielen und Ruhm und Erfolg an seine sexuelle Attraktivität für die Dame des Hauses zu binden. Im Schlaraffenland des Kapitals, so das Résumé des Romans, verkommt auch oppositionelle Kunst zum Zeitvertreib der Herrschenden.

Wedekinds Werk läßt sich weder dem naturalistischen noch dem ästhetizistischen Kunstbegriff zuschlagen. Seine künstlerischen Wanderjahre hatte Wedekind in den Kreisen der europäischen Bohème verbracht, und er teilte die dieser Gruppe eigentümliche teils läßlich-schmarotzerhafte, teils subversiv-zynische Einstellung zur herrschenden Gesellschaftsordnung[3]. Solange sich deren Einrichtungen als Mittel für künstlerische Zwecke und als Einnahmequellen für den Künstler verwerten ließen, mochte sie immerhin florieren. Als begei-

2 Edgar Steiger: Das Werden des neuen Dramas. Zweiter Teil. Berlin 1898. Seite 88.
3 Vgl. dazu Helmut Kreuzer: Die Bohème. Stuttgart 1968. Seite 48ff.

sterter Zirkus- und Varieté-Besucher litt Wedekind außerdem nicht an puristischen Skrupeln in der Wahl seiner künstlerischen Medien. Wenn er eine Pantomime für einen Zirkus schrieb, so mußte ihn das nicht in seiner künstlerischen Würde beeinträchtigen, und wenn sich insgesamt in seinen Werken Elemente einer Zirkusdramaturgie nachweisen lassen[4], so nicht nur als Ausdruck gesellschaftskritischer Intentionen. Wie die Bohème die Befreiung der Gesellschaft zu deren unteren Schichten, dem Lumpenproletariat, hin betreibt, so hätte auch Wedekind keine Einwände gehabt gegen eine Emanzipation des Theaters in die Richtung des Zirkus oder in die Richtung eines Instituts, das der Marquis von Keith als »halb Tanzboden und halb Totenkammer« beschreibt (Seite 108 dieses Bandes).

Fataler wäre ihm dagegen eine Entwicklung des Theaters hin zur Kanzel erschienen, wie sie den Naturalisten zum Teil vorschwebte. Der Prolog des »Erdgeist«-Dramas, in dem ein Zirkusdirektor »das *wahre* Tier, das *wilde, schöne* Tier« in Wedekinds Werk anpreist und zugleich über die wohlgesitteten, behaglich plärrenden »Haustiere« Gerhart Hauptmanns seinen Hohn ausgießt, ist Teil einer Kontroverse, die Wedekinds gesamtes Werk prägt. Dieses wendet sich formal durchweg gegen das streng mimetische Prinzip des Naturalismus, inhaltlich – und hier mit der gleichen Emphase – gegen die naturalistische Mitleidsdramaturgie und Mitleidsethik.

Darf man einem Brief des siebzehnjährigen Wedekind glauben, so gewann er bereits als siebenjähriges Kind die unumstößliche Einsicht, »daß der Mensch nichts tue ohne angemessene Belohnung, *daß er keine andere Liebe kennt als Egoismus*« (Briefe 1, Seite 29)[5]. Melchior Gabor äußert dieses Credo in der Heubodenszene von »Frühlings Erwachen«, der Marquis von Keith bekennt sich zu ihm, wenn er Gottesliebe und Eigenliebe umstandslos gleichsetzt (Seite 141), und noch der späte Wedekind läßt sich in seinem Eifer gegen Gerhart Hauptmann und gegen die altruistische Ethik dazu hinreißen, Dramengestalten und Weltautoren nach der Polarität von Egoismus und Altruismus zu Paaren zu treiben. Zwei Menschengruppen gebe es, so lautet eine späte Notiz zu dem Drama »Kitsch«: die Altruismus-

4 Vgl. Volker Klotz: Dramaturgie des Publikums. München und Wien 1976. Seite 138–176.
5 Die Briefstellen werden hier und im folgenden zitiert nach Frank Wedekind: Gesammelte Briefe. Herausgegeben von Fritz Strich. 2 Bände. München 1924.

Gläubigen und die Altruismus-Ungläubigen. Zur ersten Gruppe zählt Wedekind u. a. Gerhart Hauptmann, Karl Moor, Faust und Ernst Scholz, zur zweiten sich selbst, Franz Moor, Mephisto und den Marquis von Keith[6].

Die Notiz macht Scholz und Keith zu Ideenträgern, das Schauspiel zum Ideendrama. In der Tat zeigt bereits der erste fragmentarische Entwurf zum »Marquis von Keith«, daß Wedekind bei der Abfassung zunächst ein dieser Gattung sich annäherndes Konzept verfolgte und Keith und Scholz als Repräsentanten konträrer moralischer Positionen und als Hauptantagonisten verstand. Der Entwurf enthält zahlreiche Anspielungen auf Goethes »Faust«, wobei im Sinne der eben zitierten Notiz Scholz den faustischen Altruismus, Keith aber den mephistophelischen Egoismus vertreten sollte. Beide Figuren tragen hier zudem noch die sprechenden Namen Welter und Grabau und knüpfen damit an die Debatte von hie Welt, hie Grab an, die bereits die Schlußszene von »Frühlings Erwachen« geprägt hatte. Im fertigen Stück weist die Zeichnung von Ernst Scholz und Molly Griesinger noch immer in diese Richtung. In vielleicht perfider, gewiß aber bühnenwirksamer Form und in Anlehnung an Nietzsches inzwischen schon popularisierte Kritik der Mitleidsethik befragt Wedekind am Beispiel dieser Figuren die altruistische Moral auf ihre psychischen Voraussetzungen und ihre praktischen Konsequenzen. Mitleid, so hatte Nietzsche provokativ festgestellt, speise sich aus dem Ressentiment der Schwachen und Unglücklichen gegen die Starken und Glücklichen, es sei Zeichen nicht guten, sondern tyrannischen Willens, und es wolle nicht das Glück befördern, sondern das Unglück verallgemeinern.

Wer wie der tote Moritz Stiefel in »Frühlings Erwachen« selbst nicht mehr leben kann, der versucht auch andere für den Tod anzuwerben. »Ist das nicht befähigt, einen zu beglücken«, heißt es im »Marquis von Keith«, »dann will es einem wenigstens das Haus über dem Kopf in Brand stecken!« (Seite 140) So ist die scheinbar hingebungsvolle Liebe des Mädchens aus Bückeburg diktiert von einem tyrannischen Eigentumstrieb, der das geliebte Objekt auch um den

6 Unveröffentlichtes Manuskript im Besitz der Kantonsbibliothek Aarau. Zitiert nach H. Maclean: Wedekind's »Der Marquis von Keith«: An Interpretation based on the Faust and Circus Motifs. In: Germanic Review 43, 1968, Seite 173.

Preis der Zerstörung und Selbstzerstörung in Besitz nehmen will. Für den oberschlesischen Grafen, einen Geist, der stets das Gute will und stets das Böse schafft, gilt auf allgemeinerer Ebene dasselbe. Das Unglück, das er verhindern will, ruft er gerade hervor; mit seinem Versuch, als Liebender die Klassenschranken zu überwinden, macht er sich und andere unglücklich, und sein letztes großzügiges Hilfeangebot an den Marquis bringt diesen fast ins Irrenhaus. Daß die besten Vorsätze solche düsteren Konsequenzen zeitigen, ist keineswegs zufällig. Als Idealist hegt Scholz, wie das »Unglückswurm« Molly, eine »unbezähmbare Liebhaberei für das Unglück« (Seite 85), und seine Gewissensqualen sind nicht Ausfluß moralischer Sensibilität, sondern der Unfähigkeit seines Geistes, sich »irgendwelche delikatere Nahrung zu verschaffen« (Seite 94). In entschiedenem theoretischen Gegensatz zu den entsagenden Altruisten präsentiert sich dagegen Keith als Egoist und Genießender. Er serviert aller Welt Kaviar und kalten Aufschnitt im ersten, Champagner und Austern im zweiten Akt; wenn ihm die Ladenbesitzer, seine Gläubiger, kein Brot mehr liefern, dann speist er im Hotel Continental, und prinzipiell betrachtet er »den allerergiebigsten Lebensgenuß« als sein »rechtmäßiges Erbe« (Seite 88). Aus dem Drama der Ideenträger wird spätestens an diesem Punkte ein Drama soziokultureller Gegensätze. Blüht der Altruismus in der historisch zurückgebliebenen Provinz, so klagt Keith sein Erbe an Orten ein, die auf der Höhe der Zeitentwicklung stehen: in dem von imperialistischen Nachfolgekriegen zerrütteten Cuba und in der vom kapitalistischen Gründerfieber befallenen Großstadt.

Daß die Provinz, in der die historisch überkommene Zwangsmoral der bürgerlichen Familie herrscht, ihre Wahrheit im Friedhof hat, war bereits die Quintessenz der Kindertragödie. Anderswo, »unter Menschen«, so wird dort von dem »Vermummten Herrn« vage verheißen, biete sich dagegen Gelegenheit, den »Horizont in der fabelhaftesten Weise zu erweitern« und mit allem bekannt zu werden, »was die Welt Interessantes bietet« (Seite 71). Der »Marquis von Keith« behält die Denunziation der Provinz bei und übernimmt auch noch die daraus folgende vergleichsweise positive Bewertung der »interessanten« Welt der Großstadt. Heinrich Manns Bezeichnung des kapitalistischen Berlin als »Schlaraffenland« war ein Sarkasmus; Wedekinds

Rückgriff auf vergleichbare Mythen scheint zunächst eher ernst gemeint. »Bückeburg«, die Heimat Molly Griesingers, steht in sprechendem Gegensatz zu »Nymphenburg«, dem eben eingemeindeten Vorort Münchens. Allgemeiner gesagt: Gleicht die Provinz einem Friedhof, einer Galeere und einem Gefängnis, so scheint die Großstadt auf dem besten Wege, die Mythen karnevalistischer Gleichheit und Freiheit zu verwirklichen. Arkadische Unschuld, so schwärmt der Marquis (Seite 94), verbinde sich hier mit babylonischer Hemmungslosigkeit, der Hexensabbat mit den römischen Saturnalien, der Erinnerungsfeier des goldenen Zeitalters des Saturn.

Im Verlauf des Stückes wird diese aus »Frühlings Erwachen« übernommene eindeutige Antithese freilich in den Hintergrund gedrängt. Das einstige Land der Verheißung wird jetzt zum Ort realer Erfahrungen und vor allem realer Desillusionierungen. Damit zugleich wird das Drama der beiden antagonistischen Ideenträger um weitere und schließlich beherrschende Kräfte erweitert: um das Münchner Großbürgertum und um die am Rande der Vergnügungsindustrie angesiedelte Bohème. Daß diese Erweiterung aus dem Ideendrama ein realistisches Schauspiel machte, also in einem durchgehenden Konzeptionswandel resultierte, läßt sich innerhalb der Entstehungsgeschichte des Stückes auch an dessen wechselnden Titeln ablesen. Aus dem Fragment »Ein Genußmensch« wird 1899 »Der gefallene Teufel«, was die Mephistopheles Anspielung noch einmal betont. Der Titel des ersten Journaldrucks von 1900, »Münchner Szenen. Nach dem Leben aufgezeichnet« betont dagegen den sozialen Rahmen des Spiels. Er verspricht zugleich auch – und das sollte bei der Beurteilung einer Komödie zumindest berücksichtigt werden – das Vergnügen, das sich bei der Aufdeckung und Darstellung halböffentlicher Skandale einzustellen pflegt.

Der Feenpalast und die neuen Bedürfnisse Münchens

Den Sieg der korrekten Casimirs über die genialischen Keiths und damit den Sieg des Kommerz über eine dem Kommerz nicht einmal abgeneigte Kunst, das Handlungsschema des »Marquis von Keith« also, hatte Wedekind in den Jahren 1895–1900 exemplarisch als unmittelbar Beteiligter studieren können. Er war auch dem breiteren Publikum bekannt durch einen markanten, für kapitalistische Hochkonjunkturphasen typischen Bauskandal größeren Ausmaßes. Die Halbmillionenstadt München ließ sich in der zweiten Gründerperiode der Jahrhundertwende »gar nicht träumen, was sie für Bedürfnisse« hatte (Seite 139). Zu diesen Bedürfnissen gehörte ein als Schwanthaler-Passage und dann als Deutsches Theater bekannt gewordenes Vergnügungs- und Kulturzentrum, das offenbare Vorbild für Keiths Feenpalast[7]. Zwischen 1894 und 1896 auf einem ehemaligen Fabrikgelände errichtet, vereinte dieses Bauwerk unter einem Dach Café-, Bier- und Weinrestaurants, Club- und Billardsäle, Gesellschaftsräume, Wintergärten und Kegelbahnen sowie ein mit dem neuesten technischen Chic, der gerade erfundenen Drehbühne, ausgestattetes Theater, das sich zudem in der Faschingszeit in einen großen Festsaal umwandeln ließ. Als »Karyatiden« des Unternehmens nennt Wedekind den Baumeister Krenzl, den Restaurateur Grandauer und den Bierbrauereibesitzer Ostermeier. Ihnen entsprachen in der Realität der Architekt Bluhm, der Gastronom Hitzelsperger und – etwas später und in der Rolle des Alleinbesitzers – Sedlmayr, der Hersteller der bekannten Spatenbiere. Avantgardistisch wie die architektonische Verknüpfung von Musen- und Biersälen sollte auch der Theaterbetrieb selbst werden. Für ihn hatte man mit Emil Meßthaler und Georg Stollberg zwei Schüler des naturalistisch orientierten Regisseurs Otto Brahm engagiert. Freilich war mit diesem Engagement das beherrschende Prinzip des Übergewichts des Kommerzes über die Kunst

7 Die folgenden Hinweise zur Frühgeschichte des Deuschen Theaters verdanke ich Maurus Pacher: »... ob der Bau des Feenpalastes für München ein Bedürfnis ist?« Die wechselvollen Schicksale des Deutschen Theaters. In: Festschrift. Wiedereröffnung 1982. München 1982. Seite 9–16.

wohl bereits durchbrochen. Meßthaler versuchte, Kunst im emphatischen Sinne zu inszenieren, erwirtschaftete Verluste und wurde zwei Monate nach der Theatereröffnung, im November 1896, entlassen. Wenn der von Ostermeier ausgebootete Keith sich im fünften Aufzug wenigstens eine Stelle als künstlerischer Leiter erbetteln will, so ist er, mißt man seinen Wunsch an der Realität, schlecht beraten. Das Deutsche Theater alias Feenpalast verschlang in den ersten Jahren seines Bestehens neben dem Architekten und den Kleinaktionären vor allem seine künstlerischen Leiter. Meßthalers Nachfolger meldete im Sommer 1897, wiederum nach wenigen Monaten Spielzeit, Konkurs an und verschwand ein Jahr später in einer Nervenheilanstalt. Der ihm folgende Varietédirektor Hugo Oertel überlebte immerhin schon zwei Jahre bis zum Juni 1900, und erst dem Bierbrauereibesitzer gelang es, das Unternehmen endgültig, und zwar als Varieté, zu konsolidieren. Vier Jahre Theatergeschichte wurden hier zur Fallstudie für den scheiternden Versuch, die Kommerzienräte vor den Thespiskarren zu spannen.

Wie das Handlungsschema des »Marquis von Keith« unmittelbares Zeitgeschehen darstellt, so darf man auch die Vorlage für die Hauptfigur des Stückes in der Biographie Wedekinds selbst vermuten[8]. Um 1895 sah sich der inzwischen mittellose dreißigjährige Autor genötigt, die freischwebende Existenz in europäischen Großstädten aufzugeben, das Bohèmekostüm – Havelock, Schlapphut und Virginiazigarre – abzulegen, sich mit Zigarette, Paletot und hellgrauem Zylinder als soignierter Herr auszustaffieren und in Deutschland als Dramatiker ins Geschäft zu kommen[9]. Vom Deutschen Theater und seinem ersten Regisseur ließ sich die Förderung junger Talente erwarten. Diese bereiteten sich selbst und dem Theater den Boden durch die Herausgabe der das Theater begleitenden Zeitschrift »Mephisto«, für die auch Wedekind einige Beiträge verfaßte. Nach der Entlassung Meßthalers im November 1896 stellte auch die Zeitschrift ihr Erscheinen

8 Die Wedekind-Forschung, beginnend mit Artur Kutscher (Frank Wedekind. Sein Leben und seine Werke. 3 Bände. München 1922–31. Band 2. Seite 60), verweist im übrigen bei der Suche nach Vorbildern auf den Hochstapler Willy Grétor, den Wedekind aus Paris kannte. Vgl. außerdem Friedrich Rothe: Frank Wedekinds Dramen. Jugendstil und Lebensphilosophie. Stuttgart 1968. Seite 75, der auf die Beschreibung Victor Bohains in Heines »Geständnissen« verweist.

9 Vgl. Artur Kutscher, am angegebenen Ort, Band 2, Seite 2.

ein. Im Dezember floh Wedekind, offenbar um seinen Gläubigern zu entgehen, nach Berlin. Ihn begleitete – eines der Vorbilder für Molly Griesinger – die Frau August Strindbergs, die freilich wenig später hochschwanger nach München zurückkehrte, denn »von irgendeinem Glück« konnte »zwischen zwei Menschen, die so wenig wie möglich zusammenpassen, nicht die Rede sein« (Briefe 1, Seite 307).

Die Briefe der folgenden Zeit zeigen Wedekind in der Doppelrolle des Künstlers, der zugleich sein eigener Werbefachmann sein muß, und des Spekulanten, der möglichst viele verheißungsvolle, in letzter Minute aber scheiternde Projekte betreibt. Im Januar steht er vor dem »großen Ereignis«, »von dem ich einen Umschwung in meinem Leben erwarte. [...] Wenn es schlecht geht, dann raffe ich hier so viel Geld als möglich zusammen und fahre aufs Geratewohl nach Paris, denn neue Glücksfälle abzuwarten hätte ich außer allem anderen auch nicht mehr die Geduld« (Briefe 1, Seite 274). Das große Ereignis, die Erstaufführung des Dramas »Die junge Welt«, trifft nicht ein, obwohl »der Boden [...] gar nicht besser vorbereitet sein« könnte. Fruchtbar ist der Boden unter anderem, weil »im Augenblick kein Schriftstellername in Berlin verrufener« ist als der Wedekinds. So erhofft sich der Autor wenigstens Erfolg von einem gerade erscheinenden Buch, »das jedenfalls Skandal machen wird«. »Mein Lebensglück«, so schreibt er gleichzeitig, »hängt momentan in des Wortes verwegenster Bedeutung an einem *Pferde*haar« (Briefe 1, Seite 280f.), nämlich an der erfolgreichen Aufführung der Pantomime »Bethel« durch den Zirkus Renz. Das Projekt scheitert, weil Renz, »ein dreißig Jahre altes Institut«, »plötzlich aufhört zu existieren«. »Meine Baßgeigen«, so der auch stilistisch an den »Marquis von Keith« erinnernde Kommentar, »sind wieder einmal unter Wimmern und Dröhnen vom Himmel gefallen« (Briefe 1, Seite 282). Depressionen und Selbstmordgedanken – bei nochmaligem Mißlingen »bleibe ich für diese Welt Ihr Schuldner. Die Entscheidung fällt morgen oder übermorgen« (Briefe 1, Seite 280) – wechseln mit Euphorien und waghalsigem Siegestrotz: »Die Wechselfälle des Schicksals sind unberechenbar. [...] Ich jage hier hinter einem Phantom her, an das ich schon kaum mehr glauben kann. [...] Aut Caesar aut nihil. [...] Das Leben ist eine verdammte Bestie.« (Briefe 1, Seite 282) Am Ende freilich ist das Leben von ergreifender Banalität. Was Wedekind nach dem Scheitern der Projekte bleibt, ist »immerhin eine feste Position zu 200 Mk«. Dem Marquis von Keith bleibt, bedenkt man den unvergleichlich viel höheren finanziellen Einsatz, etwa die gleiche Summe.

Das biographische Unglück von 1896 wiederholte sich zwei Jahre später in verschärfter Form. Wedekind, dem es inzwischen gelungen war, als Dramenautor, Schauspieler und Mitarbeiter an Theatern festen Fuß zu fassen, veröffentlichte im Jahre 1898 in der Zeitschrift »Simplicissimus« ein satirisches Gedicht auf die Kolonialpolitik Wilhelms II., das die Staatsanwaltschaft zum Anlaß für eine Klage wegen Majestätsbeleidigung nahm. Zwei Tage nach der erfolgreichen Erstaufführung von »Erdgeist« und zwei Monate nach Antritt des ersten festen Engagements mußte Wedekind zum zweiten Mal aus München fliehen. Die Frage nach den prinzipiellen Gründen dieses wiederholten Scheiterns – und das hieß grundsätzlich: die Frage nach dem Verhältnis des Künstlers zu den Kapitaleigentümern und zum Publikum – wurde an diesem Punkte vorrangig. Sie bestimmt neben dem »Marquis von Keith« auch noch spätere Werke des Autors.

Der Sieg des Kapitals über die Philosophie

Daß die provinzlerischen Unglückswürmer in der Großstadt nicht reüssieren können, leuchtet unmittelbar ein. Ihre Wertvorstellungen mochten das Großbürgertum des 18. und frühen 19. Jahrhunderts interessiert haben; die Ostermeiers und Casimirs der Jahrhundertwende haben andere Sorgen. Aber auch die Angehörigen der Bohème meiden die Moralisten wie Aussätzige. Die Gräfin Werdenfels, einstige Verkäuferin Huber, trägt Bedenken, das »verkörperte Unglück« Scholz in ihrem Boudoir zu empfangen (Seite 112), und selbst die »geborene Hure« Kathi alias Simba weist die Zumutung, sich mit dem Grafen und seinen Millionen zu liieren, weit von sich. Es hat sie »noch koa Mensch auf dera Welt äso sekiert as wie der Genußmensch mit seim Mitg'fühl, seim damischen!«. Wie sie richtig sieht, könnte sie mit ihm nicht Millionärin werden, sondern ganz etwas anderes: Sozialdemokratin. Und »wann die amal z' regieren anfangen, nachher da is aus mit die Champagnersoupers« (Seite 119).

Bleibt Scholz der Gefangene seines moralistischen Begriffssystems, so scheint sich Keith völlig auf der Höhe seiner Zeit zu befinden. Er weiß, daß die idealistischen Begriffe bloße Maskierungen wirklicher Ausbeutungs- und Profitinteressen sind, und er ist geradezu enthusiastisch bereit, aus seinen Einsichten Kapital zu schlagen, jeden Sterblichen nach seinen Talenten zu verwerten und selbst noch das Unglück auszubeuten. Der Branche Kunst nähert er sich daher als Manager der Kulturindustrie. Er kennt die noch nicht manifesten Bedürfnisse eines großstädtischen Publikums und vermag Wünsche zu befriedigen, die dieses kaum zu träumen wagt. Wie sich im kommerziellen Fernsehen nicht mehr bestimmen läßt, ob das Publikum, um einen Film zu sehen, die Werbung in Kauf nimmt oder ob es, um die Bilder des Konsums zu genießen, nicht vielmehr den Film erträgt, so stehen in dem von Keith entworfenen Feenpalast und in seinen das Großprojekt vorbereitenden Aktivitäten Kunst- und Kommerzgenüsse gleichberechtigt nebeneinander. Wer Bilder verkaufen will, muß sie zuvor in den Feuilletonspalten anpreisen; wer eine Opernsängerin lancieren will, der muß sie derart zum Augenschmaus zubereiten, daß jedes Mäkeln über stimmliche Unzulänglichkeiten verstummen muß, und andererseits bedarf auch die Gründung einer Aktiengesellschaft künstlerischer Einlagen, sei es in Form eines Feuerwerks. Bei alledem freilich gilt – für den Marquis wie für seine Geschäftsfreunde – prinzipiell der Vorrang des Materiellen über das Ideelle; denn die höheren »Güter heißen nur deshalb höhere, weil sie aus dem Besitz hervorwachsen und nur durch den Besitz ermöglicht werden« (Seite 79), oder, wie der Restaurateur Grandauer den gleichen Sachverhalt praxisnäher formuliert: »Zum Essen und Trinken megen d' Leit halt net so eingepfercht sein als wie beim Kunstgenuß.« (Seite 109)

Wedekind hat die Figuren Keith und Scholz nach einem strengen Kontrastprinzip konstruiert[10]. Was sich in der Kindheit, als die Kammerzofen den Musterknaben mit Verachtung straften und den Prügelknaben abküßten, bereits angedeutet hatte, scheint sich auf allen späteren Lebensstufen, den anfänglichen Karrieren, den Auslandsaufenthalten und jetzt in München, zu wiederholen. Eine himm-

10 Vgl. dazu Alfons Höger: Frank Wedekind. Der Konstruktivismus als schöpferische Methode. Königstein im Taunus 1979.

lische und eine irdische Laufbahn stehen sich gegenüber. Neben dem Kontrast fällt freilich auch die Teilidentität der beiden ungleichen Brüder ins Auge. Ist Keith nach Wedekinds eigenen Angaben[11] ein »Feuerkopf«, so Scholz ein »Empörer, der fortwährend mit seinen Ketten rasselt«. Mag es um Sinnenglück oder um Seelenfrieden gehen, beide sind unermüdlich auf der Jagd, und so vereinen sie sich auch in ihrer Erfolglosigkeit. Wenn Molly Griesinger auf Keiths Vorwurf, sie hege »eine unbezähmbare Liebhaberei für das Unglück« (Seite 85), erwidert, dieser Satz gelte vielmehr für Keith selbst, so wird man ihr ähnlich zustimmen müssen wie der abschließenden Erkenntnis von Scholz, daß Keith nicht etwa der »abgefeimteste Spitzbube« sei, sondern vielmehr nur ein Unglückswurm wie er auch (Seite 155). Diese praktische Gleichheit der ideellen Gegner, die eine für das Ideendrama entscheidende Differenz schließlich zur Marginalie werden läßt, zeigt sich schließlich auch darin, daß Keith den von Scholz vorgetragenen idealistischen Fehldeutungen der Gesellschaft nichts anderes entgegenzusetzen hat als seine eigenen Fehldeutungen, die er freilich materialistisch begründet. Von Simba etwa vermutet Scholz, sie werde von der Gesellschaft verachtet und sei eine »Märtyrerin der Zivilisation« (Seite 119). Das ist zweifellos falsch. Wenn Keith an der gleichen Stelle die »Verachtung« der Dirne ökonomistisch daraus ableitet, daß sie »das denkbar schlechteste Geschäft« betreibe, und wenn er Simbas Handlungen anschließend als Kampf gegen gesellschaftliche Verachtung interpretiert, so klingt dies elegant und realitätsgerecht, kommt jedoch der Wahrheit nicht näher. Aus keiner Stelle des Stückes läßt sich ersehen, daß sich Simba verachtet fühlt. Ähnliches gilt für das Verhältnis der beiden Kontrahenten zu Anna Werdenfels. Scholz unterliegt einem gröblichen Mißverständnis von deren Interessen, wenn er ihr, die gerade einen Heiratsantrag des Konsuls Casimir erhalten hat, vorschlägt, seine Mätresse zu werden. Keiths Vermutung, Anna fordere aus Mitleid ihre Briefe zurück, provoziert freilich auch nur die Bemerkung, er werde seiner »Lebtag keine Frau richtig beurteilen« (Seite 153).

Den wichtigsten Grund für die schließliche praktische Identität der

11 Frank Wedekind: Gesammelte Werke. Band 9. Herausgegeben von A. Kutscher und J. Friedenthal. München 1921. Seite 430.

beiden antagonistischen Ideenträger dürften die angeführten Beispiele bereits gezeigt haben. Ebenso wie Scholz ist auch Keith – freilich in materialistischer Umkehrung – noch immer den Denkschemata und Emphasen des Idealismus verhaftet. Lebensgenuß, Selbstliebe, Verwertungsprinzip, aber auch Gesundheit und Schönheit – all das erhebt Keith zu absoluten Werten und weist zugleich schon, in der bloßen Hypostasierung, darauf hin, daß er nicht in der Lage ist, diese Werte für sich zu verwirklichen. Ein ähnliches Paradox gilt für Keiths materialistische Reduktionen, die er mit dem gleichen Glaubenseifer verficht wie Scholz seine Moralismen. Die Münchner Kontrahenten als wahre Repräsentanten der kapitalistischen Gleichzeitigkeit brauchen Werte nicht mehr auf eine materielle Basis zu reduzieren; sie haben die Kategorie des Wertes selbst aus Vokabular und Denken gestrichen. Mit der Brillanz seiner ideologiekritischen Analysen kann Keith daher höchstens Provinzler wie Ernst Scholz oder Jugendliche wie den fünfzehnjährigen Hermann Casimir beeindrucken. Die übrigen Adressaten seiner Rede wie Ostermeier oder Anna gehen über sein intellektuelles Feuerwerk achselzuckend hinweg. Wenn Keith etwa sein unternehmerisches Genie demonstriert, indem er Ostermeier von einem »kleineren Bühnensaal« vorschwärmt – »den ich durch die allermodernste Kunstgattung populär machen werde, wissen Sie, was so halb Tanzboden und halb Totenkammer ist. Das Allermodernste ist immer die billigste und wirksamste Reklame« –, so prallen sein Scharfsinn und seine Formulierungskünste an dem Realitätssinn des Bierbrauereibesitzers wirkungslos ab. Diesen interessiert die wesentlich einfachere Frage: »Hm – haben S' auch auf die Toiletten nicht vergessen?« (Seite 108) Was an dieser Stelle noch eine beiläufig witzige Pointe ist, bestimmt auch wesentliche Handlungsmomente des Stükkes. Den Kampf der Bewerber um Anna Werdenfels entscheidet Konsul Casimir, indem er »eine rein praktische Frage« (Seite 132) an sie richtet, und nach dem gleichen Muster weist er am Ende des Stückes Keiths Ängste, er könne an Mollys Tod scheitern, als unsinnig zurück. Geschäftlich von Bedeutung – freilich nur als willkommener Vorwand – ist vielmehr die kleine Namensfälschung, die Keith beiläufig bei der Gründungsfeier der Feenpalastgesellschaft vorgenommen hatte.

Wedekind hat über sein späteres Drama »Totentanz« bemerkt, er habe für dieses Stück zunächst den Titel »Mephistos Tod« erwogen, da er in ihm »die Verhältnisse« darstellen wollte, »unter denen ein Mephisto, wenn das denkbar wäre, sterben müßte«[12]. Man kann den »Marquis von Keith« bereits unter demselben Aspekt interpretieren. Gemessen an Goethes »Faust« steht hier nicht mehr der Gegensatz zwischen Faust und Mephisto im Vordergrund; viel eher hat sich Marthe Schwerdtlein, eine einstige Randfigur, ins Zentrum gedrängt. Vor deren praktischem Egoismus aber ergreift bereits bei Goethe der Theoretiker Mephisto die Flucht.

»Der Marquis von Keith«: eine Komödie?

Der Untertitel »Schauspiel in fünf Aufzügen« läßt die Gattungszugehörigkeit des »Marquis von Keith« bewußt offen, und auch die abschließende Sentenz bleibt in dieser Hinsicht doppeldeutig. Als Rutschbahn wäre das Leben ein dem Mythos von Sisyphos nahekommender Alptraum oder aber trotz allem eine Belustigung. Keiths Gegnerschaft zu Scholz' Gang ins Irrenhaus sowie Wedekinds lebensphilosophisches Programm lassen die zweite Deutung als plausibler erscheinen. Sie wird zudem gestützt durch eine spätere Notiz Wedekinds, in der er als Schlußsentenz den an das Ende von »Frühlings Erwachen« gemahnenden Satz erwog: »Das Leben ist ein verdammt interessantes Experiment!«[13] Man wird deshalb, gerade auch gegenüber den vielen Kommentatoren, die auf die tragischen Elemente des Stückes hinweisen, dessen primäre Komödienstruktur betonen müssen. Der betrogene Betrüger, der fallende Aufsteiger, der übertölpelte Hochstapler – derartige Handlungsschemata lassen sich fast nur in der komischen Gattung denken. In deren Tradition verweisen auch die vielfältigen Nebenfiguren, die Saranieffs, Zamrjakis, Sommersbergs und Raspes, die hier freilich das Dienerkostüm mit dem zeitgemäßen Gewand der Bohème vertauscht haben, sowie schließlich auch die das Stück prägenden lokal- und schichtenspezifischen Charakterisierungen und die Anspielungen auf aktuelle Ereignisse. Die cubanische

12 Ebenda, Seite 433.
13 Zitiert nach Friedrich Rothe, am angegebenen Ort, Seite 74.

Revolution, in der es Keith fast zum Präsidenten gebracht hätte, fällt in die Jahre 1895–98; die Radtouren, zu denen man Scholz mitnimmt, oder die elektrischen Lampen, die den Gartensaal erleuchten, entsprechen dem letzten modischen Chic; der Kriminalkommissär Raspe unterscheidet sich von dem heruntergekommenen Maler Saranieff unter anderem durch die Form der Brille; Anna trägt in der Fassung von 1901 bei ihrem Bühnenauftritt »Meerblaue Taille, [...] Goldborte, [...] Rock aus rotem Sammet«, ein Kostüm, das die Fassung von 1907, mit der Mode gehend, in eine »Silberflut von hellvioletter Seide und Pailletten von den Schultern bis auf die Knöchel« (Seite 148) verwandelt.

Komisch im traditionellen Sinne ist schließlich auch die das gesamte Stück bestimmende Struktur der verkehrten Welt. Wer in ihm einer wandelnden Leiche ähnelt, gibt sich zugleich als »Verfasser der ›Lieder eines Glücklichen‹« (Seite 113) zu erkennen; der Mensch mit dem Engelsgesicht wird »Opfer des wahnsinnigen Vertrauens« (Seite 105) aller anderen und landet als Betrüger im Gefängnis, um dann von der Polizei in den besoldeten Stand eines Spitzels erhoben zu werden; ein Laufbursche namens Seppl wird auf den Namen eines Zirkuslöwen umgetauft und trägt zugleich mit Kniehosen und galoniertem Jackett das Adelskostüm des Ancien Régime. Überzeugend hat Wedekind dieses Motiv der umgestülpten Ordnung auch für Keith und Scholz durchgeführt. Der Sohn des Hauslehrers präsentiert sich als Angehöriger des europäischen Hochadels; der wirkliche Graf trägt einen möglichst gewöhnlich-bürgerlichen Namen; der eine träumt vom Schloß, der andere vom Ehrenstand des »Sozialdemokraten«; jener erklärt, was sich jedem Prinzip entzieht: den Lebensgenuß, zum höchsten ethischen Wert; dieser nimmt umgekehrt die Einführung in den Lebensgenuß als ekelhaftes Schulpensum und Martyrium auf sich und hofft, er könne auf dem Umweg über die Betten Münchner Mädchen sich zum nützlichen Mitglied der Gesellschaft hochdienen. So hüpft er vor Glücksekstase, als er sich am Knie verletzt, hält sich für endgültig integriert, da er eine heiratswillige Frau zur Mätresse begehrt, und begibt sich, schließlich zur Vernunft gekommen, ins Irrenhaus.

Der Ausgang des Stückes muß dieser Komödieninterpretation noch nicht widersprechen. Daß der Betrüger am Ende siegt, ist vielmehr als

Komödienschluß ebenso denkbar wie das Umgekehrte, daß er entlarvt, selbst betrogen und davongejagt wird. Bedenkt man, daß die Gattung in der Regel Partei ergreift gegen die höheren Werte und für die niederen, gegen die Askese und für den Lebensgenuß, gegen die Phantasten und für die Realisten, so kann selbst der Sieg eines Casimir über den Schwärmer Keith noch als komödiengemäß gelten. Was dieser einfachen Deutung widerspricht, sind vor allem Stellen des fünften Aufzugs, in denen der scheiternde Hochstapler der Verführung zur Selbstaufgabe nur knapp entgeht und zugleich im Furioso der Schicksalsschläge den formalen Status eines tragischen Helden gewinnt. Wedekind hat dieses Schwanken des Marquis von Keith zwischen hochstapelnder Phantasterei und traurigem Heroismus durch den Hinweis auf Cervantes' Romanhelden Don Quijote zu erklären versucht[14]. Den Zeitgenossen der Jahrhundertwende galt dieser verspätete Ritter als eine im wesentlichen tragische Gestalt in nur oberflächlich komischer Maskierung: Als Statthalter der Imagination, als Partisan der Idee und als heroischer Individualist unter nur noch realitätsgerechten Pragmatikern war ihnen Don Quijote der Prototyp des Dichters, der dazu verdammt ist, einen aussichtslosen Kampf gegen eine von allen besseren Geistern verlassene Wirklichkeit zu kämpfen.

Als »Don Quijote des Lebensgenusses« ist der Marquis freilich ein tragischer Ritter sehr unkonventioneller und sehr unpathetischer Art. Angesichts der Tatsache, daß um 1890 reale Sexualtabus reale Kindertragödien verursachten, konnte Wedekind den Gegenstand von »Frühlings Erwachen« noch mit unüberhörbarer emanzipatorischer Emphase vortragen. Vor den Konflikten des »Marquis von Keith« droht ein gleiches Pathos zum Witz zu werden. Scholz' schreckliche Vorstellung, die kapitalistische Gesellschaft könnte den hochstapelnden Firmengründer »allen unmenschlichen mittelalterlichen Martern« (Seite 156) unterwerfen, ist nicht mehr als die Phantasmagorie eines Provinzlers, und noch die mit Lynchjustiz drohende Menge der Hofbräuhäusler, die Keith fürchtet, als sei sie der Tod, ist ein bloßes Theatergespenst, das einem klärenden Wort des Konsuls nicht standhält. Mehr noch: Der inhaltliche Unterschied zwischen Keiths Ideen

14 Gesammelte Werke. Band 9. Seite 429.

und der Praxis seiner Gegner ist kaum mehr begreiflich zu machen. Was als Keiths Forderung sichtbar wird, daß nämlich die Gesellschaft ihr Lustpotential freisetzen und daß sie den nach Fortfall aller übrigen ihr noch verbleibenden Wert, den »Lebensgenuß«, zum Prinzip erheben solle, das wird durch die Bohème, durch die Vergnügungsindustrie, aber auch durch den Brautwerber Casimir bereits ebenso verwirklicht, wie das in »Frühlings Erwachen« verfochtene Programm sexueller Befreiung inzwischen seine Realität im Dauerzustand konsumptiver Permissivität gefunden hat. Erhalten bleiben demnach nur Differenzen, die auf den ersten Blick geringfügig scheinen: die zwischen einem Glauben und seiner Verwertung, zwischen dem Eintauchen ins faktisch Bestehende jedweder Art und dem Versuch, sich als Individuum und Herr des eigenen Schicksals zu behaupten, vor allem aber die zwischen Keiths großen Träumen und dem Behagen, das die anderen an den kleinen Münzen des Glücks finden, zwischen Keiths überschwenglicher Vision von der Schloßherrin Anna und deren wirklichem zukünftigen Leben als Frau Kommerzienrat Casimir. Der realistisch-komödienhafte Charakter der Münchner Szenen läßt die Träume als lächerlich erscheinen; als donquijoteskes Trauerspiel beharrt das Stück darauf, daß sie es verdienen, bewahrt zu werden.

Burghard Dedner

Zeittafel zu Wedekind*

1864 24. Juli: Emilie Wedekind geb. Kammerer (1840–1915) gebiert in Hannover ihr zweites von sechs Kindern: Benjamin Franklin (Frank) Wedekind. Vater: Dr. med. Friedrich Wilhelm Wedekind (1816–88). – Die Mutter, Tochter aus der zweiten Ehe des demokratischen Liberalen und Fabrikanten Jakob Friedrich Kammerer aus Ludwigsburg, wächst, da der Vater sich der politischen Verfolgung während der Restaurationszeit durch Emigration entzieht, in Riesbach bei Zürich auf. Nach dem Tod ihrer Eltern folgt sie als Sechzehnjährige einer Einladung ihrer älteren Schwester Sophie nach Valparaiso (Chile). Sie heiratet dort den Sänger und Gastwirt Hans Schwegerle, von dem sie sich nach dem Scheitern ihrer Ehe 1860 trennt und 1861 scheiden läßt. Im Frühjahr 1860 lernt sie, ihren Lebensunterhalt mit Konzert- und Varieté-Auftritten bestreitend, in San Francisco Dr. Wedekind kennen. Nach ihrer Heirat (1862) kehren sie 1864 nach Deutschland zurück und lassen sich in Hannover nieder. – Der Vater, Sohn eines Juristen, hält sich nach erfolgreichem Medizinstudium in verschiedenen Teilen Europas und so auch als Bergwerksarzt in der Türkei auf. Im Vormärz beteiligt er sich an der demokratisch-konstitutionellen Bewegung in Deutschland. Als Linksliberaler enttäuscht vom Scheitern der achtundvierziger Revolution, entschließt er sich 1849, nach San Francisco auszuwandern. Nach der Niederlassung in Hannover gibt er seine ärztliche Praxis auf und widmet sich politischem Journalismus. Er lehnt die seit 1866 sich durchsetzende großpreußische Politik Bismarcks ab und siedelt nach der Reichsgründung von 1871 als politisch Oppositioneller in die Schweiz über. Die

* Von Hartmut Vinçon; an einigen Stellen gekürzt bzw. erweitert von Thomas Medicus.

Lenzburg bei Aarau, die er käuflich erwirbt, wird der endgültige Familiensitz.
Gründung der »Internationalen Arbeiter-Assoziation« (erste sozialistische Internationale) unter führender Beteiligung von Karl Marx in London.

1865 *Erste Frauenkonferenz in Leipzig: Gründung des »Allgemeinen deutschen Frauenvereins« durch Luise Otto-Peters, Auguste Schmidt und Henriette Goldschmidt.*

1866 *Die österreichische Regierung kündigt die Absicht an, die Erbfolge in Holstein dem Urteil des Deutschen Bundes zu unterwerfen. Preußen läßt daraufhin Truppen in Holstein einmarschieren und tritt aus dem Deutschen Bund aus. Nach dem militärischen Sieg Preußens im deutschen Krieg wird unter der Führung Preußens der Norddeutsche Bund gegründet (22 Mitgliedstaaten).*

1867 *»Das Kapital«, Band 1, von Karl Marx erscheint.*

1869 *In Eisenach gründen Bebel und Liebknecht die Sozialdemokratische Arbeiterpartei. Auf dem Arbeiterkongreß wird die Forderung nach Gleichberechtigung der Frau und nach dem Frauenstimmrecht erhoben.*

1870 *19. Juli: Napoleon III. erklärt anläßlich des Streits um die spanische Thronfolge Preußen den Krieg. Die französischen Armeen werden geschlagen. Am 4. September wird in Paris die Republik ausgerufen. 19. September: Die Belagerung von Paris beginnt.*

1871 *18. Januar: Im Schloß von Versailles wird König Wilhelm I. zum Kaiser proklamiert. Die Gründung des Deutschen Reiches ist das Ergebnis des Zusammenschlusses der süddeutschen Staaten mit dem Norddeutschen Bund zum Deutschen Bund. Am 26. Februar wird der Vorfriede von Versailles geschlossen: Frankreich muß das Elsaß und Teile Lothringens an Deutschland abtreten und zahlt in drei Jahren 5 Milliarden Francs. Die am 1. März in Paris eingerückten 30000 Mann deutscher Truppen räumen die Stadt am 3. März. Am 28. März bildet sich die Pariser Commune. Am 28. Mai erliegt sie der französischen Konterrevolution. Karl Marx: »Daß nach dem gewaltigsten Kriege der neueren Zeit die siegreiche und die besiegte*

Armee sich verbünden zum gemeinsamen Abschlachten des Proletariats – ein so unerhörtes Ereignis beweist nicht, wie Bismarck glaubt, die endliche Niederdrückung der sich emporarbeitenden neuen Gesellschaft, sondern die vollständige Zerbröckelung der alten Bourgeoisgesellschaft. Der höchste heroische Aufschwung, dessen die alte Gesellschaft noch fähig war, ist der Nationalkrieg, und dieser erweist sich jetzt als ein reiner Regierungsschwindel, der keinen anderen Zweck mehr hat, als den Klassenkampf hinauszuschieben, und der beiseite fliegt, sobald der Klassenkampf im Bürgerkrieg auflodert.« (Adresse des Generalrats über den Bürgerkrieg in Frankreich 1871)

Gründerjahre: In Deutschland herrscht nach dem Krieg Hochkonjunktur, begünstigt durch die hohe Kriegsentschädigung und durch die Ausweitung der Produktion und des Marktes durch territorialen Zugewinn. Kohle- und Erzbergbau, Hüttenindustrie, Lokomotiv- und Waggonbau, Bauwirtschaft, Innen- und Außenhandel expandieren. Zahlreiche Banken werden gegründet. Die Wachstumsraten der deutschen Industrie liegen jährlich bei 40 Prozent. »Die Hochkonjunktur [...] war erwünscht, nicht erwünscht war der beispiellose Gründungs- und Bankschwindel und die moralische Geschäftsverwilderung in vielen Kreisen.« (A. Sartorius von Waltershausen: Deutsche Wirtschaftsgeschichte, 1920)

Die Schriften Darwins finden weite Verbreitung. 1871 erscheint die »Abstammung des Menschen und die Zuchtwahl in geschlechtlicher Beziehung«.

1872 Seit dem Herbst lebt die Familie Wedekind auf der Lenzburg. Frank besucht die Gemeindeknabenschule und ab 1875 die Bezirksschule in Lenzburg.

In Deutschland beginnt der »Kulturkampf« mit der katholischen Kirche (beendet 1878). In seinem Verlauf werden u. a. die staatliche Schulaufsicht, die Zivilehe und die Einführung von Standesämtern durchgesetzt.

1873 *Die erste Weltwirtschaftskrise bricht aus. Dadurch wird auch in Deutschland eine lange Periode der Rezession eingeleitet.*

1875 *Auf dem Kongreß in Gotha schließen sich Eisenacher und Lassalleaner zur »Sozialistischen Arbeiterpartei Deutschlands« zusammen (Gothaer Programm).*

1876 *In Deutschland entsteht der erste Unternehmerverband.*

1878 *Zwei Attentate auf Kaiser Wilhelm I. werden zum Vorwand genommen, alle sozialdemokratischen, sozialistischen oder kommunistischen Vereine, Versammlungen und Druckschriften zu verbieten. Das »Gesetz gegen die gemeingefährlichen Bestrebungen der Sozialdemokratie« (Sozialistengesetz) wird erst 1890 aufgehoben.*

1879 Wedekind besucht ab 1879 die Kantonsschule, das vierklassige obere Gymnasium in Aarau. Zum Weihnachtsfest schreibt er für seine jüngste Schwester Emilie das komische Kinderepos »Hänseken« nach Theodor Storms Kindermärchen »Der kleine Häwelmann« (1849); vom älteren Bruder Armin sind die Bilder gestaltet. 1896 erscheint der Erstdruck bei Albert Langen (München). Schon zuvor entstehen dramatische Versuche, Erzählungsentwürfe und Gedichte. Dreizehn Gedichte aus dieser Zeit, darunter »Galatea«, »Erdgeist« und »Der blinde Knabe«, nimmt Wedekind in die Gedichtsammlung »Die vier Jahreszeiten« der »Gesammelten Werke« (Band 1, 1912) auf. Über die Jugendfreundin seiner Mutter Olga Plümacher, die »philosophische Tante«, wird er mit dem philosophischen Pessimismus, insbesondere mit den Schriften Eduard von Hartmanns (1842–1906), bekannt. Um den Begriff des Egoismus konzentrieren sich Wedekinds frühe philosophische Überlegungen. Er vertritt die Auffassung, »daß der Mensch nichts tue ohne angemessene Belohnung, *daß er keine andere Liebe kennt als Egoismus«* (an Adolph Vögtlin, August 1881).
August Bebels »Die Frau und der Sozialismus« veröffentlicht.
Henrik Ibsens (1828–1906) Drama »Nora oder ein Puppenheim« erscheint.
Edison erfindet die Glühbirne.

1883 Freundschaftsbund mit der Base Minna von Greyerz und deren Freundin Anny Barte. Beziehung zu Berta Jahn aus Lenzburg, später »erotische Tante« genannt; an sie richtet er mehrere Gedichte.

Die erste Frauengewerkschaft in Deutschland wird gegründet (Verein der Mantelnäherinnen, Berlin).

1884 Im Frühjahr besteht Wedekind das Abitur: »Nachdem ich in Aarau das Gymnasium absolviert, bezog ich die Münchner Universität, wo ich mich vier Semester hindurch mit philosophischen Studien aller Art beschäftigte. Dank derselben glaub ich mir unter anderem auch ein durch solide Prinzipien begründetes, durch die mannigfachste Erfahrung gerechtfertigtes gesundes Urteil über Kunst, Musik, Theater und Literatur im allgemeinen beimessen zu dürfen.« (An einen Verlag, 5. August 1887) Er studiert Germanistik und französische Literatur in Lausanne. Auf ausdrücklichen Wunsch des Vaters beginnt er im Wintersemester ein Jura-Studium in München.
Friedrich Engels' »Der Ursprung der Familie, des Privateigentums und des Staates« veröffentlicht.

1885 *Mannesmann erfindet das Walzverfahren für nahtlose Röhren.*
Die Industrialisierung in Deutschland zeigt eine rasche Entwicklung: 19000 Großbetriebe mit 3 Millionen Beschäftigten.
Gründung deutscher Kolonien in Afrika.
Emile Zolas (1840–1902) Roman »Germinal« erscheint.
Nietzsches »Also sprach Zarathustra« liegt abgeschlossen vor.

1886 Die Arbeit an der »Großen tragikomischen Originalcharakterposse in drei Aufzügen« »Der Schnellmaler oder Kunst und Mammon«, im November 1885 begonnen, wird im Mai beendet. Der Erstdruck erscheint bei J. Schabelitz im Züricher Verlagsmagazin 1889. Die Uraufführung erfolgt erst 1916 in den Münchner Kammerspielen. Die mit dem Stück verbundenen schriftstellerischen Erwartungen drückt folgende Briefstelle aus: »Ich hoffe nichts weiter davon, als daß es mir den Weg auf die Bühne bahnen soll, aber es geht so schrecklich lang, bis ein treuer Freund zwei Stunden findet, um das zu lesen, worauf ein anderer die Entscheidung seines Lebens setzt, und eine Empfehlung dazu zu schreiben.« (An Bertha Jahn, Mai 1886)
In München lernt Wedekind Michael Georg Conrad (1846–1927), den Wegbereiter des deutschen Naturalismus und Herausgeber der einflußreichen naturalistischen Zeit-

schrift »Die Gesellschaft«, kennen. Im August trifft er mit Karl Henckell (1864–1929) in Lenzburg zusammen. Der Lyriker, der mit der sozialdemokratischen Bewegung sympathisiert, macht ihn mit dem Kreis der jüngsten oppositionellen Literatur des Naturalismus bekannt; insbesondere verkehrt Wedekind in Zürich mit Autoren wie John Henry Mackay (1864–1933), Carl Hauptmann (1858–1921) und Gerhart Hauptmann (1862–1946).

Nach einer tätlichen Auseinandersetzung mit dem Vater kommt es zum Bruch zwischen beiden (Oktober). Eine Versöhnung findet erst im September 1887 statt. Wedekind besteht auf dem Beruf als Schriftsteller. Er ist journalistisch tätig für die »Neue Zürcher Zeitung« und vom November 1886 bis zum Juli 1887 als Vorsteher des Reklame- und Preßbüros der Suppenwürzfirma Maggi engagiert. In den Beiträgen für die »Neue Zürcher Zeitung« wird er sich seiner vom Naturalismus unterschiedenen ästhetischen Position bewußt: »Der Witz und seine Sippe« und »Zirkusgedanken«. Es entstehen die Novellen »Gärungen«, »Ein böser Dämon« und »Marianne«. Das dramatische, in Versen geschriebene Fragment »Elins Erwekkung« nimmt konzeptionell spätere Dramen wie »Frühlings Erwachen« und »Lulu« vorweg.

Richard von Krafft-Ebing (Psychiater, 1840–1902) veröffentlicht seine »Psychopathia sexualis«.

1887 *August Strindbergs (1849–1912) Trauerspiel in drei Akten »Der Vater« vollendet.*

1888 Im Sommersemester nimmt Wedekind in Zürich wieder sein Jura-Studium auf. Der plötzliche Tod des Vaters am 11. Oktober ermöglicht es ihm dank dem ihm zustehenden Erbteil, seine schriftstellerische Tätigkeit einige Jahre ohne Existenzsorgen auszuüben.

»Fräulein Julie«, ein naturalistisches Trauerspiel von Strindberg, beendet.

1889 Im Mai geht Wedekind nach Berlin. Er hält Kontakt zum naturalistischen »Friedrichshagener Kreis«. Im Juli verlegt er seinen Wohnsitz nach München. Er schreibt das Lustspiel »Kinder und Narren«, erschienen 1891 (zweite Fassung unter dem Titel »Die junge Welt«, 1897). Das Stück stellt sowohl eine Literatursatire auf Vertreter des Naturalismus als auch einen Diskussionsbeitrag zu dem von Ibsen auf dem Theater gestalteten Thema der Frauenemanzipation dar. Er verkehrt mit Otto Julius Bierbaum (1865–1910), dem späteren Gründer der Zeitschrift »Pan« (1894), Oskar Panizza (1853–1921), Prosaist und Lyriker, und den Bohémiens Willi Rudinoff und Rudi Weinhöppel.

1890 Im Oktober beginnt Wedekind mit der Niederschrift von »Frühlings Erwachen« (Erstdruck 1891 im Verlag Jean Groß, Zürich). Die »Kindertragödie« wird, u. a. eine Folge der Zensur, erst 1906 in den Kammerspielen Berlin unter der Regie von Max Reinhardt uraufgeführt. »Gestatten Sie mir, Ihnen [...] eine Arbeit [...] vorzulegen, in der ich die Erscheinungen der Pubertät bei der heranwachsenden Jugend poetisch zu gestalten suchte, um denselben wenn möglich bei Erziehern, Eltern und Lehrern zu einer humaneren, rationelleren Beurteilung zu verhelfen. Inwieweit es mir gelungen, den an sich düstern Stoff in ein erträgliches Licht zu stellen, entzieht sich meinem Ermessen.« (An einen Kritiker, Zürich, 5. Dezember 1891)

Reichskanzler Bismarck wird entlassen. In seinem Todesjahr (1898) schreibt Wedekind in dem Gedicht »Bismarcks Höllenfahrt«: »Du lebtest und starbst als ein Reaktionär, / Der gegen den Strom geschwommen.«

Gründung der »Freien Volksbühne« in Berlin.

Ibsens Drama »Hedda Gabler« abgeschlossen.

1891 Im August wird mit der Arbeit an dem Schwank »Der Liebestrank« (in der Gesamtausgabe: »Fritz Schwigerling«) begonnen (abgeschlossen Juli 1892). Uraufführung im Jahr 1900 in Zürich. Im Herbst Aufenthalt in Lenzburg. Im Dezember siedelt Wedekind nach Paris über.

Der »Alldeutsche Verband« wird gegründet.

Oscar Wildes Roman »Das Bildnis des Dorian Gray« veröffentlicht.

1892 Wedekind besucht in Paris häufig Zirkus-, Varieté- und Ballettveranstaltungen.

Gerhart Hauptmanns Drama »Die Weber« erscheint.
Ibsens Drama »Baumeister Solness« beendet.

1893 Zur Jahreswende setzt die Arbeit an der »Schauertragödie« »Die Büchse der Pandora« ein. Die allmählich entstehende »Urfassung« bleibt unveröffentlicht.
Im Frühjahr lernt Wedekind Emma Herwegh (1817–1904), die Witwe des revolutionären Dichters Georg Herwegh (1817–75) kennen. Zwischen beiden entwickelt sich eine enge geistige Freundschaft. Wedekind erhält über Emma Herwegh Zutritt zu den Salons der Schriftstellerinnen Louisa Read und Emilie Huny. Der mit ihm befreundete Schriftsteller Otto Erich Hartleben (1864–1905) schickt ihm eine Übersetzung der Gedichte von Albert Girauds »Pierrot Lunaire« zu.
Eine Welle anarchistischer Aktionen – Bombenanschläge Vaillants und Ravachols – erschüttert Frankreich.
Das Drama »Jugend« von Max Halbe (1865–1944) erscheint und wird zu einem der größten Theatererfolge der Zeit.

1894 Von Januar bis Juni weilt Wedekind in London. Er trifft mit dem Dichter Max Dauthendey (1867–1918) und dem dänischen Literaturhistoriker und Kritiker Georg Brandes (1842–1927) zusammen. Nach Paris zurückgekehrt, hat er Kontakt zu August Strindberg und dessen Frau. Über den Maler und Kunsthändler Willy Grétor macht er die Bekanntschaft mit dem Verleger Albert Langen. Über seine existentielle Not heißt es in einem Brief an Willy Grétor: »Ich sehe vor mir die Unmöglichkeit, zu arbeiten, die Krisis, die sich in meinem Leben eingestellt, zu überleben. Ich fürchte in einen Abgrund zu fallen, aus dem es mir nicht mehr möglich sein wird mich emporzuarbeiten. [...] Ich wäre glücklich, irgendeine Arbeit zu finden, die mir zweihundert Francs per Monat einbrächte.« (Paris, November 1894) Es entsteht das Dramenfragment »Das Sonnenspektrum oder: Wer kauft Liebesgötter? Eine Idylle aus dem modernen Leben«. Eine Uraufführung findet erst 1922 in Berlin statt.
Die Affäre Dreyfus erschüttert innenpolitisch die französische Dritte Republik. Wegen angeblichen Verrates militärischer Geheimnisse an Deutschland wird der jüdische Hauptmann

Dreyfus angeklagt. Dreyfus wird in einem juristisch unhaltbaren Verfahren, das antisemitische Kampagnen der reaktionären Presse begleiten, zu lebenslänglicher Verbannung verurteilt. Emile Zola schreibt seinen offenen Brief »J'accuse« (1898). 1899 wird Dreyfus im Revisionsprozeß zu zehn Jahren Festung verurteilt, obwohl in Kreisen der Großbourgeoisie, des Adels, des Klerus und der militärischen Führung längst seine Unschuld bekannt ist. Erst 1906 wird Dreyfus voll rehabilitiert.
Das Reichstagsgebäude in Berlin wird gebaut. Dazu Wedekind: »Durch architektonische Größe / Gibt sich das deutsche Volk eine Blöße. / Es will sich ducken, das ist sein Ziel; / Darum schuf es den Reichstagsgebäudestil.« (Aus: »Ein politisch Lied«)

1895 Seit Februar hält sich Wedekind in Berlin auf. Er schließt sich wieder an den Kreis des Berliner Naturalismus an. Seine Bemühungen um die Aufführung seiner Dramen scheitern. Er geht im Sommer nach München. Im Verlag Albert Langen veröffentlicht er die Tragödie »Der Erdgeist«. (Diese Neufassung hat zur Grundlage den ersten Teil der ursprünglichen »Schauertragödie« »Die Büchse der Pandora«.) Im Herbst reist er nach Lenzburg und Zürich. Er verdient seinen Unterhalt als Vortragskünstler unter dem Pseudonym Cornelius Minehaha. Er beginnt mit der Niederschrift des Romanfragments »Mine-Haha oder über die körperliche Erziehung der jungen Mädchen« (erste, nicht erhaltene Fassung). Im Jahre 1901 erscheint die zweite Fassung von »Mine-Haha« in der Zeitschrift »Die Insel« (2. Jahrgang, 3. Quartal), die ebenfalls Fragment blieb. Damit ist der bedeutsame Arbeitskomplex »Die große Liebe« berührt, an dem Wedekind vierundzwanzig Jahre lang mit Unterbrechungen arbeitete. Ursprünglich war der Komplex als Romanepos geplant und trug den Titel: »Hidalla oder das Leben einer Schneiderin«. Thematisch schloß das Werk an die aus »Frühlings Erwachen« bekannte sexuelle Problematik an, die Wedekind zur Konzipierung einer Erziehungsutopie veranlaßte. Diese Utopie der glücklichen Körper, wie sie in Wedekinds »Sonnenspektrum«, der »Idylle aus dem modernen Leben«, und dem Fragment »Mine-

Haha« zu finden ist, erfuhr ihren vorläufigen Abschluß in der parodistischen Selbstkritik Wedekinds in seinem Schauspiel »Hidalla oder Karl Hetmann, der Zwergriese« im Jahre 1903. Wedekind erteilte dem lebensreformerischen Körper- und dem Sexualkult eine satirische Abfuhr, die sich in der neuerlichen Konzeption des Hidalla-Romans im Jahre 1906, nun erst »Die große Liebe« genannt, niederschlug. Geplant war nun eine Staatsutopie in Romanform, wo der alte Staat des sexuellen Körpers vom neuen Staat des liebenden Individuums durch eine Revolution abgelöst werden sollte. Diese Staatsutopie wurde jedoch ebenso wenig Wirklichkeit wie das Hidalla-Epos; auch Versuche, die Revolution in dramatischer Form darzustellen, scheiterten. Die Versuche Wedekinds, die Antinomien von Geschlechtlichkeit und Liebe literarisch darzustellen und zu synthetisieren, sind in den Skizzen seiner Notizbücher 38–42 enthalten. Neben Literaturlisten, die Werke der Philosophie, der Ethno- und Anthropologie und vor allem der Sexualwissenschaft, aber auch themenbezogene literarische Werke enthalten, finden sich in den Notizbüchern bereits formulierte Passagen sogenannter Frühlings- und Herbstfeiern, die die Initiations- bzw. Deflorationsrituale derjenigen Mädchen schildern, die in den ersten drei Kapiteln von »Mine-Haha« nach den Prinzipien des alten Staates erzogen wurden. (Vgl. dazu Thomas Medicus: »Die große Liebe«. Ökonomie und Konstruktion der Körper im Werk von Frank Wedekind. Marburg 1982. Kapitel 3 und 4.)

25,2 Prozent der Frauen in Deutschland sind berufstätig.

Frederick W. Taylors (1856–1915) wissenschaftliches System der industriellen Arbeitsorganisation entsteht.

Die ersten psychoanalytischen Schriften Freuds erscheinen: »Über den psychischen Mechanismus hysterischer Phänomene« (1893), »Über die Berechtigung, von der Neurasthenie einen bestimmten Symptomenkomplex als ›Angstneurose‹ abzutrennen« (1895), »Zur Ätiologie der Hysterie« (1896), »Die Sexualität in der Ätiologie der Neurosen« (1898).

1896 Wedekind geht im Sommer nach München. Die satirische Zeitschrift »Simplicissimus« wird von Albert Langen gegrün-

det. Wedekind gehört zu den frühesten und meistgedruckten Mitarbeitern. Im September wird das nach zweijähriger Bauzeit und einem Aufwand von 6 Millionen Goldmark fertiggestellte Vergnügungszentrum Deutsches Theater unter der Leitung von Emil Meßthaler eröffnet. Wedekind unterstützt diese an der literarischen Moderne orientierte Bühne u. a. durch Mitarbeit an der Zeitschrift »Mephisto«, die von September bis November erscheint. Nach der Auflösung des Theaters und der Entlassung Meßthalers im November geht Wedekind im Dezember nach Berlin. Ihn begleitet Frida Strindberg, die zweite Frau August Strindbergs. Im August 1897 gebiert sie ihm einen Sohn. Die Beziehung löst sich auf.
Das »Bürgerliche Gesetzbuch« wird eingeführt.

1897 Der Sammelband »Die Fürstin Russalka« (Erzählungen, Gedichte, Pantomimen) wird von Albert Langen verlegt. Seit September lebt Wedekind bei seiner Schwester Erika, einer bereits bekannten Konzert- und Opernsängerin, in Dresden, die ihn vorübergehend finanziell unterstützt. Im Herbst entsteht »Der Kammersänger. Drei Szenen« (ursprünglicher Titel: »Das Gastspiel«). Der Schriftsteller und Vorsitzende der Leipziger Literarischen Gesellschaft, Kurt Martens (1870–1945), lädt Wedekind zu einem Vortragsabend nach Leipzig ein, auf dem der Dichter Gedichte, Szenen aus »Frühlings Erwachen« und »Der Kammersänger« sowie die Erzählung »Rabbi Esra« liest. Die ersten politischen Gedichte unter dem Pseudonym Hieronymus Jobs erscheinen im »Simplicissimus«.

1898 Am 25. Februar findet im Theatersaal des Leipziger Kristallpalastes die Uraufführung des ganzen »Erdgeistes«, die erste Aufführung eines seiner dramatischen Werke, unter der Regie von Carl Heine statt. Wedekind, obwohl als Schauspieler völlig unausgebildet, spielt unter dem Pseudonym Heinrich Kammerer den Dr. Schön. Carl Heine, Spielleiter der Literarischen Gesellschaft, verpflichtet ihn als Sekretär, Schauspieler und Regisseur für sein damals gegründetes Ibsen-Theater, mit dem er von März bis Juni auf Tournee geht. Nach seiner Rückkehr nach München engagiert ihn Georg Stollberg, der

damalige Oberregisseur und spätere Direktor des Münchner Schauspielhauses, als Schauspieler und Dramaturg. Die Münchner Premiere seines »Erdgeistes« findet am 29. Oktober statt.
Im Oktober unternimmt Kaiser Wilhelm II. seine – propagandistisch genutzte – Orientreise und leitet damit eine neue Phase der kolonialen Expansionspolitik ein. Diese Reise kommentiert Wedekind satirisch in den Gedichten »Im Heiligen Land«, »Meerfahrt« und »Opportunistische Zweifel« (spätere Titel: »Sommer 1898« bzw. »Ahasver«). Als die Autorschaft der beiden ersten »staatsgefährdenden« »Simplicissimus«-Gedichte bekannt zu werden droht, entzieht sich Wedekind der bevorstehenden Verhaftung durch Flucht nach Zürich. In Abwesenheit wird er wegen Majestätsbeleidigung unter Anklage gestellt.
Wedekind beginnt mit der Niederschrift des »Schauspiels in fünf Aufzügen« »Der Marquis von Keith«, ursprünglich betitelt »Ein Genußmensch«; die geplante vieraktige Fassung wird nicht ausgeführt. Ende Dezember reist er nach Paris.
Mit Hilfe der bürgerlichen Reichstagsmajorität wird das erste Flottengesetz verabschiedet. Der in diesem Jahr gegründete Deutsche Flottenverein wird mit über einer Million Mitgliedern die größte Massenorganisation des deutschen Vorkriegsimperialismus. Wedekind nimmt zu der deutschen Flottenpolitik in seinem Gedicht »Ein politisch Lied. Von der deutschen Flotte«, veröffentlicht im »Simplicissimus«, kritisch Stellung.
Erstes Landerziehungsheim von Hermann Lietz in Haubinda (Thüringen) gegründet.

1899 In Paris beginnt Wedekind mit einer Umarbeitung des »Marquis von Keith«. Diese Fassung schickt er unter dem Titel »Der gefallene Teufel« an Carl Heine. In Erwartung einer Festungshaft stellt sich Wedekind im Juni den Gerichten in Leipzig. Nach längerer Untersuchungshaft wird er am 3. August zu Gefängnis verurteilt und im September zu Festungshaft begnadigt, die er am 21. September auf der Festung Königstein antritt. Dort arbeitet er am »Marquis von Keith« und an einer Neufassung des Romans »Mine-Haha«, dessen erste drei Kapitel 1901 in der Zeitschrift »Die Insel« erscheinen. Die Uraufführung des im Frühjahr bei Langen veröffentlichten »Kammersängers« findet am 10. Dezember an der Sezessionsbühne im Berliner Neuen Theater unter der Leitung von Dr. Zickel statt.

1900 Am 3. März wird Wedekind aus der Haft entlassen und kehrt nach München zurück. Er verkehrt dort in zwei literarischen Kreisen, dem »Akademisch-dramatischen Verein« und der »Unterströmung« Max Halbes. Unter dem Titel »Münchner Szenen. Nach dem Leben aufgezeichnet von Frank Wedekind« erscheint in der »Insel« ein vollständiger Vorabdruck des »Marquis von Keith«. Die erste Buchausgabe erscheint bei Langen 1901.
Die schwedische Frauenrechtlerin Ellen Key (1849–1926) veröffentlicht »Das Jahrhundert des Kindes«.
Heinrich Manns Roman »Im Schlaraffenland. Ein Roman unter feinen Leuten« erscheint.
Strindbergs Drama »Totentanz« ist beendet.
»Die Traumdeutung« von Sigmund Freud erscheint.
Friedrich Nietzsche stirbt am 25. August in Weimar.
Gründung einer lebensreformerischen Gemeinschaftssiedlung auf dem Monte Verità bei Ascona (Schweiz).

1901 Um die Jahrhundertwende entfaltet sich in den deutschen Metropolen nach französischem Vorbild eine bedeutende Kabarettkultur. Am 13. April eröffnen in München die »Elf Scharfrichter«. Der Vortrag des Wedekindschen »Ilse«-Liedes trägt wesentlich zum Erfolg bei. Ende April tritt Wedekind als einziger ohne Pseudonym dem Ensemble bei. Die Uraufführung des »Marquis von Keith« findet am 11. Oktober im Berliner Residenztheater statt. Im Spätherbst wird die Arbeit an dem Schauspiel »König Nicolo« abgeschlossen, das in der ersten Auflage unter dem Titel »So ist das Leben« erscheint (1902). (Vor Erscheinen des Buches wird das Stück am 22. Februar 1902 im Münchner Schauspielhaus uraufgeführt.)
Die erste Gewerkschaftsinternationale wird in Kopenhagen gegründet.

Karl Fischer gründet den »Ausschuß für Schülerfahrten – Wandervogel« in Berlin.
Thomas Manns (1875–1955) Roman »Buddenbrooks« erscheint.

1902 Wedekinds bedeutendste Ballettpantomime »Die Kaiserin von Neufundland«, 1897 in der Sammlung »Die Fürstin Russalka« gedruckt, wird am 12. März durch die »Elf Scharfrichter« erfolgreich uraufgeführt. – Aus der Beziehung zu Hildegarde Zellner geht der Sohn Frank hervor. – Im Juli erscheint in der »Insel« der Vorabdruck der »Büchse der Pandora«. (Diese Neufassung hat zur Grundlage den zweiten Teil der ursprünglichen »Schauertragödie« »Die Büchse der Pandora«.) Am 17. Dezember wird die Berliner Erstaufführung des »Erdgeists« am Kleinen Theater – Regie: Richard Vallentin – zu einem großen Theatererfolg.

1903 Im Herbst berichtet Wedekind von dem Beginn der Arbeit an einem modernen Roman, »Fanny Kettler«. Aus dem Stoff des nicht ausgeführten Romans wird das Drama »Hidalla oder Sein und Haben« entwickelt. Die Niederschrift des Stückes ist im März 1904 abgeschlossen. Es erscheint im Mai 1904 bei J. Marchlewski & Co., München. In der fünften und sechsten Auflage (1911) wird das Stück unter dem Titel »Karl Hetmann, der Zwergriese (Hidalla)« bei Georg Müller in München verlegt. Als Quellen verwendet Wedekind die Schriften John Stuart Mills »Über die Hörigkeit der Weiber«, Friedrich Engels' »Der Ursprung der Familie«, Irma von Troll-Borostyanis »Die Gleichstellung der Geschlechter« (1888), Anna Pappritz' »Herrenmoral« (1903) und Willibald Hentschels »Mittgart. Ein Weg zur Erneuerung der germanischen Rasse« (1904). Die Uraufführung des Stückes »Hidalla« findet 1905 im Münchner Schauspielhaus statt.

1904 Als geschlossene Subskriptionsvorstellung wird am Intimen Theater Nürnberg unter der Regie von Egbert Soltau »Die Büchse der Pandora« uraufgeführt (1. Februar). Auch die weiteren Inszenierungen werden von der Zensur nur für geschlossene Aufführungen freigegeben. Die Erstausgabe der »Büchse der Pandora« wird beschlagnahmt.

Die »International Women Suffrage Alliance« wird auf dem Frauenkongreß in Berlin gegründet. Neben der Propagierung des Frauenstimmrechts wird scharf gegen die Dreiheit »Kinder – Küche – Kirche« als eines der Unterdrückungsmomente der Frauen protestiert.

1905 Karl Kraus veranstaltet im Wiener Trianon-Theater eine Aufführung der »Büchse der Pandora« (Regie: Albert Heine); die Rolle der Lulu spielt Tilly Newes, die von Jack the Ripper Frank Wedekind. Im Frühjahr schreibt Wedekind die drei Szenen »Totentanz«; der Vorabdruck erscheint in der von Karl Kraus herausgegebenen Zeitschrift »Die Fackel«. (Die Buchausgabe erscheint seit der dritten Auflage [1909] unter dem wegen Strindbergs »Totentanz«-Drama geänderten Titel »Tod und Teufel«.) Wedekind verlobt sich mit der Wiener Schauspielerin Berthe Marie Denk; die Beziehung wird gelöst, nachdem Wedekind Tilly Newes kennengelernt hat.

Die bürgerliche Revolution in Rußland wird blutig niedergeschlagen.

Albert Einstein (1879–1955) begründet die Spezielle Relativitätstheorie.

Die »Drei Abhandlungen zur Sexualtheorie« von Sigmund Freud erscheinen.

1906 Heirat zwischen Mathilde (Tilly) Newes (1886–1970) und Frank Wedekind. »Ich habe die anstrengendste Zeit meines Daseins hinter mir. Innerhalb acht Tagen zwei Premieren und dazwischen eine Verheiratung.« (Wedekind an seine Mutter, 7. Mai 1906) Die Uraufführung des »Totentanzes« am Nürnberger Intimen Theater ist erfolgreich. Dagegen wird eine von Karl Kraus in Wien geplante Erstaufführung von der Zensur auch als geschlossene Veranstaltung nicht genehmigt. Es entsteht das »Sittengemälde in vier Bildern« »Musik« (Buchausgabe 1907; die Uraufführung bringt 1908 das Nürnberger Intime Theater). Die Arbeit an Romanfragmenten wird unter dem vorläufigen Titel »Die große Liebe« (unvollendet und unveröffentlicht) fortgesetzt. Die Tochter Pamela wird geboren. Wohnsitz wird bis 1908 Berlin.

In Dresden entsteht die Gartenstadt Hellerau (Entwurf von Richard Riemerschmid), in der Émile Jaques-Dalcroze, eigentlich Jakob Dalkes (1865–1950), im Jahr 1911 die »Bildungsanstalt für Musik und Rhythmus« gründet. Kutscher berichtet, daß Jaques-Dalcroze von Wedekinds Erzählung »Mine-Haha« »[...] Anregung empfangen [hat] zum Ausbau seiner rhythmischen Erziehung in der Hellerauer Schule« (Artur Kutscher: Frank Wedekind. Sein Leben und seine Werke. 3 Bände. München 1922–31. Band 2. Seite 130). In einer Fußnote fährt Kutscher fort: »Die Wedekind am 24. VI. 1912 unter der Führung von Dalcroze, Gebrüdern Dohrn und Professor Salzmann gelegentlich der Darbietung von Tanzspielen und einer eigenwilligen Bearbeitung von Glucks Orpheus mit großem Interesse besuchte.« (Ebenda, Seite 130f.)
Gustav Wyneken und Paul Geheeb gründen die Freie Schulgemeinde Wickersdorf bei Saalfeld im Thüringer Wald.

1907 Wedekind entwirft drei Szenen, für die er sich im Verlauf der Arbeit unterschiedliche Titel vorstellt: »Das Kostüm«, »Exhibitionismus«, »Selbstporträt«. Schließlich erscheinen die Szenen mit dem Titel »Die Zensur« in der Berliner Wochenschrift »Morgen« (1908). Die Buchausgabe (1908) hat den Untertitel »Theodizee in einem Akt«. Das Werk wird 1909 im Münchner Schauspielhaus uraufgeführt.

1908 Die Uraufführung des Stückes »Die junge Welt« findet im Münchner Schauspielhaus statt. Ende 1907 bis Frühjahr 1908 schreibt Wedekind an einem Albert-Langen-Drama. Der erste Entwurf heißt »Der Witz«, der in seiner endgültigen Konzeption als »Schauspiel in fünf Aufzügen« unter dem Titel »Oaha« als Buch erscheint. Es handelt sich um ein Schlüsselstück über den »Simplicissimus«-Kreis. Gegen Max Reinhardts Ausstattungsbühne richtet sich ein satirischer Inszenierungshinweis: »Auffallende Dekorationen und Requisiten, Entfaltung eines besonderen Stiles, Verwendung einer Drehbühne sowie aller sonstige Humbug einer klobigen, marktschreierischen Regie sind bei der Aufführung dieses Stückes unzulässig.« Die 1909 entstandene »Vorrede zu Oaha« wird erst im Band 9 der »Gesammelten Werke« aus dem Nachlaß veröffentlicht. Eine

zweite, umgearbeitete Auflage erscheint ohne Jahr bei Georg Müller, München, unter dem Titel »Oaha. Die Satire der Satire. Eine Komödie in vier Aufzügen«. Die Uraufführung veranstaltet der Münchner »Neue Verein« als geschlossene Vorstellung 1911 im Münchner Lustspielhaus. – Im September zieht die Familie von Berlin nach München um.
»Über infantile Sexualtheorien« von Sigmund Freud erscheint.

1909 Der Einakter »Der Stein der Weisen« entsteht, das erste vollständig in Versen geschriebene Stück Wedekinds. Der ursprüngliche Untertitel lautet »Das Magisterium. Drama in einem Aufzug«, der für die mit einem Vorwort versehene Buchausgabe in »Eine Geisterbeschwörung« abgeändert wird. Ein Vorabdruck erfolgt in der Münchner Wochenschrift »Jugend«. (Die Uraufführung findet 1911 an der Wiener Kleinen Bühne statt.) Von Herbst 1909 bis Frühjahr 1910 arbeitet Wedekind an einem Drama, das zunächst den Titel »In allen Wassern gewaschen. Tragödie in drei Bildern« tragen sollte. (Bevor das Stück 1912 unter dem Titel »Schloß Wetterstein. Schauspiel in drei Akten« veröffentlicht wird, erscheinen jene »Drei Bilder aus einem Familienleben« als eine Folge von Einaktern: »In allen Wassern gewaschen. Tragödie in einem Aufzug«, »Mit allen Hunden gehetzt. Schauspiel in einem Aufzug«, »In allen Sätteln gerecht. Komödie in einem Aufzug«. Die Fassung der »Gesamtausgabe« stammt aus dem Juni 1913. Die Uraufführung findet – nach Behinderungen durch die Zensur – 1917 im Zürcher Pfauentheater statt.) Seit 1909 rege Gastspieltätigkeit Wedekinds.

1910 »Schauspielkunst. Ein Glossarium« veröffentlicht.
Rudolf Hilferdings »Das Finanzkapital« erscheint.
Paul Geheeb eröffnet die Odenwaldschule in Oberhambach (Hessen), ein Landerziehungsheim, das Koedukation und Kurssystem einführt und in dem das Gemeinschaftsleben der Schüler besonders gepflegt wird.

1911 Im Mai wird der »Plan zu einem weiblichen Faust, Faustine« gefaßt. Als Titel sieht Wedekind zunächst »Hexensabbat« vor. Beendet wird das Werk im November; es erscheint als »Franziska. Ein modernes Mysterium in fünf Akten« (1912). Die

Uraufführung (1912) wird am Münchner Lustspielhaus inszeniert. – Die Tochter Kadidja wird geboren.

Georg Simmels »Zur Philosophie der Geschlechter« erscheint (in: »Philosophische Kultur«).

Unter Rudolf Steiners Führung wird in München der Johannes-Bauverein mit dem Ziel gegründet, ein Goetheanum zu errichten für die Aufführung von Mysterien-Dramen und als Sammelpunkt für die Aktivitäten der Anthroposophie in Deutschland. Das Projekt scheitert und wird in Dornach bei Basel verwirklicht.

1912 *Bei den Reichstagswahlen erringt die Sozialdemokratie mit 4,5 Millionen von 12,2 Millionen Stimmen ihren größten Wahlsieg vor dem ersten Weltkrieg. Maximilian Harden – von Wedekind charakterisiert als »einer der führenden Geister Deutschlands« – urteilt über die Geschichte der Partei: »Die Verbürgerlichung der Sozialdemokratie ist nicht mehr aufzuhalten.« (»Die Zukunft«, 1901)* Wedekind schreibt ironisch in seinem Gedicht »Ein politisch Lied«: »Und die sozialistische Politik / Haben die Sozialisten gründlich dick. / Wenn heute wiederum zum heiligen Kriege / Ferdinand Lassalle herniederstiege / Und musterte sein Sozialistenheer, / Er fände seine eigenen Worte nicht mehr.« *Schon während der durch den deutschen Imperialismus hervorgerufenen weltpolitischen Krisen zu Beginn des Jahrhunderts vertritt Leo Trotzki die Auffassung, »daß die gigantische Maschinerie der deutschen Sozialdemokratie in einem für die bürgerliche Gesellschaft kritischen Moment zu einer Hauptsäule konservativer Ordnung werden könnte« (»Mein Leben. Versuch einer Autobiographie«, 1930).*

Erster Balkankrieg: Die jungen Balkanstaaten besiegen die Türkei. Auf dem außerordentlichen Kongreß der II. Internationale in Basel lautet der einzige Tagesordnungspunkt: »Die internationale Lage und die Verständigung der sozialistischen Parteien über eine internationale Aktion gegen den Krieg.«

1913 »Simson oder Scham und Eifersucht. Dramatisches Gedicht in drei Akten« wird im Januar in München begonnen und im Juli in Rom beendet, der zweite Akt Ende Juli umgearbeitet. (Als

Buch erscheint das Werk 1914. Die Uraufführung im selben Jahr übernimmt das Lessing-Theater in Berlin.)
Wirtschaftskrise in Deutschland. Verstärkte militärische Aufrüstung in Europa.
Die Hälfte aller erwachsenen Frauen in Deutschland ist erwerbstätig.
Am Vorabend des ersten Weltkriegs bekräftigt August Bebel – stellvertretend für die deutsche Sozialdemokratie –: »Es gibt in Deutschland überhaupt keinen Menschen, der sein Vaterland fremden Angriffen wehrlos preisgeben möchte. Das gilt namentlich auch von der Sozialdemokratie.« (Flugblatt »Ein ernstes Wort in ernster Zeit«)

1914 Die Erstaufführung des »Simson« wird in München von der Zensur verboten. Anläßlich des Theatererfolges der Komödie »Der Snob« gratuliert Wedekind dem Autor Carl Sternheim (1878–1942): »Ich freue mich ungeheuer über die Erfrischung, die Ihre Kunst in die Schlafmützenhaftigkeit unserer Literatur bringt.« (11. März 1914)
1.–3. August: Kriegserklärungen des Deutschen Reiches an Rußland und Frankreich.
Die Reichstagsfraktion der SPD stimmt der Bewilligung der Kriegskredite zu.
Kaiser Wilhelm II. erklärt: »Ich kenne keine Parteien mehr, ich kenne nur noch Deutsche.«
In dem Vortrag »Deutschland bringt die Freiheit«, den Wedekind während einer »Vaterländischen Feier« am 18. September in den Münchner Kammerspielen hält, heißt es: »Frankreich glaubt sich vom *furor teutonicus*, von der rohen Gewalt, von der numerischen Übermacht überwältigt. Die 42-Zentimeter-Geschosse haben nicht das geringste mit *furor teutonicus* zu tun, sie sind Ergebnisse der allerstrengsten positiven Wissenschaften, der Mathematik, der Physik und der Chemie.« Und er beendet seine Rede mit den Worten: »Wird des jungen deutschen Reiches Heldenkampf vom Siege gekrönt, dann wird auch den Söhnen Deutschlands ein Vaterlandsstolz daraus erwachsen, der durch seine Selbstverständlichkeit und durch seine sittliche Würde über grellem Hurrapatriotismus,

über engherziger Erbfeindschaft gleich hoch erhaben ist.« (Berliner Tageblatt, 27. September 1914)
Mit Kriegsbeginn werden die Aufführungsmöglichkeiten auch der Werke Wedekinds eingeschränkt. In einigen Großstädten Deutschlands (Hamburg, Leipzig, München) werden Wedekind zu seinem fünfzigsten Geburtstag zahlreiche Ehrungen zuteil. Von Joachim Friedenthal herausgegeben erscheint »Das Wedekindbuch«. Von August 1914 bis Oktober 1915 dauert die Arbeit an »Bismarck. Historisches Schauspiel in fünf Akten«. Das Drama behandelt die diplomatischen und kriegerischen Auseinandersetzungen um die schleswig-holsteinische Frage (1863–66). (Nach dem stückweisen Vorabdruck im »Neuen Merkur« [1915] liegt das Werk 1916 als Buch vor. Die Uraufführung erfolgt erst 1926 am Deutschen Nationaltheater in Weimar.)

1915 In der Zeitschrift »Die weißen Blätter« erscheint der Zola-Essay Heinrich Manns (1871–1950). Wedekind beglückwünscht den Autor in einem Brief: »Ihre Arbeit verkörpert die Überlegenheit deutschen Geistes, nicht dem Geiste anderer Völker, sondern der ganzen Weltlage gegenüber. Außerdem erscheint mir Ihr Werk als eine Tat des Friedens, für die Ihnen jeder, dem das Glück seiner Mitmenschen am Herzen liegt, nicht dankbar genug sein kann.« (1. Dezember 1915) Wedekind tritt, von Walther Rathenau (1867–1922) aufgefordert, der im November des Vorjahres in Berlin gegründeten »Deutschen Gesellschaft 1914« bei. Dieser politische Verein unterstützt während des ersten Weltkriegs die Regierungspolitik. Führende Mitglieder sind W. Solf (Staatssekretär des Reichskolonialamtes), die Industriellen R. Bosch, G. Krupp, W. Rathenau, A. Hugenberg, die Historiker H. Delbrück, E. Troeltsch u. a. Wedekinds Motiv für den Beitritt drückt ein Brief an W. Rathenau aus: »Möge es der Gesellschaft beschieden sein, den Sieg des deutschen Volkes zum Glück für das deutsche Volk zu gestalten.« (5. Oktober 1915)
Zum erstenmal kommen im Krieg Giftgas und Tanks zum Einsatz. Wegen der Lebensmittelknappheit in Deutschland werden Brotkarten verteilt.

1916 »Überfürchtenichts«, ein im November des Vorjahres begonnenes balladeskes Spiel, wird im August abgeschlossen (Buchausgabe 1917, Uraufführung 1919). Die Neubearbeitung des Schauspiels »Oaha« wird unter dem Titel »Till Eulenspiegel. Komödie in vier Aufzügen« verlegt (Erstaufführung in München).

Die Hungersnot in Deutschland (»Kohlrübenwinter«) stärkt die Antikriegsstimmung und führt zu Demonstrationen und Streiks: Gründung des Spartakus-Bundes.

Lenins Schrift »Der Imperialismus als höchstes Stadium des Kapitalismus« wird abgeschlossen.

1917 Zwischen Oktober 1916 und März 1917 entsteht »Herakles. Dramatisches Gedicht in drei Akten« (Buchausgabe 1917, Uraufführung in München 1919). Gastspiele in Deutschland und in der Schweiz. Die Nachricht vom Selbstmordversuch seiner Frau veranlaßt Wedekind zur Rückkehr nach München (Dezember).

Bürgerliche Februarrevolution und bolschewistische Oktoberrevolution in Rußland.

Gründung der »Unabhängigen Sozialdemokratischen Partei Deutschlands«.

1918 Wegen einer 1914 schlecht verlaufenen Blinddarmoperation muß Wedekind sich einer Reihe weiterer ärztlicher Eingriffe unterziehen. An den Folgen einer notwendig werdenden Hauptoperation stirbt er am 9. März und wird auf dem Münchner Waldfriedhof beigesetzt.

Ausbruch der Novemberrevolution in Deutschland infolge des Kieler Matrosenaufstands. Rosa Luxemburg (1871–1919) kommentiert: »Die Monarchie ist hinweggefegt, die oberste Regierungsgewalt ist in die Hände von Arbeiter- und Soldatenvertretern übergegangen. Aber die Monarchie war nie der eigentliche Feind, sie war nur Fassade, sie war das Aushängeschild des Imperialismus. Nicht der Hohenzoller hat den Weltkrieg entfacht, die Welt an allen Ecken in Brand gesteckt und Deutschland an den Rand des Abgrundes gebracht. Die Monarchie war wie jede bürgerliche Regierung die Geschäftsführerin der herrschenden Klassen.« (»Der Anfang«, 18. November)

Erläuterungen

Zu »Frühlings Erwachen«*

Entstehung und frühe Wirkungsgeschichte

»Frühlings Erwachen« ist in den Jahren 1890/91 in München entstanden, wohin Wedekind im Juli 1890 von Berlin übergesiedelt war. Die Kindertragödie verarbeitet Erlebnisse aus der Jugendzeit: Als autobiographisches Material diente der Freundschaftsbund mit Oskar Schibler, Adolph Vögtlin, Walter Laue und anderen Mitgliedern des »Senatus poeticus«, des geheimen Dichterbundes an der Aarauer Kantonsschule, die Wedekind seit 1879 besuchte (vgl. Wedekinds Bänkelsang »Sancta Simplicitas«, in: Gesammelte Werke. Herausgegeben von Artur Kutscher und Richard Friedenthal. 9 Bände. München 1912–21. Band 8). Darüber hinaus »wurde der Selbstmord des Primaners Franz Oberli im Juli 1883 Kristallisationspunkt, während der Selbstmord Moritz Dürrs im Winter 1885 höchstens die Wahl des Vornamens beim Schüler Stiefel beeinflußt hat. Im übrigen steht diese Figur dem Jugendfreund Oskar Schibler näher. Melchior Gabor trägt deutlich Züge des jungen Wedekind« (Artur Kutscher: Frank Wedekind. Sein Leben und seine Werke. 3 Bände. München 1922–31. Band 1. Seite 244; vgl. Wedekinds Brief an Adolph Vögtlin vom Juli 1881. In: Frank Wedekind. Gesammelte Briefe. Herausgegeben von Fritz Strich. 2 Bände. München 1924. Band 1. Nr. 5).

In dem Selbstkommentar zu seinen Werken »Was ich mir dabei dachte« schreibt Wedekind zu »Frühlings Erwachen«: »Ich begann zu schreiben ohne irgendeinen Plan, mit der Absicht zu schreiben, was mir Vergnügen macht. Der Plan entstand nach der dritten Szene und

* Von Thomas Medicus.

setzt sich aus persönlichen Erlebnissen oder Erlebnissen meiner Schulkameraden zusammen. Fast jede Szene entspricht einem wirklichen Vorgang. Sogar die Worte: ›Der Junge war nicht von mir‹, die mir als krasse Übertreibung vorgeworfen, fielen in Wirklichkeit.« (Gesammelte Werke, Band 9, Seite 424) Die Entstehungsgrundlagen des Dramas finden sich sowohl in den Jugendgedichten (vgl. Gesammelte Werke, Band 1 und 8, der die nachgelassenen Gedichte enthält) wie in den Jugendbriefen (vgl. Gesammelte Briefe). Als Dramenvorläufer kommen die Komödie »Kinder und Narren« (»Die junge Welt«, 1889/90) und das Versfragment »Elins Erweckung« (1887) in Betracht, das deutliche Anklänge an die Kinder-, aber auch an die »Erdgeist«-Tragödie aufweist.

Die erste Ausgabe von »Frühlings Erwachen« erschien 1891 auf Kosten des Autors bei Jean Groß in Zürich. Diese Ausgabe blieb ebenso unbeachtet wie die zweite, im Verlag Caesar Schmidt in Zürich 1894 erschienene. Die dritte Auflage erschien 1903, die vierte 1906 bei Albert Langen in München. Vor seiner Uraufführung erst fünfzehn Jahre nach dem Erscheinen, durch Max Reinhardt an den Berliner Kammerspielen am 20. November 1906, war das Stück nur in Fachkreisen anerkannt, viel diskutiert und hoch geschätzt. Selten aber fand dies seinen Niederschlag in Form von Aufsätzen, Rezensionen oder Kritiken. Die stattfindenden Auseinandersetzungen beschäftigten sich im wesentlichen mit dem poetischen oder dem pädagogischen Gehalt des Stückes, ließen jedoch die dramaturgischen Probleme unbeachtet: Das Werk galt als unaufführbar. Günter Seehaus (Frank Wedekind und das Theater, 1898–1959. München 1964. Seite 299f.) nennt dafür drei Gründe:

»Erstens schien der Stoff und die Form seiner Behandlung unter den obwaltenden Zensurverhältnissen keine Möglichkeit einer Aufführung zu geben. Aus den gleichen Gründen war eine Ablehnung durch das Publikum zu erwarten.

Zweitens stellt die Besetzung des Stückes mit seiner großen Zahl jugendlicher Rollen Anforderungen, die ein normales Ensemble nicht erfüllen konnte.

Drittens waren die bühnentechnischen Probleme, die der häufige Ortswechsel der Handlung hervorruft, offenbar für eine Zeit unlösbar, in der die Erfordernisse der naturalistischen Moderne ebenso wie der von den Meiningern[1] durchgesetzte historische Aufführungsstil massiv gebaute Dekorationen allgemein in Übung gebracht hatten. Die Rücksichtnahme auf die Bühnenverhältnisse der Zeit, die das Theater zu allen Zeiten von seinen zeitgenössischen Dramatikern verlangt, zeigt ›Frühlings Erwachen‹ nicht – in auffälligem Gegensatz übrigens zu den meisten anderen Werken Wedekinds! Die bald nach der Jahrhundertwende erschlossenen Möglichkeiten der Stilbühne[2], die sich immer stärker durchsetzende Technik der Drehbühne erleichterten später die Aufführung der Dichtung, ohne jedoch das Problem völlig zu lösen. Noch in den zwanziger Jahren wehren sich Kritiker gegen die oft zu langwierigen, stimmungszerstörenden Umbaupausen. Daß das Werk mit der Vielzahl seiner Bilder diese Dekorationswechsel erzwingt, wird den übrigen Beweisen für Wedekinds dramaturgischen ›Dilettantismus‹ hinzugefügt. Es ist zudem erstaunlich, daß die weitere Kritik völlig übersieht, daß zahlreiche Werke der älteren Theaterliteratur die Zahl der Schauplätze von ›Frühlings Erwachen‹ erreichen und übertreffen. Wenn die Umbaupausen bei ›Hamlet‹, ›Faust‹, ›Wilhelm Tell‹ als weniger störend empfunden wurden, so wirft dies auch ein bezeichnendes Licht auf die Aufführungspraxis dieser oder anderer, den Spielplan ähnlich beherrschender Werke.«

Gegen die Praktiken der Aufführung seiner Kindertragödie setzt sich Wedekind noch 1909 in seiner »Vorrede zu Oaha« (vgl. »Was ich mir dabei dachte« [Gesammelte Werke. Band 9. Seite 447f.]) zur Wehr: »Und diese selbe Kritik hat die Stirne, mein Schauspiel ›Oaha‹ drei Wochen, nachdem es als Buch erschienen, als ein gänzlich mißlungenes Werk hinzustellen! Woher weiß sie denn das? Hat sie vor zwanzig Jahren gewußt, was mein ›Frühlings Erwachen‹ war? Im Gegenteil, von dem unparteiischen Humor, den ich in sämtlichen Szenen des Stückes, eine einzige ausgenommen, mit vollem Bewußtsein zu Wort kommen ließ, hat diese Kritik auch heute noch nicht die leiseste Ahnung. Diesen Mangel an Verständnis möchte ich den

1 Schauspieltruppe des Residenztheaters Meiningen, die auf historische Genauigkeit von Bühne und Kostüm in ihren Inszenierungen vornehmlich klassischer Dramen besonderen Wert legte.

2 Gegen den Naturalismus gerichtete Bühnenausstattung um 1900, die stilisierte Versatzstücke und Ausdrucksmittel verwendete.

Herren indessen gar nicht so schwer anrechnen. Ein Lump tut mehr, als er kann. Was können sie für die grauenvolle Humorlosigkeit, die unsere naturalistische Schulfexerei als Erbe hinterlassen? ›In meinem Theater‹, sagte mir ein berühmter Berliner Theatermagnat, ›darf nur gelacht werden, wenn durch Gelächter auf der Bühne dem Publikum das Zeichen dafür gegeben wurde.‹ Und der Humor, mit dem ich mein ›Frühlings Erwachen‹ durchtränkte, hat bei meinem Publikum bis heute noch ebenso wenig Würdigung gefunden wie bei der Kritik. Zehn Jahre lang, von 1891 bis etwa 1901, wurde das Stück allgemein, die wenigen, die es zu schätzen wußten, ausgenommen, für eine unerhörte Unflätigkeit gehalten. Seit etwa 1901, vor allem seitdem Max Reinhardt es auf die Bühne brachte, hält man es nun für eine bitterböse, steinernste Tragödie, für ein Tendenzstück, für eine Streitschrift im Dienste der sexuellen Aufklärung und was der spießbürgerlich-pedantischen Schlagworte mehr sind. Nimmt mich wunder, ob ich es noch erleben werde, daß man das Buch endlich für das nimmt, als was ich es vor zwanzig Jahren geschrieben habe, für ein sonniges Abbild des Lebens, in dem ich jeder einzelnen Szene an unbekümmertem Humor alles abzugewinnen suchte, was irgendwie daraus zu schöpfen war. Nur als Peripetie[3] des Dramas fügte ich des Kontrastes wegen eine allen Humors bare Szene ein: Herr und Frau Gabor im Streit um das Schicksal ihres Kindes. Hier, kann ich meinen, müsse der Spaß aufhören. Als Vorbild hatte mir dazu die Szene ›Trüber Tag, Feld‹ im 1. Teil des ›Faust‹ gedient.« Ohne Zweifel brachte jedoch Max Reinhardts Inszenierung von »Frühlings Erwachen« einen langanhaltenden Erfolg, wodurch es das Drama bis zum Ausbruch des ersten Weltkrieges auf etwa 40 Inszenierungen und mindestens 200 Vorstellungen im Jahr allein an deutschsprachigen Bühnen gegenüber 20 Inszenierungen im Ausland brachte. Günter Seehaus bezeichnet »Frühlings Erwachen« »als das erfolgreichste, ja volkstümlichste Drama deutscher Sprache« (am angegebenen Ort, Seite 301).

Die Hauptschwierigkeit, die sich den Aufführungen von »Frühlings Erwachen« während des Kaiserreiches immer wieder in den Weg stellte, waren die Eingriffe der Zensur. Der Text der allgemein

3 Griechisch: Schicksalsumschwung.

zugänglichen Buchausgabe konnte in dieser Form nicht auf die Bühne kommen. Aus diesem Grund schrieb Wedekind im Jahre 1906 eine Bühnenbearbeitung, da die Berliner Zensur die Uraufführung sonst verhindert hätte. Die Veränderungen und Streichungen des Dramentextes sollten auf die Moral des großen Publikums Rücksicht nehmen. Von den Textveränderungen anläßlich der Berliner Uraufführung berichtet Seehaus:

»Die Streichungen der Berliner Bearbeitung betreffen vor allem die Gespräche der Jungen und Mädchen in I, 2, I, 3, II, 1 und II, 7. Ferner fallen einige Sätze weg oder sind geändert, die nur im Zusammenhang mit den gestrichenen Szenen verständlich wären, wie der Rilow-Satz in III, 2. Unberührt von Änderungen bleiben I, 1, I, 4, II, 2, II, 5, II, 6 und im wesentlichen der III. Akt.

Außerdem verfügt die Zensur noch, daß in III, 1 das Wort ›Beischlaf‹ durch ›Fortpflanzung‹ ersetzt und in III, 7 ›(Gott und Teufel sehen wir sich voreinander blamieren und hegen in uns das... Bewußtsein, daß beide) betrunken sind‹ in ›...im Unrecht sind‹ und ›Abortivmittel‹ in ›Geheimmittel‹ geändert werden. Ferner verlangt sie die Verharmlosung der Lehrernamen in: (Rektor Sanftleben, Lindemann, Friedepohl, Schweighofer, Wunderhold, Morgenroth und Ehrsam).

Erstaunlich bleibt, daß der Name des Pastor Kahlbauch unbeanstandet bleibt!

Während so das Lehrerkollegium weniger phantastisch wirken soll – und also einer veristischen, mithin mißverstehenden Interpretation alle Möglichkeiten geöffnet werden –, werden aus den Dialogen der Jugend eine Reihe konkreter Gesprächsteile entfernt, die nach Thema und Form eine ungemein hellsichtige Beobachtungsgabe des Dichters offenbaren und später in zahllosen psychologischen Schriften durchweg als kennzeichnend für seelische Situationen der Pubertätszeit bestätigt werden: Seinerzeit war die Wahrheit dieser Gespräche offenbar nicht anerkannt. Damit verschwinden viele innere Motivierungen, während die Dramatik der Vorgänge – trotz der angestrebten Milderung des Kontrastes der Welten der Jugend und der Älteren – im wesentlichen unbehindert bleibt.« (Am angegebenen Ort, Seite 303)

Auf Grund des föderalistischen Zensurwesens bedeutet die Freigabe der Berliner Bühnenbearbeitung durch die Zensur freilich keine gleichermaßen geartete Behandlung des Stückes für alle deutschen Bühnen. Noch im Jahre 1910 wurden in Königsberg die nach der Premiere – sie fand vor geschlossenem Publikum statt – geplanten Vorstellungen untersagt. Das Berliner Oberverwaltungsgericht hob 1912 in letzter Instanz das in Königsberg ausgesprochene Verbot wieder auf. Wedekind gab darauf die im Jahre 1906 geschriebene Bühnenbearbeitung in Druck. Die folgende »Vorbemerkung zur Bühnenbearbeitung«, die die Begründung der Aufhebung des Aufführungsverbotes durch das Oberverwaltungsgericht enthält, hat Wedekind dem Selbstkommentar zu »Frühlings Erwachen« hinzugefügt:

»›Die Post‹ (Berlin) vom 5. Juli 1912 schreibt:

Frank Wedekind und das Oberverwaltungsgericht. Im letzten ›Preußischen Verwaltungsblatt‹ wird die Entscheidung des Oberverwaltungsgerichts abgedruckt, die am 29. Februar d. J. in der Klage wegen eines Aufführungsverbotes von Wedekinds ›Frühlingserwachen‹ gefällt wurde. Das vom Regierungspräsidenten erlassene Verbot wurde *aufgehoben*, weil gegenüber dem *ernsten Inhalt* und der *ernsten Wirkung* des ganzen Stückes die anstößigen Stellen weit zurücktreten ›und somit die Grenzen des im polizeilichen Sinne Zulässigen nicht überschreiten‹. Nicht nur das verständnisvolle Urteil des Oberverwaltungsgerichts überrascht, sondern auch die sachliche Begründung der Entscheidung, in der der Inhalt des viel angefeindeten Stückes erzählt wird. Der jetzt allgemein eintretende Umschlag zugunsten des Dichters muß vermerkt werden, da er auf ein besseres Verständnis für Wedekinds schonungslos um Wahrheit ringendes Schaffen hindeutet. Wir geben das Urteil, die *amtliche Darstellung des Inhaltes*, nachstehend wieder:

›Der Inhalt des Stückes läßt sich dahin zusammenfassen: Es wird dargestellt, wie auf junge, in dem Alter der beginnenden Geschlechtsreife stehende naive Personen die realen Mächte des Daseins einwirken, vornehmlich ihr eigener, erwachender Geschlechtssinn und die Anforderungen des Lebens, insbesondere der Schule. Sie erliegen in dem sich entwickelnden Kampfe vor allem deshalb, weil ihre berufenen Leiter, die Eltern und Lehrer, nach der Auffassung des Dichters in weltfremdem Unverstand und aus Prüderie es unterlassen, sie zu belehren und ihnen verständnisvoll helfend die Wege zu weisen.

Wendla Bergmann geht unter, weil trotz ihrer Bitte die Mutter es unterläßt, sie über die menschlichen Geschlechtsverhältnisse aufzuklären. Moritz Stiefel, in Verwirrung gebracht durch die Regung seiner beginnenden Pubertät, durch seine Zweifel über Entstehung und Zweck der Menschen und nicht zuletzt durch die sexuellen Belehrungen seines Freundes, wird erdrückt durch die Aufgaben der Schule, die er nicht erfüllen kann, deren Erfüllung aber der nur hierauf gerichtete strenge Sinn seines Vaters von ihm fordert. Melchior Gabor geht nur deshalb nicht zugrunde, weil er Verständnis für das, in einer Personifikation, als vermummter Herr auftretende reale Leben gewinnt und sich von diesem mitziehen läßt. So aufgefaßt, läßt sich dem Stück im ganzen nach seiner Tendenz und seinem Inhalt der Charakter eines ernsten Stückes nicht absprechen; es behandelt ernste, vielfach im Vordergrunde des Interesses stehende Erziehungsprobleme und sucht zu diesen Stellung zu nehmen. Es ist nicht erkennbar, daß da, wo sittenwidrige Handlungen dargestellt werden, dies geschieht, um sie als etwas Erlaubtes oder Nachahmenswertes hinzustellen, oder gar, um die Lüsternheit der Zuschauer anzuregen oder zu befriedigen. Das Theaterpublikum wird sich dem rein menschlichen Mitgefühl für das tragische Geschick der Hauptpersonen und dem Interesse für den Gang der Handlung und die darin behandelten Probleme nicht entziehen können. Jedenfalls ist nicht abzusehen, inwiefern die Zuhörer daraus eine Anregung zu eigenem sitten- oder polizeiwidrigen Verhalten empfangen sollten.‹« (Gesammelte Werke. Band 9. Seite 424ff.)

Zum Text dieser Ausgabe

Der in diesem Band abgedruckte Text von »Frühlings Erwachen« entspricht dem Text des zweiten Bandes der Gesammelten Werke von 1912.

Die Druckgeschichte von »Frühlings Erwachen« ist im Vergleich zu anderen Bühnenwerken Wedekinds unkompliziert und kurz, da die Fassung der Gesamtausgabe vom Text des Erstdruckes (1891) nur unwesentlich abweicht. Im wesentlichen handelt es sich dabei um geringfügige stilistische Korrekturen, so daß alle Textausgaben von der Erstausgabe (1891) bis zur 22. Auflage, die 1908 erschien, nachdem die vierte erst 1906 erschienen war, nahezu identisch sind. Von der 23. Auflage an ist folgendes, zwischen Zeile 3 und 4 von Seite 51 einzuordnende Textstück gestrichen:

ZUNGENSCHLAG Ma-Ma-Man könnte den Bu-Burschen e-ebensogut dafür verantwortlich machen, da-da-da-daß er ge-geboren wurde. Er hat über eine e-ernsthafte Geschichte e-e-ernsthaft nachgedacht und e-e-e-ernsthaft geschrieben. Er hat A-Anlagen zum Na-Na-Na-Na-Naturforscher.

FLIEGENTOD Ich bin Naturforscher und habe diese Geschichte noch in meinem Leben nicht – e-ernsthaft behandelt!

ZUNGENSCHLAG Ich fühle mich zu der E-E-Erklärung gezwungen, daß sich der Junge in einem Ü-Übergangsstadium befindet, in dem solche Dinge na-na-naturgemäß in den Vordergrund gedrängt werden...

FLIEGENTOD Lassen Sie sich doch eine Drainage in die Stirnhöhle applizieren!

ZUNGENSCHLAG Sie ha-haben ja, als wir zusammen auf der Pe-Pe-Pe-Penne waren, fa-falsche Talerstücke fabriziert und sie den a-armen Gören in der A-A-A-A-A-A-Aufregung wieder aus der Tasche gestohlen!

FLIEGENTOD Und was haben Sie getan?! Ich will Ihnen sagen, was Sie getan haben! – Sie haben o –

SONNENSTICH Oh! – Oh!

AFFENSCHMALZ Oh! – Oh! – Oh!

ALLE O-h!

ZUNGENSCHLAG Wer von uns hat denn nicht o-o-o-o-o-o –

MELCHIOR Ich...

SONNENSTICH Sie haben sich ruhig zu verhalten!

MELCHIOR Ich ersuche Sie...

Anmerkungen

Seite

9 *Wendla:* Vgl. Wedekinds gleichnamiges Gedicht in: Gesammelte Werke, Band 1, Seite 26:

Wendla

Sieh die taufrische Maid,
Erst eben erblüht;
Durch ihr knappkurzes Kleid
Der Morgenwind zieht.

Wie schreitet sie rüstig,
Jubiliert und frohlockt
Und ahnt nicht, wer listig
Unterm Taxusbusch hockt.

Der allerfrechste Weidmann
Im ganzen Revier,
Er tut ihr ein Leid an
In frevler Jagdbegier.

In einem langen Kleide
Geht sie nun bald einher,
Sinnt vergangener Zeiten
Und jubelt nicht mehr.

Zoll: altes deutsches Längenmaß unterschiedlicher Größe (2,3–3 cm).

Prinzeßkleidchen: gürtelloses Kleid ohne Taillenquernaht, das nach der Prinzessin Alexandra von England benannt und um 1900 mit der Reformkleidung modern wurde.

Nachtschlumpe: Schlumpe bedeutet eigentlich eine nachlässige, unreine Frau (Nebenform von Schlampe); hier in der Bedeutung von Lumpen, Fetzen, unordentliches Kleid.

Litze: schmales Band, Borte oder Schnur zum Einfassen von Säumen.
stakig: auch staksig; ungelenk, unbeholfen.
Volants: (französisch) kraus gezogener Besatz an Rock- oder Ärmelrändern von Damenkleidern.
10 *Diphtheritis:* (griechisch) Infektionskrankheit, die durch Belag auf Mandeln und Rachenschleimhaut gekennzeichnet ist.
Ludwig der Fünfzehnte: französischer König (1715–74).
Homer: griechischer Dichter des 8. Jahrhunderts v. Chr., dem die großen epischen Dichtungen »Ilias« und »Odyssee« zugeschrieben werden.
11 *examinieren:* (lateinisch) prüfen.
Charybdis [...] Skylla: In der homerischen »Odyssee« wird die Meerenge von Messina von den beiden Ungeheuern Charybdis und Skylla bewacht. Die Skylla hat sechs Hundeköpfe; die Charybdis saugt dreimal täglich das Meerwasser ein und gibt es laut brüllend wieder von sich. Bei der Durchfahrt durch die Meerenge verliert Odysseus einige seiner Gefährten, die von der Skylla verschlungen werden.
Dryade: (griechisch) Baumnymphe der griechischen Mythologie.
12 *Tunika:* (lateinisch) römisches Kleidungsstück für Männer und Frauen; ärmelloses oder kurzärmeliges weißwollenes, bis an die Knie reichendes Hemd, das im Haus gürtellos, auf der Straße mit Gürtel getragen wurde.
14 *Gethsemane:* (hebräisch) »Ölkelter«; Garten am Fuße des Ölbergs in Jerusalem, Ort des Gebets und der Gefangennahme Jesu (Matthäus 26, 36).
Phantome: Phantom (französisch), Trugbild, Sinnestäuschung, Geistererscheinung. Die richtige Bezeichnung wäre in diesem Fall »Symptome« oder »Phänomene«, also »Merkmale« oder »Erscheinungen« gewesen. Wedekind läßt Melchior im Gebrauch von Fremdwörtern unsicher erscheinen.
15 *den Kleinen Meyer:* Joseph Meyer (1796–1856), Verlagsbuchhändler, Industrieller, Schriftsteller; Herausgeber eines hier gemeinten zweibändigen Konversationslexikons in dem von ihm begründeten Bibliographischen Institut.

Konversationslexikon: Typus der zu Beginn des 19. Jahrhunderts entstandenen alphabetisch geordneten, stichwortreichen Enzyklopädie, die Bildung und Wissen allgemein zugänglich machen wollte.

im Blei: im Lot; bezieht sich ursprünglich auf das Senk- oder Richtblei der Handwerker.

16 *Leilichs anatomischem Museum:* Leilich, fiktiver Besitzer eines Kuriositätenkabinetts, der auf Jahrmärkten unter dem Anschein wissenschaftlicher oder aufklärerischer Absichten weibliche Nacktheit zur Schau stellt.

17 *»Wohl dem, der nicht wandelt«:* Beginn des 1. Psalms, dessen Verse 1 und 2 lauten: »Wohl dem, der nicht wandelt im Rat der Gottlosen noch tritt auf den Weg der Sünder noch sitzt, da die Spötter sitzen, sondern hat Lust zum Gesetz des Herrn und redet von seinem Gesetz Tag und Nacht.«

rezitierst: rezitieren (lateinisch), vortragen, laut hersagen.

Hemdpasse: Passe (französisch), im Schulterbereich eines Kleidungsstückes angesetztes Stoffteil.

Atlas: (arabisch) Gewebe aus Seidenfäden mit hochglänzender Oberfläche.

19 *Aristoteles* (384–322 v. Chr.), griechischer Philosoph und Naturforscher; von Philipp von Makedonien zum Erzieher seines Sohnes, des späteren *Alexander* des Großen, berufen. Aristoteles' Werke umspannen den ganzen Umkreis des antiken Wissens in methodisch erstmals entfalteten Einzelwissenschaften.

Sokrates: griechischer Philosoph (470–399 v. Chr.); Lehrer vor allem der vornehmen Jugend auf den Straßen und Plätzen Athens. Wegen angeblicher Gottlosigkeit zum Tode verurteilt. Nicht Sokrates, sondern dem kynischen Philosophen *Diogenes* von Sinope (um 412–323 v. Chr.) wird nachgesagt, daß er in einer Tonne gewohnt habe. Einer bekannten Anekdote zufolge soll Diogenes, als *Alexander* der Große ihn besuchte und ihm die Erfüllung einer Bitte versprach, geantwortet haben: »Geh mir aus der Sonne!«

Eselsschatten: Anspielung auf eine Fabel von Aisopos oder Äsop (6. Jahrhundert v. Chr.): Ein junger Mann hatte einen Esel gemietet. In der Mittagshitze wollte er zusammen mit dem

Eseltreiber im Schatten des Esels ruhen. Als sich nur für eine Person Platz fand, entflammte ein Streit darüber, wer von beiden ein Anrecht auf den Schatten des Esels besitze.

21 *promoviert:* (lateinisch) in die nächste Klasse versetzt.
Eselsbank: Schulbank für die schlechtesten Schüler einer Klasse.

22 *Kollega:* für das jetzt gebräuchlichere »Kollege«.

23 *Runse:* (oberdeutsch) Wasserrinne, Bachbett.

27 *Kanapee:* (französisch) veraltet für »Sofa«.
Polyphem: in der griechischen Mythologie Sohn des Poseidon, einer der riesenhaften Kyklopen. Nach Homers »Odyssee« wurden Odysseus und sein Gefolge von Polyphem in dessen Höhle überrascht. Zornig über die ungebetenen Gäste ergriff der Riese zwei Gefährten des Odysseus und zerschmetterte und verschlang sie. Odysseus machte Polyphem mit Wein betrunken und stieß ihm, nachdem er eingeschlafen war, mit einem zugespitzten Pfahl das einzige, in der Mitte der Stirn sitzende Auge aus.
Verba auf μι: Klasse griechischer Zeitwörter.

27f. *auf daß der Kelch ungenossen vorübergehe:* Anspielung auf Jesu Gebet im Garten Gethsemane (vgl. die erste Anmerkung zu Seite 14); Jesus bittet dort Gott, ihm den Kelch, d. h. den Kreuzestod, zu ersparen.

28 *Aureole:* (lateinisch) Heiligenschein.
disputierten: disputieren (lateinisch), ein wissenschaftliches Streitgespräch führen, seine Meinung vertreten.

29 *Nervenfieber:* veraltet für »Typhus«.

30 *die Geschichte mit Gretchen:* Wegen des sexuellen Gehalts der Gretchen-Tragödie und der *Walpurgisnacht*-Szene galt Goethes »Faust« früher als heikle Schullektüre, die den oberen Gymnasialklassen vorbehalten blieb. Gretchen tötet das von Faust empfangene uneheliche Kind, um der Ächtung durch die Gesellschaft zu entgehen, und wird zum Tode verurteilt.
P... und V...: Gemeint sind lateinisch »Penis«, das männliche, und lateinisch »Vagina«, das weibliche Geschlechtsorgan; zotige Ausdrücke sind ebenfalls denkbar.

31 *Plötz:* Karl Julius Ploetz (1819–81), Berliner Gymnasiallehrer, Verfasser des Handbuchs »Auszug aus der alten, mittleren und neueren Geschichte« (1863; seither viele Neuauflagen).

Nektarkelch: Nektar, Unsterblichkeit verleihender Göttertrank der griechischen Mythologie.

32 *Mantille:* (spanisch) Spitzenschleier für Frauen, der Kopf und Schultern bedeckt; hier: halblanger Damenmantel.

Korsett: (französisch) Schnürbrust, Schnürleib, Schnürmieder; unter dem Kleid getragene steife, enganliegende Bekleidung zur Formung des weiblichen Oberkörpers. Gegen Ende des 19. Jahrhunderts trat die Reformbewegung für die Abschaffung des gesundheitsschädlichen Korsetts ein.

Influenza: (mittellateinisch) veraltet für »Grippe«.

33 *Bettlade:* (oberdeutsch) Bettgestell.

die Wacht am Rhein: deutsches National- und Kriegslied (1840) von Max Schneckenburger (1819–49); Melodie von Karl Wilhelm (1815–73). Seine spätere Bedeutung erlangte es 1870 während des Deutsch-Französischen Krieges. Anfangszeile: »Es braust ein Ruf wie Donnerhall«.

34 *ekstatisch:* (griechisch) verzückt, außer sich.

35 *Matrosentaille:* der Matrosenuniform nachgebildetes Matrosenkleid.

Hast du zu Nacht gebetet, Desdemona?: Zitat aus »Othello« von William Shakespeare (V, 2).

Palma Vecchio: Iacopo Palma (um 1480–1528), genannt il Vecchio (»der Alte«); eigentlich Iacopo d'Antonio Negreti; italienischer Renaissancemaler, beeinflußt durch Tizian, Giorgione und Giovanni Bellini. Seine »Ruhende Venus« entstand um 1518.

36 *Psyche:* (griechisch) antike Verkörperung der Seele als geflügeltes Wesen, häufig Geliebte des Eros (Amor).

Thumann: Friedrich Paul Thumann (1834–1908), Berliner Historien- und Genremaler.

Io: in der griechischen Mythologie Geliebte des Zeus, von Hera aus Eifersucht in eine Kuh verwandelt.

Corregio: Antonio Allegri (1489–1534), genannt nach seiner Geburtsstadt Correggio bei Parma; italienischer Renaissancemaler, beeinflußt durch Raffael und Michelangelo. Seine »Io« (um 1531) gehört zu dem mythologischen Zyklus »Die Liebschaften Jupiters«; dargestellt wurden: Danae, Leda, Io und Ganymed.

Galathea: auch Galatea; in der griechischen Mythologie Tochter des Meeresgottes Nereus und Geliebte des Akis, der von Polyphem aus Eifersucht erschlagen wurde. Vgl. auch Wedekinds Jugendgedicht »Felix und Galathea« (Gesammelte Werke, Band 1, Seite 7ff.).

Lossow: Heinrich Lossow (1843–97) Münchener Genremaler.

Bouguereau: Adolphe William Bouguereau (1826–1905); französischer Historien-, Genre- und Bildnismaler.

Ada: Gräfin von Holland (regierte von 1203 bis etwa 1223).

J. van Beers: Jan van Beers (1852–1927), belgischer Historien-, Genre- und Porträtmaler (Damenbildnisse), auch Landschafter.

Leda: in der griechischen Mythologie Gattin des spartanischen Königs Tyndareos; Mutter u. a. der Helena und Geliebte des Zeus, der sich ihr in Gestalt eines Schwanes näherte.

Makart: Hans Makart (1840–84), Historien-, Genre- und Dekorationsmaler der Wiener Gründerzeit; engagierte sich auch im Bereich des Kunstgewerbes, der Innenarchitektur und der Mode. Schon zu seinen Lebzeiten entstand der Begriff des »Makartstils«.

Kollegienheften: »Kolleg« (lateinisch) bezeichnet eine Vorlesung oder wissenschaftliche Übung an der Universität. Das Kollegienheft dient der Niederschrift des vom Studenten im Kolleg Gehörten.

Tartarus: in der griechischen Mythologie Abgrund, in den Zeus seine Gegner, besonders die Titanen, stürzte; tiefster Teil der Unterwelt, bei Homer noch unterhalb der Unterwelt.

Blaubart: frauenmordender Ritter in dem französischen Märchen »Barbe bleue« von Charles Perrault (1697); mit gleichem Titel in den Grimmschen Kinder- und Hausmärchen enthalten.

37 *Lurlei:* Lorelei oder Loreley; von mittelhochdeutsch »lure« (»Hinterlistiger«) und »lei« (»Fels«). Ursprünglich Name des 132 m hohen Schieferfelsen bei St. Goarshausen am Rhein. Die Sage von der Lorelei ist vermutlich eine Erfindung des Romantikers Clemens Brentano (1778–1842). In seiner Ballade »Lore Lay« (1802) stürzt sich das schöne Mädchen aus Reue über ihre magische Anziehungskraft von dem Felsen in den Rhein. Durch Heinrich Heines (1797–1856) Gedicht »Loreley« (1823) wurde

die Gestalt volkstümlich. Bei Heine lockt die Lorelei vom Rheinfelsen aus die Schiffer ins Verderben.

Bodenhausen: Cuno Freiherr von Bodenhausen (1852–?), Münchener Historien- und Genremaler.

Linger: Friedrich Wilhelm Linger (1781–?), deutscher Kupferstecher und Radierer.

Defregger: Franz von Defregger (1835–1921), aus Tirol stammender, populärer Münchener Genre- und Historienmaler, der sich vorwiegend der Darstellung des Bauernlebens widmete. 1863 Schüler von Karl von Piloty, zu gleicher Zeit mit Hans Makart.

Josaphat: (hebräisch) Tal Josaphat; Bezeichnung der Ebene, in der das Endgericht stattfindet (Joel 4, 2/3). Hier Metapher für den weiblichen Schoß.

Heliogabalus: römischer Kaiser (218–222 n. Chr.), eigentlich Varius Avitus Bassianus, führte als Kaiser Marcus Aurelius Antoninus die Verehrung des syrischen Sonnengottes Elagabal in Rom ein; bekannt wegen seiner Ausschweifungen.

Moritura me salutat!: (lateinisch) »Die Todgeweihte grüßt mich!« Nach Suetons Biographie des römischen Kaisers Claudius (41 bis 54): »Ave, Imperator (Caesar), morituri te salutant!« (»Sei gegrüßt, Kaiser, die Todgeweihten grüßen dich!«)

Agnes: (griechisch) »die Keusche«; römische Märtyrerin und Vertreterin jungfräulicher Keuschheit, die nach der Legende die Ehe mit dem Sohn eines römischen Stadtpräfekten ausschlug und daraufhin ins Bordell gebracht wurde, wo sie jedoch unversehrt blieb. Sie wurde als Zauberin enthauptet.

Die Sache will's, die Sache will's, mein Herz! / Laßt sie mich euch nicht nennen, keusche Sterne! / Die Sache will's!: Zitat aus Shakespeares »Othello« (V, 2).

41 *»schlafe, mein Prinzchen, schlaf ein«:* Wiegenlied der Fatme in dem Schauspiel »Esther« von Friedrich Wilhelm Gotter (1746 bis 97); die Melodie von Bernhard Flies wird auch Mozart zugeschrieben.

Cäcilienfest: Fest der heiligen Cäcilie, einer römischen Märtyrerin, die seit dem 15. Jahrhundert als Patronin der Kirchenmusik verehrt wurde.

Partien: Heiratsmöglichkeiten.

42 *Syenitsockel:* Syenit, ein farbiger, polierfähiger, granitähnlicher Stein.

Ich wandle [...] erkauft: Mit der Anspielung auf etruskische Menschenopfer mißversteht Wedekind den altitalischen Brauch des »ver sacrum«. Bei besonderer Notlage einer Gemeinde wurde dieser »heilige Frühling« den Göttern Mars und Jupiter geweiht; alles in dieser Zeit geborene Vieh wurde geopfert, in diesem Zeitraum geborene Menschen mußten beim Eintritt ins Erwachsenenleben auswandern und sich neue Wohnsitze suchen.

43 *Ilse:* Vgl. Wedekinds gleichnamiges Gedicht (1893):

Ich war ein Kind von fünfzehn Jahren,
Ein reines unschuldsvolles Kind,
Als ich zum erstenmal erfahren,
Wie süß der Liebe Freuden sind.

Er nahm mich um den Leib und lachte
Und flüsterte: O welch ein Glück!
Und dabei bog er sachte, sachte
Den Kopf mir auf das Pfühl zurück.

Seit jenem Tag lieb ich sie alle,
Des Lebens schönster Lenz ist mein;
Und wenn ich keinem mehr gefalle,
Dann will ich gern begraben sein.

(Gesammelte Werke, Band 1, Seite 25)

In Wedekinds dramatischem Fragment »Das Sonnenspektrum oder: Wer kauft Liebesgötter? Eine Idylle aus dem modernen Leben« (1894) lautet die zweite Strophe:

Er nahm mich um den Leib und lachte
Und flüsterte: Es tut nicht weh –
Und dabei schob er sachte, sachte
Mein Unterröckchen in die Höh.

(Gesammelte Werke, Band 9, Seite 165)

Priapia: Künstlergesellschaft, die ihren Namen dem griechischen Fruchtbarkeitsgott Priapos entlehnt hat. Priapos wurde mit übergroßem Zeugungsglied dargestellt. Sein Kult verbreitete sich seit dem 3. Jahrhundert v. Chr. sowohl in der griechischen wie in der römischen Antike.

Säulenheilige: Säulenheilige, auch Styliten genannt (von griechisch »stylos« = »Säule«), waren Mönchsasketen des 4.–6. Jahrhunderts, besonders in Syrien und Palästina; sie verbrachten ihr Leben abgesondert auf einer Säule, um Gott näher zu sein.

Kapitäl: heute gebräuchlicher »Kapitell« (von mittellateinisch »capitellum« = »Köpfchen«); oberstes Teil einer Säule. Von den Säulenordnungen »dorisch«, »ionisch« und »korinthisch« ist die korinthische diejenige mit dem am reichsten verzierten Kapitell.

Amnestie: (griechisch) »Vergessen«, Straferlaß.

44 *Kindesmörderin:* »Die Kindesmörderin« ist ein Gedicht von Friedrich Schiller (1759–1805) betitelt, ein Thema, das in der Dichtung des Sturm und Drang häufig auftaucht.

Redoute: (französisch) veraltet für »Tanzvergnügen«, »Maskenball«; ursprünglich der dazu bestimmte Saal.

Bellavista: (italienisch) »Schöne Aussicht«; Name eines Lokals.

45 *Ariadne:* in der griechischen Mythologie Tochter des Königs Minos. Mit Hilfe des Garnknäuels, das Theseus von Ariadne erhielt (»Ariadnefaden«), fand er nach der Tötung des Minotaurus wieder aus dem Labyrinth heraus und flüchtete nach Naxos, wo er Ariadne zurückließ. Dort begegnete ihr Dionysos und machte sie zu seiner Gemahlin.

Leda: Vgl. die zehnte Anmerkung zu Seite 36.

Ganymed: in der griechischen Mythologie schöner Jüngling aus dem Königsgeschlecht von Troia, der von Zeus' Adler in den Olymp entführt wurde und dort Geliebter und Mundschenk des Göttervaters war.

Nebuchod-Nosor: auch Nebukadnezar; hier der Chaldäerkönig Nebukadnezar II. (605–562 v. Chr.), der 586 Jerusalem zerstörte und die Juden in die Babylonische Gefangenschaft führte; er residierte prunkvoll in Babylon.

Plafond: (französisch) Zimmerdecke.

Sassaniden: persische Dynastie (3.–7. Jahrhundert n. Chr.).

46 *Bergpredigt:* Jesu Predigt in Matthäus 5–7; sie enthält u. a. das Vaterunser und das Gebot der Nächstenliebe.

Parallelepipedon: (griechisch) das Parallelflach, ein von drei Paaren paralleler Ebenen begrenzter Körper.

47 *Pestalozzi:* Johann Heinrich Pestalozzi (1746–1827), schweizerischer Erzieher und Sozialreformer; seine Pädagogik ist auf Liebe und Glauben gegründet, ihr Vorbild die Familie.

J. J. Rousseau: Jean Jacques Rousseau (1712–78), französischer Schriftsteller und Pädagoge. Seine aufklärerischen Schriften wirkten sowohl auf die Französische Revolution wie auf die deutsche Sturm-und-Drang-Dichtung (Herder, Möser, Goethe, Schiller).

Relegation: (lateinisch) Verweisung eines Schülers oder Studenten von der Schule bzw. Hochschule.

Katakomben: unterirdische Gänge und Kammern, die von den Christen zur Bestattung ihrer Toten benutzt wurden (vor allem in Rom und Neapel).

weiland: veraltet für »einstig«, »früher«.

Wetzlarer Kammergericht: Reichskammergericht, 1459 auf dem Reichstag zu Worms gegründetes oberstes Reichsgericht; in Wetzlar von 1693 bis 1806. Im 12. Buch des 3. Teils von »Dichtung und Wahrheit« berichtet Goethe: »Seit hundertundsechsundsechzig Jahren hatte man keine ordentliche Visitation zustande gebracht; ein ungeheurer Wust von Akten lag aufgeschwollen und wuchs jährlich, da die siebzehn Assessoren nicht einmal imstande waren, das Laufende wegzuarbeiten. Zwanzigtausend Prozesse hatten sich aufgehäuft, jährlich konnten sechzig abgetan werden, und das Doppelte kam hinzu. Auch auf die Visitatoren wartete keine geringe Anzahl von Revisionen, man wollte ihrer funfzigtausend zählen. Überdies hinderte so mancher Mißbrauch den Gerichtsgang; als das Bedenklichste aber von allem erschienen im Hintergrunde die persönlichen Verbrechen einiger Assessoren.«

48 *suspendiert:* suspendieren (lateinisch) einstweilen aus dem Dienst entlassen; zeitweilig aufheben, schließen.

49 *ventiliert:* (lateinisch) gelüftet; auch (in übertragener Bedeutung): sorgfältig erwogen, geprüft, untersucht.

applizieren: (lateinisch) einsetzen.

Effekten: (lateinisch-französisch) bewegliche Habe, Habseligkeiten.

50 *Kalligraphie:* (griechisch) Schönschrift, Schönschreibekunst.

51 *Langenscheidt:* Gustav Langenscheidt (1832–95), gründete 1856 in Berlin die Langenscheidtsche Verlaganstalt; Verfasser und Herausgeber von Wörterbüchern und Sprachlehrbüchern.

agglutinierenden: von lateinisch »agglutinare« = »ankleben«; agglutinierende Sprachen, wie die finnisch-ugrischen, fügen an das unverändert bleibende Wort Affixe zur Beugung an.

Volapük: von »vol« = »Welt« aus englisch »world« und »pük« = »Sprache« aus englisch »speak« = »sprechen«; eine später vom Esperanto verdrängte, von J. M. Schleyer (1831–1912) entwickelte Welthilfssprache.

53 *I. Korinth. 12, 15:* Pastor Kahlbauch ist nicht bibelfest; das Zitat findet sich in Römer 8, 28: »Wir wissen aber, daß denen, die Gott lieben, alle Dinge zum Besten dienen, denen, die nach seinem Ratschluß berufen sind.

Herzklappenaffektion: Affektion (lateinisch), veraltet für »Erkrankung«.

54 *Disposition:* (lateinisch) Gliederung, Anordnung des Stoffes.

Demokrit: griechischer Philosoph (um 460 – um 371 v. Chr.), Begründer des Eudämonismus und der Atomistik, Vorläufer des Materialismus.

im Kleinen Meyer: Vgl. die erste Anmerkung zu Seite 15.

Vergil: römischer Dichter (70–19 v. Chr.), Verfasser der »Aeneis«.

55 *Dritte Szene:* Als Vorbild diente Wedekind die Szene »Trüber Tag. Feld« aus Goethes »Faust« I; vgl. Frank Wedekind, Vorrede zu Oaha, in: Gesammelte Werke, Band 9, Seite 448.

56 *Korrektionsanstalt:* Besserungs-, Erziehungsanstalt.

57 *genialisch:* (lateinisch) nach Art eines Genies, genieähnlich; hier: überschwenglich.

58 *diskontieren:* (italienisch) eigentlich: einen Wechsel vor seiner Fälligkeit unter Abzug der Zinsen ankaufen; übertragen: handeln.

60 *Joseph:* Sohn des Jakob und der Rahel, verweigert sich den Verführungskünsten der Frau Potiphars, des königlichen Kämmerers (1. Mose 39); Symbol der Keuschheit.

Rekreation: (lateinisch) Erholung.

separiere: separieren (lateinisch), absondern, ausschließen.
Schnur: Schwiegertochter.
Thamar: Nach dem Tod des ersten Sohnes von Juda, Ger, mit dem Thamar verheiratet war, sollte sie Judas zweiten Sohn Onan heiraten. Der aber weigerte sich, mit ihr Kinder zu zeugen, weil sie als diejenigen seines Bruders gelten sollten; statt dessen onanierte er, worauf ihn Gott sterben ließ. Juda gab daraufhin seinen dritten Sohn Schela nicht Thamar zur Frau, wie es der Brauch verlangt hätte, aus Furcht, daß auch dieser sterbe. Thamar verkleidete sich als Hure und wurde von Juda schwanger, der sie nicht erkannte. Als ihre Prostitution offenbar wurde, sollte sie verbrannt werden. Juda aber mußte erkennen, daß er der Schuldige war, worauf Thamar die Zwillinge Perez und Serach zur Welt brachte (1. Mose 38).
Moab: Ahnherr der Moabiter, die im Süden des Ostjordanlandes wohnten. Moab stammte aus der inzestuösen Verbindung des Lot, des Neffen Abrahams, mit seiner ältesten Tochter (1. Mose 19, 37).
Lot und seiner Sippe: Zwei Engel finden in Lots Haus in Sodom Herberge und werden von den Sodomitern sexuell begehrt. Um sie zu schützen, bietet Lot ihnen seine beiden jungfräulichen Töchter an. Sodom wird wegen der Sündhaftigkeit seiner Bewohner zerstört. Lots Familie bleibt als einzige verschont, doch als sich Lots Frau beim Verlassen der Stadt umblickt, erstarrt sie zur Salzsäule. Im Glauben, daß niemand überlebt habe, machen Lots Töchter den Vater betrunken, schlafen mit ihm und werden schwanger. Sie gebären Moab, den Ahnherrn der Moabiter, und Ben-Ammi, den Ahnherrn der Ammoniter (1. Mose 19).
Vasti: im zweiten Band der »Gesammelten Werke« von 1912 »Basti«, in der Ausgabe von 1906 noch »Vasti«; höchstwahrscheinlich Druckfehler. Die Königin Vasti ist die Gemahlin des Ahasveros (Xerxes), die sich anläßlich eines Festes weigerte, auf Befehl ihres Gemahls ihre Schönheit vor dem Volk und den Fürsten zu zeigen. Der König verstieß sie und machte Esther zu seiner Frau (Esther 1–3).
Abisag von Sunem: Die schöne Sunamitin pflegte den alten König David und schlief bei ihm, um ihn zu wärmen (1. Könige 1, 1–4).

Physiognomie: (griechisch) Gesichtsausdruck.
summa cum laude: (lateinisch) mit höchstem Lob, mit Auszeichnung; höchste Benotung bei Doktorprüfungen.
61 *kolportiere:* kolportieren (französisch), Gerüchte verbreiten. – Melchior will als freier Reporter für eine Zeitung arbeiten und ist bereit, alles zu schreiben, was von ihm verlangt wird.
psychophysisch: (griechisch) seelisch-körperlich.
Café Temperence: Kaffeehaus eines antialkoholischen Mäßigkeitsvereins. Diese Vereine gab es zuerst in den USA und in England, seit etwa 1890 auch in Deutschland; sie untersagten den Genuß von Alkohol nicht völlig.
Temperence: Temperance (englisch), Mäßigkeit.
Fuß: altes Längenmaß, das in Deutschland zwischen 25 und 34 cm schwankte.
kataleptischer Anfall: Anfall von Katalepsie (griechisch), Muskelstarre, Muskelverkrampfung.
Großinquisitor: Vorsteher der spanischen Inquisition, die vom katholischen Glauben Abtrünnige aufspürte, vor ein Inquisitionsgericht stellte und häufig zum Feuertod verurteilte; Geständnisse wurden meist durch Folter erzwungen. Hier im übertragenen Sinne gebraucht.
Dr. Prokrustes: Der Prokrustes des griechischen Mythos ist ein Riese, der alle, die ihm in die Hände fielen, auf ein zu kurzes oder zu langes Bett legte. Waren die Gefangenen zu kurz, wurden sie gewaltsam gestreckt, waren sie zu lang, so wurden sie gekürzt.
Blaudschen Pillen: Pillen gegen Blutarmut, erfunden von dem französischen Arzt Paul Blaud (1774–1858); sie enthalten Eisensulfat und Pottasche.
62 *Stahlweinen:* Eisenpräparate in Weinform, die gegen Blutarmut verordnet werden.
Pyrmont: Bad Pyrmont, Heilbad bei Hameln (Niedersachsen).
dispensiere: dispensieren (lateinisch), befreien.
63 *Bleichsucht:* Blutarmut bei Mädchen im Pubertätsalter; die Symptome ähneln den von Freud für die Hysterie angegebenen wie Atemnot, Herzklopfen, Erschöpfung; äußerlich blaßgelbe, leicht grünliche Hautfarbe.

Wassersucht: krankhafte Ansammlung von aus dem Blut stammender wasserähnlicher Flüssigkeit im Gewebe oder in Körperhöhlen.

65 *Draperien:* (französisch) in Falten gelegte Vorhänge, auch malerische Anordnung von Stoffen und Gewändern.

66 *Milchsette:* Milchnapf.

68 *Selig sind, die reinen Herzens sind...:* »Selig sind, die reinen Herzens sind; denn sie werden Gott schauen.« (Matthäus 5, 8)

seinen Kopf unter dem Arm, stapft über die Gräber her: Kopflose Gespenster gehören der Sphäre des Totenglaubens an; sie werden als »Wiedergänger« bezeichnet. Anregung zur Sagen- und Mythenbildung bestand vor allem durch die alte und häufigste aller Exekutionsarten, die Enthauptung. Sagen von kopflosen Gespenstern sind auch im deutschen Sprachgebiet häufig; die Toten tragen den Kopf unter dem Arm, auf einem Teller, an der Seite, am Sattel, am Rücken baumelnd.

69 *stoischer:* (griechisch) unerschütterlicher, gleichmütiger, gelassener; eigentlich: auf die Lehre der Stoa zurückgehend, die auf der Philosophie des Zenon von Kition und seiner Schule (um 300 v. Chr.) beruht.

Lazzaroni: richtig »Lazzarone« (italienisch); proletarischer Gelegenheitsarbeiter in Neapel.

vor der jüngsten Posaune: Das Jüngste Gericht wird durch das Blasen der Posaunen eingeleitet; vgl. Offenbarung 8.

71 *Ich erschließe [...] was die Welt Interessantes bietet:* Anklänge an die Paktszene in Goethes »Faust« I, Vers 2051–2062:

FAUST: Wohin soll es nun gehen?
MEPHISTOPHELES: Wohin es dir gefällt.
Wir sehn die kleine, dann die große Welt.
Mit welcher Freude, welchem Nutzen
Wirst du den Cursum durchschmarutzen!
FAUST: Allein bei meinem langen Bart
Fehlt mir die leichte Lebensart.
Es wird mir der Versuch nicht glücken;
Ich wußte nie mich in die Welt zu schicken.

Vor andern fühl ich mich so klein;
Ich werde stets verlegen sein.
MEPHISTOPHELES: Mein guter Freund, das wird sich alles geben;
Sobald du dir vertraust, so bald weißt du zu leben.

Abortivmitteln: (lateinisch) Mittel, die zu einer Fehlgeburt führen, Abtreibungsmittel.

72 *bramarbasiert:* bramarbasieren, aufschneiden, prahlen; von Bramarbas, Figur der anonymen Satire »Cartell des Bramarbas an Don Quixote« (1710).

traktieren: (lateinisch) veraltet für »bewirten«, »(reichlich) versorgen«.

Berthold Schwarz: eigentlich Bertoldus niger (nigromanticus); wahrscheinlich der Erfinder des Schießpulvers. Er stammte aus der Stadt oder Diözese Konstanz, wo er zeitweilig Domherr war, und lehrte in der ersten Hälfte des 14. Jahrhunderts an der Universität Paris. Bei Versuchen mit einem Gemisch aus Salpeter, Schwefel und Holzkohle entdeckte er dessen Sprengwirkung.

alias: (lateinisch) auch... genannt, auch unter dem Namen... bekannt.

Franziskanermönch: Mitglied des von Franz von Assisi (1181/82 bis 1226) gegründeten Bettelordens.

73 *das Pistol:* die Pistole.

Zum »Marquis von Keith«*

Zum Text dieser Ausgabe

Der »Marquis von Keith« wurde in den Jahren 1898–1900 verfaßt und 1907 überarbeitet. Aus dem Spätsommer 1898 liegt ein erster Entwurf mit dem Titel »Ein Genußmensch« (als Separatdruck herausgegeben von Fritz Strich, München 1924) vor, der einen ersten und den Beginn eines zweiten Aktes enthält. Nach seiner Flucht aus München im Oktober 1898 erarbeitete Wedekind eine neue Fassung mit dem Titel »Der gefallene Teufel«, die er im Frühjahr 1899 vor seiner Rückkehr nach Deutschland fertigstellte, im September des gleichen Jahres aber bereits als »entsetzlich skelettartig und unplastisch« (Briefe, Band 2, Seite 8) verwarf. Die erste veröffentlichte Textfassung des Stückes stammt aus dem Jahre 1900:

Münchner Szenen. Nach dem Leben aufgezeichnet von Frank Wedekind. In: Die Insel, 1. Jahrgang, Nr. 7, April 1900, Seite 3–76; Nr. 8, Mai 1900, Seite 166–198; Nr. 9, Juni 1900, Seite 255–310.

In geringfügiger Überarbeitung erschien derselbe Text ein Jahr später in der Buchfassung:

Frank Wedekind: Marquis von Keith. (Münchener Szenen.) Schauspiel in fünf Aufzügen. München 1901.

Die zweite Auflage

Frank Wedekind: Der Marquis von Keith. Schauspiel in fünf Aufzügen. Zweite Auflage. München 1907

bewahrt den Inhalt der früheren Fassung, ist jedoch stilistisch stark verändert. Da die Mißerfolge in der frühen Bühnengeschichte des »Marquis von Keith« nicht zuletzt auch sprachlich-stilistische Gründe haben dürften und da ein Vergleich zudem Aufschlüsse über Wedekinds zunehmende Theatererfahrung sowie über den Wandel seines Verhältnisses zum eigenen Text erlaubt, werden einige Stellen aus der Fassung von 1901 unten Seite 239–244 abgedruckt.

* Von Burghard Dedner.

In der Gesamtausgabe
Frank Wedekind: Gesammelte Werke. Band 1–6. München und Leipzig 1912–14 (nach dem Tode Wedekinds herausgegeben von Artur Kutscher und Joachim Friedenthal und auf 9 Bände erweitert)
findet sich der Text des »Marquis von Keith« im Band 4 von 1913. Dieser Text, dem die späteren Ausgaben des Stückes fast ausnahmslos folgen, weist gegenüber der zweiten Auflage geringfügige Verbesserungen (Ausmerzung einiger Druckfehler, Vereinheitlichung der Interpunktion bei Szenenanmerkungen) auf, enthält jedoch zugleich eine erhebliche Zahl teilweise sinnentstellender Druckfehler[1]. Die vorliegende Ausgabe greift deshalb auf die zweite Auflage von 1907 zurück und übernimmt Veränderungen in der Fassung von 1913 nur, soweit sich diese als eindeutige Korrekturen ansehen lassen.

Auszüge aus dem »Marquis von Keith« in der Fassung: Frank Wedekind: Marquis von Keith. (Münchener Szenen.) Schauspiel in fünf Aufzügen. Albert Langen. Verlag für Literatur und Kunst. München 1901.

a. Seite 12–17 (I. Akt: Dialog zwischen Keith und Anna; diese Ausgabe Seite 80–82)

ANNA *verwitwete Gräfin Werdenfels tritt ein. Sie ist eine üppige Schönheit von 30 Jahren. Weiße Haut, Stumpfnase, helle Augen, kastanienbraunes, üppiges Haar.*

V. KEITH *geht ihr entgegen* Da bist du, meine Königin! – Ich schickte eben den jungen Casimir mit einem kleinen Anliegen zu dir.

ANNA Das war der junge Casimir?

V. KEITH *nachdem er ihr flüchtig die dargereichten Lippen geküßt* Er kommt schon wieder, wenn er dich nicht trifft.

ANNA Der sieht aber seinem Vater gar nicht ähnlich.

V. KEITH Lassen wir seinen Vater. Ich habe mich an Leute

1 Die Angaben von Artur Kutscher: Frank Wedekind Band 2. Seite 58f., sind in dieser Hinsicht zu korrigieren. – Zum Vorrang des Textes von 1907 vor dem der »Gesammelten Werke« vgl. Wolfgang Hartwig (Herausgeber): Frank Wedekind: Der Marquis von Keith. Berlin 1965 (= Komedia 8) Seite 93.

gewandt, von deren Parvenütum ich mir eine flammende Begeisterung für unsere Sache verspreche.

ANNA Man sagt vom alten Casimir, daß er junge Künstlerinnen unterstützt.

V. KEITH Sobald ich dich sehe, bin ich ein anderer Mensch, als wärst du meines Glückes lebendiges Unterpfand. – Aber willst du nicht frühstücken? Hier ist Tee und Kaviar und kalter Aufschnitt.

ANNA *nimmt auf dem Diwan Platz und frühstückt* Ich habe um elf Uhr Stunde. Ich komme nur auf einen Moment. – Die Bianchi sagt, ich könne in einem Jahr die erste Wagnersängerin Deutschlands sein.

V. KEITH *zündet sich eine Cigaette an* Vielleicht bist du auch in einem Jahr so weit, daß sich die ersten Wagnersängerinnen um deine Protektion bemühen.

ANNA Mir soll's recht sein. Mit meinem beschränkten weiblichen Verstande sehe ich allerdings nicht ein, warum es gleich so hoch hinaus soll.

V. KEITH Dafür bin ich nicht verantwortlich. Ich lasse mich willenlos treiben, bis ich an ein Gestade komme, auf dem ich mich heimisch genug fühle, um mir zu sagen: »Hier laßt uns Hütten bauen!«

ANNA Das kann ich dir nicht ganz nachempfinden. Ich habe seit einiger Zeit vor lauter Lebenslust manchmal Selbstmordgedanken.

V. KEITH Der eine nimmt es, und dem anderen ist es beschieden. Als ich in die Welt hinauskam, war mein kühnstes Hoffen, in Oberschlesien als Dorfschulmeister zu sterben.

ANNA Daß dir München einmal zu Füßen liegen werde, hast du dir nicht träumen lassen!

V. KEITH München kannte ich aus der Geographiestunde. Wenn ich mich deshalb heute auch nicht gerade eines makellosen Rufes erfreue, so darf man nicht vergessen, aus welchen Tiefen ich heraufkomme.

ANNA Ich bete jeden Abend zu Gott, daß er etwas von deiner Energie auf mich übertrage.

V. KEITH Ich habe keine Energie.

ANNA Dir ist es doch Lebensbedürfnis, mit dem Kopf durch die Wände zu rennen.

V. KEITH Meine Begabung beschränkt sich auf die leidige Tatsache, daß ich in bürgerlicher Atmosphäre nicht atmen kann. Mag ich deshalb auch erreichen, was ich will, ich werde mir nie das Geringste darauf einbilden. Andere Menschen werden in ein bestimmtes Niveau hineingepflanzt, auf dem sie fortvegetieren, ohne mit der Welt in Konflikt zu kommen.

ANNA Du bist doch auch nicht vom Himmel gefallen.

v. KEITH Ich bin aber Bastard. Mein Vater war ein geistig sehr hochstehender Mensch, besonders was Mathematik und so exakte Dinge betrifft, und meine Mutter war Zigeunerin.

ANNA Wenn ich deine Geschicklichkeit hätte, den Menschen ihre Geheimnisse vom Gesicht abzulesen, ich wollte ihnen mit der Fußspitze die Nase auf die Erde drücken.

v. KEITH Solche Fertigkeiten erwecken nur Mißtrauen. Deshalb hegt die bürgerliche Gesellschaft auch, seit ich auf der Welt bin, ein geheimes Grauen vor mir.

ANNA In der Gesellschaft habe ich mich drei Jahre lang mit gesenkten Wimpern und hochgezogenen Brauen danach gesehnt, einmal die Augen aufschlagen zu dürfen.

v. KEITH Die Gesellschaft macht mein Glück durch ihre Zurückhaltung. Je höher ich gelange, desto vertrauensvoller kommt man mir entgegen. Ich warte auch nur noch auf die Region, in der die Kreuzung von Philosoph und Pferdedieb ihrem vollen Wert entsprechend gewürdigt wird.

ANNA Man hört tatsächlich in der ganzen Stadt von nichts als vom Feenpalast reden.

v. KEITH Der Feenpalast dient mir als Sammelplatz meiner Kräfte. Dazu kenne ich mich zu gut, um nicht zu glauben, daß ich meiner Lebtag Kassenrapporte revidiere.

ANNA Ich habe aber auch keine Lust, meiner Lebtag Solfeggien und Vocalisen zu singen. Du sagtest, der Feenpalast solle für mich gebaut werden. Warum wirfst du dann die Masse Geld hinaus, um mich ausbilden zu lassen?

v. KEITH Jedenfalls nicht, damit du zeit deines Lebens auf den Hinterpfoten tanzt und dich von Preßbengeln kuranzen läßt. Aber du hast etwas mehr Lichtpunkte in deiner Vergangenheit nötig.

b. Seite 48–50 (II. Akt: Dialog zwischen Keith und Scholz; diese Ausgabe Seite 97f.)

Im Arbeitszimmer des Marquis von Keith ist der mittlere Tisch zum Frühstück gedeckt: Champagner und eine große Schüssel Austern. – Der Marquis von Keith sitzt mit dem Rücken gegen den Schreibtisch und hält den linken Fuß auf einen Schemel, während ihm Sascha, der vor ihm kniet, mit einem Knopfhaken die Stiefel zuknöpft. Ernst Scholz steht hinter dem Diwan und versucht sich auf einer Gitarre, die er von der Wand genommen.

SCHOLZ Nach den Gesprächen von gestern abend über Kunst und moderne Literatur frage ich mich, ob ich bei diesem Mädchen nicht in die Schule gehen soll. Um so mehr wunderte es mich, daß sie dich noch darum bat, an dem Gartenfest, mit dem du München in Erstaunen setzen willst, deine Gäste bedienen zu dürfen.

V. KEITH Ich weiß doch, mit wem ich es zu tun habe! Übrigens hat das noch Zeit mit dem Fest. Ich fahre morgen auf einige Tage nach Paris.

SCHOLZ Das kommt mir höchst ungelegen.

V. KEITH Komm doch mit. Ich will eine meiner Künstlerinnen vor der Marquesi singen lassen, bevor ich sie hier vors Publikum stelle.

SCHOLZ Soll ich mir jetzt die Seelenqualen wieder vergegenwärtigen, die ich in Paris durchgekostet?!

V. KEITH Ich hatte erwartet, der gestrige Abend werde erfrischender auf dich wirken. – Dann halte dich während meiner Abwesenheit an Saranieff. Er wird heute wohl irgendwo vor uns auftauchen.

SCHOLZ Von dem erzählte sie, er sei Satanist. Sein Atelier sei eine Schreckenskammer voll von allen Greueln, die die Menschheit je verübt hat.

V. KEITH Das hat den Zweck, seinen Käufern die präraffaelitischen Engelsköpfe, die er malt, um so wertvoller erscheinen zu lassen.

SCHOLZ Mit hellstem Entzücken plauderte sie von ihrer Kindheit, wie sie in Tirol den ganzen Sommer durch in den Kirschbäumen gesessen und im Winter abends bis in die Dunkelheit mit den Dorfkindern Schlitten gefahren sei. – Wie kann es sich das Mädchen nur so zur Ehre anrechnen, bei dir als Aufwärterin figurieren zu dürfen!

v. KEITH Das Mädchen hat bis jetzt nicht mehr Recht an ihr Dasein als das Gras zwischen den Münchner Pflastersteinen. Man hat sie noch nicht zertreten. Deshalb nimmt sie die Gelegenheit wahr, um die bestehende Gesellschaftsordnung, deren tiefste Verachtung sie genießt, auf alle Fälle ihrer Ergebenheit zu versichern.

c. Seite 150–154 (IV. Akt: Dialog zwischen Anna und Scholz; diese Ausgabe Seite 142f.)

Ernst Scholz tritt ein.

SCHOLZ Erlauben Sie mir noch zwei Worte, gnädige Frau.

ANNA Ich bin eben im Begriff, auszugehen. *Zu Simba* Meinen Hut. *Simba ab.*

SCHOLZ Die Gegenwart meines Freundes hinderte mich zu sagen, was ich auf dem Herzen habe.

ANNA Sagen Sie es, wenn es nicht zu viel ist.

SCHOLZ Sie erschweren es mir, den entsprechenden Ton zu finden.

ANNA Dann warten wir vielleicht doch besser eine andere Gelegenheit ab.

SCHOLZ Ich hoffte noch einige Tage auf Ihren Bescheid warten zu können. Meine Empfindungen tun mir Gewalt an. Damit Sie nicht im Zweifel darüber sind, daß ich mit meinen Anerbietungen nur Ihr Glück erstrebe, erlauben Sie mir, Ihnen zu sagen, daß ich Sie in – unaussprechlicher Weise liebe.

ANNA Na – und?

SCHOLZ Wenn ich mit meinen Voraussetzungen Ihre Wünsche verfehlt habe, dann dürfen Sie nur meine Beklommenheit oder mein Ungeschick dafür verantwortlich machen.

ANNA Was wären Ihre Anerbietungen?

SCHOLZ Bis Sie als Künstlerin die Früchte einer unbestrittenen Anerkennung ernten, wird sich Ihnen noch manches Hindernis in den Weg stellen. Erlauben Sie mir, Ihnen mit allem, was ich besitze, die Erreichung Ihrer Ziele zu erleichtern.

ANNA Ich danke Ihnen. Ich singe voraussichtlich nicht mehr.

SCHOLZ Sie werden Ihrem Beruf jetzt nicht entsagen wollen?!

ANNA Doch; mir graut förmlich davor.

SCHOLZ Wie mancher unglückliche Künstler gäbe sein halbes Leben hin, um Ihre Stimme damit zu erkaufen.

ANNA Sonst haben Sie mir nichts zu sagen?

SCHOLZ Sie sind gekränkt. Sie hatten erwartet, ich werde Ihnen meine Hand antragen...

ANNA Wollten Sie denn das nicht?

SCHOLZ Ich fragte mich, während ich zu Hause krank lag, wohl hundertmal, ob Sie bei Ihrem selbstherrlichen Naturell noch einmal willens wären, sich in gesetzliche Fesseln zu fügen.

ANNA Was haben Sie sich denn sonst von mir gedacht?

SCHOLZ Sie spannen mich auf die Folter! Mich quält nur ein Wunsch, zu tun, was Sie glücklich macht.

ANNA Aber heiraten wollten Sie mich nicht?

SCHOLZ Ich wollte Sie fragen, ob Sie meine Geliebte werden wollen. – Ich kann Sie als Gattin nicht höher verehren, als ich meine Geliebte in Ihnen ehren würde. Sei es der Gattin, sei es der Geliebten, ich biete Ihnen mein Leben; ich biete Ihnen, was ich besitze. Sie wissen, daß ich mich nur mit der größten Überwindung in die Anschauungen fand, die hier in München maßgebend sind. Sie werden die Kränkung vergessen, wenn Sie bedenken, durch welche Kämpfe ich mich aus dem Banne gesellschaftlicher Voreingenommenheit befreit habe. Wenn mein Glück an dem Siege zerschellen sollte, den ich nur über mich errungen, um am Glücke meiner Mitmenschen teilnehmen zu können, das wäre ein himmelschreiendes Narrenspiel!

Frühe Wirkungsgeschichte

Wedekind hielt den »Marquis von Keith« für seine wirksamste Bühnenrolle und versprach sich von dem Stück insgesamt seinen Durchbruch als führender deutscher Bühnenautor. Die Uraufführung am 11. Oktober 1901 im Berliner Residenztheater unter der Regie von Martin Zickel erwies sich jedoch als uneingeschränkter Mißerfolg, und die folgende Aufführung am 30. April 1902 am Josefstädter Theater in Wien unter der Leitung von Joseph Jarno wurde zwar von der Presse wohlwollend aufgenommen, vom Autor jedoch noch immer als Mißerfolg gebucht (Briefe, Band 2, Seite 87). Weitere

Aufführungen in München (Akademisch-dramatischer Verein, Oktober 1902), in Nürnberg (Intimes Theater unter Emil Meßthaler, November 1903) und in Berlin (Kleines Theater unter Victor Barnowsky, Dezember 1905; Kammerspiele unter Max Reinhardt, November 1907), bei denen Wedekind gelegentlich die Titelrolle spielte, verhalfen dem Stück ebenfalls nicht zum Durchbruch. Offenbar empfanden Schauspieler wie Publikum den Sinn des Stückes als dunkel, offenbar auch fielen die Schauspieler beim Sprechen in den üblichen gemäßigten Konversationston der Salonkomödien mit dem Erfolg, daß Wedekinds sprachliche Pointen und die von ihm schon zur Perfektion entwickelte Technik des Aneinandervorbeiredens vom Publikum als unfreiwillige Komik verstanden wurde.

Wedekinds Stückkommentar von 1911 »Was ich mir dabei dachte« (Gesammelte Werke, Band 9, Seite 429f.) weist auf diese Aufführungsprobleme ausdrücklich hin und gibt zugleich, auf dem Wege über ein Inhaltsreferat, eine Interpretation des Stückes, die die Auseinandersetzung zwischen Keith und Scholz ins Zentrum rückt.

Der »Marquis von Keith« sei »das Wechselspiel zwischen einem Don Quijote des Lebensgenusses (Keith) und einem Don Quijote der Moral (Scholz). Keith will sich als Mittel zu seinem Zweck der Moral bemächtigen. Scholz will sich als Mittel zu seinem Zweck des Lebensgenusses bemächtigen. Beide erleiden Niederlagen auf dem eigenen Gebiet wie auf dem, das sie als Mittel zum Zweck verwenden wollten.

Ich hielt Keith immer für mein künstlerisch reifstes und geistig gehaltvollstes Stück, den Keith selbst für die beste Rolle, die ich geschrieben habe. Ich werde nie mehr den Versuch machen, eine solche Rolle zu schreiben, da keine Darsteller dafür existieren.

Gang der Handlung:

Erster Akt. Keith und Scholz sind verzweifelt.

Zweiter Akt. Keith und Scholz schöpfen neue Hoffnung.

Dritter Akt. Glücksparoxysmus bei beiden. Bei jedem zeigt sich deutlich die wunde Stelle.

Vierter Akt. Scholz will den Überlegenen spielen und seinen Meister schulmeistern. Da brechen beide zusammen.

Fünfter Akt. 1. Das geschäftliche Unternehmen verabschiedet sich.

2. Das Luxusweib verabschiedet sich.
3. Der Leidensgefährte verabschiedet sich.
4. Die Lebensgefährtin verabschiedet sich.

Keith *muß* als Feuerkopf gespielt werden. (Nicht als Bonvivant.) Scholz *darf nicht* als Melancholiker gespielt werden (sondern als Empörer, der fortwährend mit seinen Ketten rasselt).

Das Stück hat in keiner Szene Konversationston. Alles muß hochdramatisch gespielt werden«.

Daß die frühe Inszenierungsgeschichte des »Marquis von Keith« zunächst eine Geschichte der Mißerfolge war, ist für Wedekinds weitere Biographie von erheblicher Bedeutung. Um finanziell zu überleben, nahm der Autor zunächst zu Nebentätigkeiten seine Zuflucht: Er versuchte sich als Erfinder von Kinderspielzeug, trat vom April 1901 bis zum Winter 1903 im Münchner Kabarett »Die elf Scharfrichter« auf und spielte weiterhin einzelne Rollen bei der Aufführung seiner Schauspiele. Eine zusätzliche Schwierigkeit sah er in der aus diesen Tätigkeiten sich ergebenden öffentlichen Rollenzuweisung. Hatte das Publikum der Berliner Uraufführung den Autor bereits als unfreiwilligen Possenreißer verstanden, so drohte er als Kabarettist zum allgemein anerkannten und noch dazu erfolgreichen Spaßmacher zu werden. Wedekind präsentierte sich demgegenüber in den Briefen nach 1900 als überzeugter Moralist und verfaßte außerdem, als Reaktion auf die Mißerfolge des »Marquis von Keith«, eine balladeske Tragödie »So ist das Leben« (später: »König Nicolo«), deren Titelheld, ein gestürzter und des Landes verwiesener König, in jambischen Versen von den Nöten seines Herzens und dem Schmerz der Entwürdigung kündet. Vom Volk als Clown mißverstanden und bejubelt, findet er schließlich eine Stelle als Hofnarr seines plebejischen Nachfolgers auf dem Königsthron. In Briefen hat Wedekind das Pathos des »Nicolo« als »fünf Akte langes Gejammer« und als Absinken auf den »Kegelbahnhorizont der Münchner Dichterzunft« (Briefe, Band 2, Seite 113) alsbald widerrufen, und noch der spätere Selbstkommentar deutet das Stück im wesentlichen als Zugeständnis an ein theaterunreifes Publikum. »König Nicolo« ist das »Ergebnis meiner Empfindungen über die Verhöhnung, die der Marquis von

Keith bei seiner Aufführung in Berlin erfuhr. M. v. Keith hatte ich vollkommen auf Dialog gestellt. Der Dialog war Wort für Wort mißverstanden worden. Meine Absicht war nun, ein Stück zu schreiben, in dem der Dialog gar keine Rolle spielt und durch dessen Schlichtheit, Gradlinigkeit jedes Mißverständnis ausgeschlossen ist« (Gesammelte Werke, Band 9, Seite 430). Dem Schönheits-, Sinn- und Repräsentationsbedürfnis des wilhelminischen Publikums kam dieses Drama, »in dem der Dialog gar keine Rolle spielt«, freilich wesentlich mehr entgegen als die früheren Sexualitätsballaden, Monstertragödien und »nach dem Leben aufgezeichneten« Szenen desselben Autors. Noch Wedekinds Biograph Artur Kutscher, der die skandalträchtigen frühen Werke nur mit apologetischen Nebentönen preist, bricht angesichts dieses »schmerzlichen Schreis« (Band 2, Seite 97) in uneingeschränktes Lob aus, und der linksliberale Kritiker Josef Ruederer sah in »König Nicolo« »endlich einmal ein künstlerisches Bekenntnis nach dem dekadenten Gestammel unserer neuesten Seelenzerpflücker, endlich eine Weltanschauung nach den dramatisierten Gartenlaubenromanen unserer alljährlich wiederkehrenden Bühnendichter, endlich ein Höhenflug über die dramatisierten Nichtigkeiten des Alltagslebens« (zitiert nach A. Kutscher, Band 2, Seite 106f.).

Der »Marquis von Keith«, so zeigte sich in den Jahren vor 1914, konnte Bühnenerfolge nur dann erzielen, wenn man ihn nach dem Muster des »König Nicolo«, d. h. weniger als »Münchner Szenen« und stärker als Darstellung eines tragischen Künstlerschicksals in der oberflächlichen Verkleidung des Hochstaplers, spielte. Obwohl der Aufbau des Dramas eher eine Aufführung durch gute Ensembletheater nahelegt, wurden erfolgreiche Aufführungen deshalb von Wedekinds schauspielerischer Mitwirkung abhängig, eine Tatsache, die wiederum die Tendenz zur tragischen Deutung des Stückes verstärken mußte. Wedekind, so schreibt später Heinrich Mann mit deutlichem Blick auf den »Marquis von Keith«, sei es gelungen, »auf der Bühne in jeder seiner Rollen dies Gehetztsein und diesen Ingrimm zu zeigen, die tödliche Verlegenheit, entsetzensvolle Beschämung – und bei alledem das tiefe Gefühl seiner Würde«[2]. Ähnlich lobt der Kritiker

2 Heinrich Mann: Ausgewählte Werke in Einzelausgaben. Herausgegeben von A. Kantorowicz. Berlin 1954. Band 11. Seite 403.

Franz Köppen, daß es dem Schauspieler Wedekind geglückt sei, »das Stück Dichter und Phantast, das in diesem Hochstapler und Gründungsschwindler steckt, transparent zu machen, wodurch er das Stück aus der Sphäre der sozialkritischen Studie heraushob und seine Bedeutung als einer tiefen menschlichen Dichtung nachwies«[3]. Dieses Deutungsschema, demzufolge der sozialkritische Realitätsgehalt des Stückes eine bloße Drapierung des »tief menschlichen« Sinns sei, bestimmt auch eine eindrucksvolle und oft zitierte Interpretation Thomas Manns[4], in der die abschließende Begegnung von Keith und Scholz unter dem Stichwort »Mysterium der Abdankung« zum Sinnzentrum des Stückes erklärt wird. Die an Keith herangetragene teuflische Versuchung, sich selbst als Person aufzugeben, sei das »Schrecklichste, Rührendste und Tiefste, was dieser tiefe, gequälte Mensch geschrieben hat«.

Die bühnentechnische Umsetzung dieser entmaterialisierenden Deutungen ist vor allem Leopold Jeßner in seinen Inszenierungen von 1914 und dann von 1920 gelungen. Jeßner arbeitete mit symbolischen Farbeffekten, reduzierte die Bühnenausstattung auf das Notwendigste, steigerte das Tempo des Dialogs und betonte die Ausdruckskraft der Gestik. Er ließ zudem die Antagonisten Keith und Scholz auf der höheren, die übrigen Personen davon getrennt auf der tieferen Ebene einer Stufenbühne agieren. Der Einfluß dieser Regiekonzeption läßt sich über die zwanziger Jahre hinaus bis in die Aufführungen der letzten Jahrzehnte hinein nachweisen. Er hat außerdem zu der Tendenz, Wedekind als expressionistischen Autor zu begreifen, nicht unwesentlich beigetragen.

3 In: Berliner Börsen-Zeitung vom 10. Juni 1916. Zitiert nach Günter Seehaus: Frank Wedekind und das Theater. München 1964. Seite 464.

4 Thomas Mann: Schriften und Reden zur Literatur. Herausgegeben von Hans Bürgin. Frankfurt am Main 1968. Band 1. Seite 91.

*Anmerkungen**

76 *Restaurateur:* Besitzer und Betreiber eines oder mehrerer Restaurants.

78 *Radfahrkostüm:* Das Radfahren war um die Jahrhundertwende zum beherrschenden Modesport, vergleichbar etwa dem älteren Ausreiten, geworden.

Eisenbahnkönig: synonym für Multimillionär oder den heutigen Ölscheich. Die nordamerikanischen Eisenbahnkönige verfügten als Kontrolleure des wichtigsten Transportsystems über den entsprechenden wirtschaftlichen und politischen Einfluß.

Anarchisten: (griechisch) Sammelbegriff für die Verfechter eines gesellschaftlichen Modells, das grundsätzlich ohne Herrschaft und Gesetze auskommen will. Das revolutionär-anarchistische Konzept einer Kollektivordnung, die die Abschaffung des Privateigentums vorsieht, ist um 1900 vor allem auch in den Kreisen der großstädtischen Bohème verbreitet.

82 *Kassenrapporte revidieren:* Kassenabrechnungen überprüfen.

Preßbengeln: verächtliche Bezeichnung für »Journalisten«; etwa: Zeitungsschmierer.

kuranzen: mundartlich (süddeutsch) für »schikanieren«.

83 *galoniertem:* galoniert (französisch), mit Borten, Litzen besetzt. Der Laufbursche trägt die Kleidung, die bis zur Französischen Revolution von 1789 Kennzeichen der höheren Gesellschaftsschichten war.

86 *Courmachereien:* (französisch) Hofmachereien, Werbungen.

87 *Redouten:* (französisch) Maskenbälle.

88 *eine Republik für einen Dollar:* parodistische Anspielung auf Shakespeare, »Richard III.« (5. Akt, 4. Szene): »Mein Königreich für ein Pferd.«

89 *Dein Reich ist noch nicht gekommen:* Anspielung auf die Bitte des Vaterunsers: »Dein Reich komme.«

90 *Kubanische Revolution:* Der Aufstand der cubanischen Kreolen gegen die spanischen Kolonialherrscher von 1895 führte 1898

* Von Burghard Dedner, unter Mitwirkung von Bernd Wangerin.

zum spanisch-amerikanischen Krieg. 1901/02 konstituierte sich Cuba als Republik unter der Schutzherrschaft der USA.

91 *Weil ich in meinem Amt ein entsetzliches Unglück verschuldet habe:* Vgl. die »trübsinnigen« Erinnerungen von Goethes Faust an seinen mörderischen Versuch, Pestkranke zu heilen (»Faust« I, Vers 1022–1055).

93 *dotiert:* dotieren (lateinisch), mit Geld- und Sachwerten ausstatten.

Nymphenburg: seit 1899 Stadtteil von München. Die erste Buchfassung hatte präzisiert: »Gehen wir heute abend nach Nymphenburg in den Volksgarten.« Zugleich Anspielung auf die Naturgottheiten im Gefolge der Artemis und des Dionysos, die auch als Spenderinnen der Fruchtbarkeit verehrt wurden.

94 *Arkadien:* Landschaft auf der griechischen Peloponnes; seit Vergil (70–19 v. Chr.) bevorzugter Schauplatz der Schäferpoesie, die ein idyllisches, glücklich-unschuldiges Hirtenleben darstellt.

Babylon: Die babylonische Hochkultur ist aus biblischer Sicht, auf die hier wohl angespielt wird, durch Sinnenlust und Sittenverderbnis charakterisiert. Zu denken ist in dem hier genannten Zusammenhang vor allem an die babylonischen Sakäen, ein karnevalsähnliches Fest von großer Intensität und längerer Dauer.

saturnalisch: Anspielung auf ein altrömisches Fest, die Saturnalien, die zu Ehren des Gottes Saturn gefeiert wurden. Während des Festes wurden das »goldene Zeitalter« und der Stand der Gleichheit aller Menschen symbolisch wieder eingeführt.

95 *Zeitungskorrespondenz:* Keith läßt absichtlich offen, ob er gelegentlich Artikel schreibt oder eine Agentur, also ein größeres Unternehmen, betreibt.

Paletot: (französisch) kürzerer Herrenmantel.

99 *Karyatiden:* (griechisch) Frauenfiguren in langen Gewändern, die in der Funktion von Säulen oder Pfeilern den Giebel eines Bauwerks tragen.

der verlorene Sohn: Im biblischen Gleichnis (Lukas 15, 11–32) verpraßt ein Sohn sein Erbteil, sinkt zum Schweinehirten hinab, kehrt dann aber, nunmehr klüger und besserungswillig, zurück zu seinem Vater, der ihn mit Freude aufnimmt.

Lord Keith: Die Keiths gehören dem schottischen Hochadel an. In der Familie ist das Amt des Marschalls von Schottland erblich.

Pincenez à la Murillo: Pincenez (französisch) = bügellose Brille, Kneifer. Der hier beschriebene Kneifer weicht von der um 1900 sonst geläufigen Art geringfügig ab und orientiert sich in seiner Form an Brillendarstellungen des spanischen Malers B. E. Murillo (1618–82). Vgl. etwa dessen im Prado, Madrid, befindliches Bild »Der Patrizier berichtet dem Papst von seinem Traum«.

100 *Kommanditär:* Teilhaber einer Handelsgesellschaft, der mit einer bestimmten Vermögenseinlage haftet.

Kuvert: (französisch) Gedeck.

sie sitzt mir gegenwärtig zu einem Böcklin: Saranieff fälscht Bilder des um 1900 sehr populären schweizerischen Malers Arnold Böcklin (1827–1901).

101 *Symbolisten:* Der Symbolismus ist eine von Frankreich ausgehende Kunstrichtung (etwa 1880–1910), die im Gegensatz zu Realismus und Naturalismus auf die unmittelbare und objektive Wiedergabe der Wirklichkeit verzichtet und statt dessen die Entfaltung der Phantasie als Aufgabe der Kunst betont. Hier ironisch für Menschen, die – wie Anna später (Seite 144) über Scholz sagt – »sich um die Wirklichkeit überhaupt nicht« kümmern.

ein deutsch-französisches Schutz-und-Trutz-Bündnis: sarkastische Bemerkung Saranieffs, da zum Zeitpunkt des Stückes von einem solchen Bündnis zwischen den »Erbfeinden« Deutschland und Frankreich keine Rede sein konnte. Es kennzeichnet Keiths Hochstapelei wie Scholz' Weltfremdheit, daß beide auf diese Bemerkung ernsthaft eingehen.

Simba: ebenso wie Sascha ein traditioneller Name von Zirkuslöwen.

105 *Guido Reni:* italienischer Maler des Barock (1575–1642).

106 *Favorits:* (französisch) büschelförmiger Backenbart bei ausrasiertem Kinn.

107 *Equipage:* (französisch) herrschaftliche Kutsche.

108 *Pfahlbürger:* nach mittelalterlichem Recht Bewohner von Dörfern, die aber das Bürgerrecht einer Stadt erworben haben. Hier, mit der Bedeutung von Emporkömmling, wohl Anspielung auf die Bauern des Münchner Umlands, die durch die seit Mitte des 19. Jahrhunderts stattfindende Eingliederung umliegender Gemeinden in die Kernstadt München reich geworden waren.
Plafond: (französisch) mit Stuckwerk und Malereien geschmückte Flachdecke.

109 *Tantiemen:* (französisch) Gewinnanteil für leitende Angestellte, Vorstands- und Aufsichtsratsmitglieder. Die von Keith vorgesehene Gewinnverteilung würde für Abschreibungen und Aktiendividenden wenig übrig lassen.

111 *daß er zwei Seelen in seiner Brust hat:* Anspielung auf Goethe, »Faust« I, Vers 1112: »Zwei Seelen wohnen, ach! in meiner Brust.«

112 *Pailletten:* (französisch) gelochte, glänzende Metallplättchen auf eleganten Kleidern, Revue- und Zirkuskostümen. In der Fassung von 1901 hatte die Passage gelautet: »Meerblaue Taille, so hell als möglich, carré dekolletiert, mit tiefblauen Perlen bestreut, der Ausschnitt von handbreiter Goldborte eingefaßt; der Rock aus rotem Sammet, mit Hermelin verbrämt, mit einem schlichten meerblauen Einsatz...«

114 *mit elektrischen Lampen:* Die Ausstattung des Gartensaals betont den von Keith betriebenen Aufwand. Üblich war um diese Zeit eher Gasbeleuchtung.
Portiere: (französisch) Türvorhang.
Pianino: (italienisch) kleines Klavier.
Causeuse: (französisch) Sitzmöbel für zwei Personen, mit Rükken- und Armlehnen.
Notabilitäten: (lateinisch) tonangebende Persönlichkeiten, Prominenz.
Auspizien: (lateinisch) Vorzeichen.

115 *Was genieße ich denn!:* eine der vielen Anspielungen auf das zwiespältige Verhältnis von Goethes Faust zum Lebensgenuß. Vgl. etwa »Faust« I, Vers 1765f.:

»Du hörest ja, von Freud' ist nicht die Rede.
Dem Taumel weih' ich mich, dem schmerzlichsten Genuß.«

116 *Plebejerhand:* einer der nur für Eingeweihte verständlichen Hinweise auf Wedekinds Identifikation mit dem Marquis. Von Wedekind wußte man, daß er seine fleischigen »Plebejer«-Hände als Hemmnis in bürgerlichen Gesellschaftskreisen empfand. Vgl. auch oben Seite 77, wo Keith in der Personenbeschreibung durch die »groben roten Hände eines Clown« charakterisiert wird.

117 *Radschloßgewehr:* Handfeuerwaffe des 16. und 17. Jahrhunderts.

Havelock: ärmelloser Männermantel mit halblanger Pelerine (nach dem britischen General Sir Henry Havelock, 1795–1857).

119 *sekiert:* (bayrisch-österreichisch) gelangweilt, angeödet.

unmittelbare Reichsgräfin: Reichsunmittelbare Grafen unterstanden bis zum 18. Jahrhundert dem Kaiser, waren also von den Landesfürsten unabhängig.

121 *Equitation:* (lateinisch) Reitschule; hier wohl: Kavallerie.

122 *Konservatorist:* Student an einer Musikhochschule.

124 *Cancan:* ein in Paris seit 1830 populärer, ursprünglich »gesitteter« Gesellschaftstanz, der aber um 1900 vor allem in Varietés und Nachtlokalen vorgeführt wurde und als anrüchig galt.

125 *Endlich, endlich hat das halsbrecherische Seiltanzen ein Ende!:* Vgl. Wedekinds »Zirkusgedanken« (Gesammelte Werke, Band 9, Seite 302f.), wo das menschliche Leben als ein Balanceakt von Seiltänzern beschrieben wird, ferner die bekannte Stelle bei Friedrich Nietzsche, »Also sprach Zarathustra« (Werke in drei Bänden. Herausgegeben von K. Schlechta. Band 2. München 1955. Seite 440), wo die Geschichte des Menschen als Seiltanz über einem Abgrund erscheint.

134 *à fonds perdu:* (französisch) mit völliger Hingabe.

138 *Portefeuille:* (französisch) Brieftasche.

140 *Impresario:* (italienisch) Opern-, Konzert-, auch Zirkusunternehmer.

141 *»Wir wissen, daß denen, die Gott lieben [...]«:* Zitat aus dem Neuen Testament, Römerbrief 8, 28.

144 *»Viele sind berufen [...]«:* Zitat aus Matthäus 22, 14.

145 *daß die Welt in all ihrer Herrlichkeit vor mir liegt:* Anspielung auf die Versuchung von Jesus durch den Teufel (Matthäus 4, 8):

»Wiederum führte ihn der Teufel auf einen sehr hohen Berg und zeigte ihm alle Reiche der Welt und ihre Herrlichkeit.«

146 *Kain-Zeichen:* das Zeichen, das der Brudermörder Kain (1. Mose 4, 15) auf der Stirn trägt und das ihn zum Ausgestoßenen und Unberührbaren stempelt.

148 *Kopierbuch:* Abschriftensammlung wichtiger Rechnungen, Quittungen oder Auftragsbestätigungen.

Depositenschein: Einzahlungsnachweis der Bank.

152 *Linsengericht:* Anspielung auf 1. Mose 25, 29–34. Der ältere Bruder Esau überträgt hier dem jüngeren Jakob für eine Linsenmahlzeit das Erstgeburtsrecht, d. h. den Macht und Reichtum verheißenden Segen des Vaters. Anna verzichtet demnach auf ihr Erstgeburtsrecht, die Verbindung mit Keith, für ein »Linsengericht«, die Ehe mit Casimir.

Haustiere: Vgl. den Prolog zu »Erdgeist«, wo Wedekind die Personen seines Dramas als Raubtiere vorstellt, die der anderen Autoren und vor allem Gerhart Hauptmanns und schließlich das Publikum selbst dagegen als Haustiere abqualifiziert:

»Was seht ihr in den Lust- und Trauerspielen?! –
Haustiere, die so wohlgesittet fühlen,
An blasser Pflanzenkost ihr Mütchen kühlen
Und schwelgen in behaglichem Geplärr,
Wie jene andern – unten im Parterre.«

157 *Stritzi:* (bayrisch-österreichisch) Zuhälter, Lump, Strolch.

158 *Knickebein:* Anspielung auf Keiths Hinken.

Bibliographische Hinweise*

Bibliographie

Horst Stobbe: Bibliographie der Erstausgaben Frank Wedekinds. In: Almanach der Bücherstube auf das Jahr 1921. München 1920. Seite 58–70

Forschungsberichte

Edward Force: The development of Wedekind criticism. Diss. Bloomington 1964

Paul G. Graves: Frank Wedekinds dramatisches Werk im Spiegel der Sekundärliteratur 1960–1980. Ein Forschungsbericht. Diss. der University of Colorado 1982

Nachlaß und Dokumente

Stadtbibliothek München. Wedekind-Archiv – Handschriftenabteilung

Kantonsbibliothek Aargau, Aarau. Wedekind-Archiv

Werkausgaben

Frank Wedekind: Gesammelte Werke. 9 Bände. München 1912–21 (Band 8 und 9 aus dem Nachlaß herausgegeben von Artur Kutscher und Joachim Friedenthal)

Frank Wedekind: Ausgewählte Werke. Herausgegeben von Fritz Strich. 5 Bände. München 1924

* Von Thomas Medicus.

Frank Wedekind: Prosa, Dramen, Verse. Herausgegeben von Hansgeorg Maier. München o. J. (1954)
Frank Wedekind: Werke. Herausgegeben von Manfred Hahn. 3 Bände. Berlin und Weimar 1969
Frank Wedekind als Werbetexter. Unveröffentlichte Texte aus dem Archiv des Press- und Reclambüros von Julius Maggi. In: Der kühne Heinrich. Ein Almanach auf das Jahr 1976. Zürich 1975

Briefausgaben

Frank Wedekind: Gesammelte Briefe. Herausgegeben von Fritz Strich. München 1924
Wedekind – Brandes: Unveröffentlichte Briefe. In: Euphorion 72, 1978, Seite 106–119
Der vermummte Herr. Briefe Frank Wedekinds aus den Jahren 1881 bis 1917. Herausgegeben von W. Rasch. 1967

Tagebücher

Frank Wedekind: Die Tagebücher. Ein erotisches Leben. Herausgegeben von Gerhard Hay. Frankfurt am Main 1986

Erstausgaben der Dramen dieses Bandes

Frühlings Erwachen. Zürich 1891 (bei Jean Groß)
Marquis von Keith. (Münchener Szenen.) Schauspiel in fünf Aufzügen. Albert Langen, Verlag für Literatur und Kunst. München 1901

Bibliographien, Gesamtdarstellungen, Essays

Theodor W. Adorno: Frank Wedekind und sein Sittengemälde »Musik«. In: Noten zur Literatur. Gesammelte Schriften 11. Frankfurt am Main 1974

Derselbe: Über den Nachlaß Frank Wedekinds. Ebenda.
Rudolf Baucken: Bürgerlichkeit, Animalität und Existenz im Drama Wedekinds und des Expressionismus. Diss. Kiel 1950
Alan Best: Frank Wedekind. London 1975
Franz Blei: Über Wedekind, Sternheim und das Theater. Leipzig 1915
Georg Brandes: Der Essay als kritischer Spiegel. Georg Brandes und die deutsche Literatur. Eine Aufsatzsammlung. Ausgewählt und mit einer Einführung und einer Bibliographie versehen von Klaus Bohnen. Königstein im Taunus 1980
Sigrid Damm: Probleme der Menschengestaltung im Drama Hauptmanns, Hofmannsthals und Wedekinds. Diss. Jena 1970
Fritz Denow: Frank Wedekind. Leipzig 1922
Bernhard Diebold: Anarchie im Drama. Frankfurt am Main 1921
Willi Duwe: Zur dramatischen Form Frank Wedekinds in ihrem Verhältnis zur Ausdruckskunst. Diss. Bonn 1936
Hanns Martin Elster: Wedekind und seine zwölf besten Bühnenwerke. Berlin und Leipzig 1922
Wilhelm Emrich: Frank Wedekind. Die Lulu-Tragödie. In: Protest und Verheißung. Frankfurt am Main und Bonn 1960
Paul Fechter: Frank Wedekind. Der Mensch und das Werk. Jena 1920
Jürgen Friedmann: Frank Wedekinds Dramen nach 1900. Eine Untersuchung zur Erkenntnisfunktion seiner Dramen. Stuttgart 1975
Paul Friedrich: Frank Wedekind. Berlin o. J. (1913)
Horst Albert Glaser: Arthur Schnitzler und Frank Wedekind – Der doppelköpfige Sexus. In: Wollüstige Phantasie. Herausgegeben von Horst Albert Glaser. München 1974. Seite 148–184
Maurice Gravier: Strindberg et Wedekind. In: Etudes germaniques 3, 1948, Seite 309–318
Friedrich Gundolf: Frank Wedekind. München 1954
Frederick W. J. Heuser: Gerhart Hauptmann und Frank Wedekind. In: F. W. J. Heuser: Gerhart Hauptmann. Tübingen 1961. Seite 226–246
Alfons Höger: Frank Wedekind. Der Konstruktivismus als schöpferische Methode. Kronberg im Taunus 1979
Derselbe: Der Autor als neuer Prophet: Frank Wedekind. In: Die Rolle des Autors. Analysen und Gespräche. Herausgegeben von Irmela Schneider. Stuttgart 1981

Derselbe: Hetärismus und bürgerliche Gesellschaft im Frühwerk Frank Wedekinds. München 1981

Derselbe: Das Parkleben. Darstellung und Analyse von Frank Wedekinds Fragment »Das Sonnenspektrum«. In: Text und Kontext 11, 1983, 1

Ralph Martin Hovel: The image of the artist in the Works of Frank Wedekind. Diss. 1966 der University of Southern California

Hans-Jochen Irmer: Der Theaterdichter Frank Wedekind. Werk und Wirkung. Berlin 1975

Dominique Jehl: Quelques aspects du grotesque dans le théâtre allemand au seuil de l'expressionisme (Wedekind, Sternheim). In: Mélanges offerts à Claude David pour son 70e anniversaire. Édités par Jean-Louis Baudet. Bern, Frankfurt am Main und New York 1983

Jörg Jesch: Stilhaltungen im Drama Frank Wedekinds. Diss. Marburg 1959

Julius Kapp: Frank Wedekind. Seine Eigenart und seine Werke. Berlin 1909

Hans Kempner: Frank Wedekind als Mensch und Künstler. Berlin o. J. (1911)

Marianne Kesting: Frank Wedekind. In: Publizistik. Jahrgang 8. Bremen 1963

Volker Klotz: Wedekinds wilhelminische Zirkusspiele. In: Dramaturgie des Publikums. München 1976

Anna Katharina Kuhn: Der Dialog bei Frank Wedekind. Untersuchung zum Szenengespräch der Dramen bis 1900. Heidelberg 1981

Artur Kutscher: Frank Wedekind. Sein Leben und seine Werke. 3 Bände. München 1922–31

Heinrich Lautensack: Frank Wedekinds Grablegung. Berlin 1919

Dagmar C. G. Lorenz: Wedekind und die emanzipierte Frau. Eine Studie über Frau und Sozialismus im Werk Frank Wedekinds. In: Seminar 12, 1976, Seite 38–56

Klaus Mann: Frank Wedekind. In: Heimsuchung des europäischen Geistes. München 1973

Kurt Martens: Schonungslose Lebenschronik. Band 1: Wien 1921. Band 2: Berlin 1924

Thomas Medicus: »Die große Liebe«. Ökonomie und Konstruktion der Körper im Werk von Frank Wedekind. Marburg an der Lahn 1982

Michael Meyer: Theater in München 1900-1918. Geschichte und Entwicklung der polizeilichen Zensur und des Theaterzensurbeirates unter besonderer Berücksichtigung Frank Wedekinds. Diss. München 1982

Peter Michelsen: Frank Wedekind. In: Deutsche Dichter der Moderne. Ihr Leben und Werk. Herausgegeben von Benno von Wiese. Berlin 1965. Seite 49–67

Gertrud Milkereit: Die Idee der Freiheit im Werke von Frank Wedekind. Diss. Köln 1957

Libuše Moníková: Das totalitäre Glück: Frank Wedekind. In: Neue Rundschau 96, 1985, 1

Erich Mühsam: »Ich hab' meine Tante geschlachtet«. Erinnerungen an Frank Wedekind. In: Der Literat 10, 1968, Seite 36

Editha S. Neumann: Der Künstler und sein Verhältnis zur Welt in Frank Wedekinds Dramen. Diss. 1968 der Tulane University

Raimund Pissin: Frank Wedekind. Berlin o. J. (1905)

Wolfdietrich Rasch: Sozialkritische Aspekte in Wedekinds dramatischer Dichtung. Sexualität, Kunst und Gesellschaft. In: Gestaltungsgeschichte und Gesellschaftsgeschichte. In Zusammenarbeit mit Käte Hamburger herausgegeben von Helmut Kreuzer. Stuttgart 1969. Seite 409–426

Otto Riechert: Studien zur Form des Wedekindschen Dramas. Diss. Hamburg 1923

Friedrich Rothe: Frank Wedekinds Dramen. Jugendstil und Lebensphilosophie. Stuttgart 1968

Derselbe: Georg Büchners »Spätrezeption«. Hauptmann, Wedekind und das Drama der Jahrhundertwende. In: Georg-Büchner-Jahrbuch 3, 1983 (1984), Seite 270–274

Willy Rudinoff: Wedekind unter den Artisten. In: Der Querschnitt. Jahrgang 10/1930

Hans Ludwig Schulte: Die Struktur der Dramatik Frank Wedekinds. Diss. Göttingen 1954

Ernst Schweizer: Das Groteske und das Drama Frank Wedekinds. Diss. Tübingen 1929

Günter Seehaus: Frank Wedekind und das Theater. München 1964
Derselbe: Frank Wedekind in Selbstzeugnissen und Bilddokumenten. Reinbek 1974
Brigitte Stuhlmacher: Jugend. Plenzdorfs »Die neuen Leiden des jungen W.« und die Tradition: Halbe, Wedekind, Hasenclever. In: Tendenzen und Beispiele. Zur DDR-Literatur in den 70er Jahren. Mit Beiträgen von Hans Kaufmann und anderen. (Herausgegeben von Hans Kaufmann.) Leipzig 1981
Leo Trotzkij: Frank Wedekind. In: Leo Trotzkij: Literatur und Revolution (1924). Berlin 1968. Seite 366–387
Karl Ude: Frank Wedekind. Mühlacker 1966
Mally Untermann: Das Groteske bei Wedekind, Thomas Mann, Heinrich Mann, Morgenstern und Wilhelm Busch. Diss. Königsberg 1929
Adolf R. Vieth: Die Stellung der Frau in den Werken von Frank Wedekind. Diss. Wien 1939
Erich Vieweger: Frank Wedekind und sein Werk. Chemnitz o. J. (1919)
Hartmut Vinçon: Frank Wedekind. Stuttgart 1986
Klaus Völker: Frank Wedekind. Velber 1965
Hans Wagener: Frank Wedekind. Berlin 1979
Das Wedekindbuch. Herausgegeben von Joachim Friedenthal. München 1914
Frank Wedekind und das Theater. Herausgegeben vom Drei-Masken-Verlag. München 1915
Kadidja Wedekind: Mein Vater Frank Wedekind. In: Münchner Merkur vom 18. Juli 1964
Dieselbe: Frank Wedekind und seine Kinder. In: Der Querschnitt. Jahrgang 11/1931
Pamela Wedekind: Mein Vater Frank Wedekind. In: Frank Wedekind: Der Kammersänger. Stuttgart 1967 (Reclams Universal-Bibliothek. 8273)
Tilly Wedekind: Lulu. Die Rolle meines Lebens. München, Bern und Wien 1969
Kurt Wiespointner: Die Auflösung der architektonischen Form des Dramas durch Wedekind und Strindberg. Diss. Wien 1949

Gerd Witzke: Das epische Theater Wedekinds und Brechts. Ein Vergleich des frühen dramatischen Schaffens Brechts mit dem dramatischen Werk Wedekinds. Diss. Tübingen 1972

Monographien und Aufsätze

Zu »Frühlings Erwachen«

Walter Benjamin: Frank Wedekind: »Frühlings Erwachen«. In: Walter Benjamin: Gesammelte Schriften, Band IV, 1, 2. Unter Mitwirkung von Theodor W. Adorno und Gershom Sholem herausgegeben von Rolf Tiedemann und Hermann Schweppenhäuser. Frankfurt 1980

Gordon Birrell: The Wollen-Sollen equation in Wedekind's »Frühlings Erwachen«. In: The Germanic Review 57, 1982, 2 und 3

Keith Bullivant: The notion of morality in Wedekind's »Frühlings Erwachen«. In: New German Studies 1, Hull 1973

Richard Elsner: Frank Wedekinds »Frühlings Erwachen«. Berlin und Charlottenburg 1908. In: Moderne Dramatik in kritischer Beleuchtung. Heft 1

Frühlings Erwachen. Eine Kindertragödie. Edited by Hugh Rank. London 1976

Frühlings Erwachen. Eine Kindertragödie. Mit einem Nachwort von Georg Hensel. Nachdruck Stuttgart 1975 (Reclams Universal-Bibliothek 7951)

Frank Wedekind: Frühlings Erwachen. Erläuterungen und Dokumente. Herausgegeben von Hans Wagener. Stuttgart 1980 (Reclams Universal-Bibliothek 8151)

Kurt Herbst: Gedanken über Frank Wedekinds »Frühlings Erwachen«, »Erdgeist« und »Büchse der Pandora«. Eine literarische Plauderei von Kurt Herbst. Leipzig o. J. (1919)

John Laurence Hibberd: Imaginary numbers and »humor«: on Wedekind's »Frühlings Erwachen«. In: Modern Language review, Leeds 1979

Alfred Kerr: Mit Schleuder und Harfe. Berlin 1982. Seite 26f.

Lore Lucas: Textsorte Drama. Bochum 1977. Seite 36–55

Friedhelm Roth: Frank Wedekind: Frühlings Erwachen. In: Von Lessing bis Kroetz. Einführung in die Dramenanalyse. Kursmodelle und sozialgeschichtliche Materialien für den Unterricht. Kronberg im Taunus 1975

Friedrich Rothe: »Frühlings Erwachen«. Zum Verhältnis von sexueller und sozialer Emanzipation bei Frank Wedekind. In: Studi Germanici 7 (1969) Heft 1

Leroy R. Shaw: Frank Wedekind's »Spring's Awakening«. In: Alogical modern drama. Essays edited by Edith Kern (u. a.). Amsterdam 1982. Seite 25–37

Ulrich Vohland: Wider die falsche Erziehung. Zu Wedekinds »Frühlings Erwachen«. In: Diskussion Deutsch. Jahrgang 10. Frankfurt, Berlin und München 1979

Alfred D. White: The notion of Morality in Wedekind's »Frühlings Erwachen«: A Comment. In: New German Studies 1 (1973) Heft 2

Zum »Marquis von Keith«

Burghard Dedner: Intellektuelle Illusionen. Zu Wedekinds »Marquis von Keith«. In: Zeitschrift für deutsche Philologie 94 (1975), Seite 498–519

Peter Haida: Komödie um 1900. Wandlungen des Gattungsschemas von Hauptmann bis Sternheim. München 1973

Wolfgang Hartwig: Nachwort zu Frank Wedekind, Der Marquis von Keith. Berlin 1965 (= Komedia 8). Seite 92–120

Alfons Höger: Frank Wedekind: »Der Marquis von Keith«. In: Analyser af tysk litteratur 1982, Seite 119–133

Anna Katharina Kuhn: Der aphoristische Dialog im »Marquis von Keith«. In: Theatrum Mundi. Festschrift für Harald Lenz. München 1980. Seite 80–92

Wolfgang Kuttenkeuler: Der Außenseiter als Prototyp der Gesellschaft. Frank Wedekinds »Der Marquis von Keith«. In: Fin de Siècle. Herausgegeben von Roger Bauer. Frankfurt am Main 1977. Seite 567–595

Heinrich Mann: Der Marquis von Keith. (Ansprache, Oktober 1918.) In: Heinrich Mann: Macht und Mensch. München 1919. Seite 158-160

Thomas Mann: Über eine Szene von Wedekind. In: Joachim Friedenthal (Herausgeber): Das Wedekind-Buch. München 1914. Auch in: Thomas Mann: Schriften und Reden zur Literatur. Herausgegeben von Hans Bürgin. Frankfurt am Main 1968. Band 1. Seite 90–94

Hector Maclean: Wedekind's »Der Marquis von Keith«. An Interpretation based on the Faust and Circus Motifs. In: Germanic Review 43 (1968), Seite 163–187

Verena Wipf: Frank Wedekind: »Der Marquis von Keith«. Diss. Zürich 1969

Winfried Wolling: Herrschende Kommunikation. Eine Szene aus Wedekinds »Der Marquis von Keith« als Beispiel der Jahrhundertwende. In: Literatur für Leser. München 1980. Seite 15–30

Meisterwerke der WELTLITERATUR in Geschenkausgabe

8677

8678

8679

8680

8681

GOLDMANN